W9-BKZ-090

Doña Perfecta

Letras Hispánicas

Benito Pérez Galdós

Doña Perfecta

Edición de Ignacio Javier López

CÁTEDRA
LETRAS HISPÁNICAS

1.ª edición, 2017

Ilustración de cubierta: Paul Cézanne, *Madame Cézanne* (1888-1890)

Juan Ignacio Luca de Tena, 15. 28027 Madrid
Depósito legal: M. 22.733-2017
ISBN: 978-84-376-3739-6
Printed in Spain

Índice

Introducción

Benito Pérez Galdós.

Los lectores han mostrado en todo momento una predilección especial por *Doña Perfecta*. Los protagonistas de esta novela —el joven ingeniero Pepe Rey y su intransigente tía, doña Perfecta Rey de Polentinos, personaje que da título al libro— están entre los más memorables de la incontable nómina de caracteres creados por Galdós a lo largo de casi medio siglo de incesante actividad literaria. Producto de una genialidad poco común, el imprudente joven y su hierática tía se han impuesto a la conciencia de los lectores compitiendo ventajosamente con creaciones posteriores, algunas de las cuales sin duda están mejor perfiladas, pero difícilmente pueden igualarse a los protagonistas de esta novela en alcance, éxito o significación.

Galdós, sin embargo, tardó en mostrar entusiasmo por esta obra. En una semblanza del autor que publicó Clarín en la década de 1880, recuerda haberla escrito «para la *Revista de España,* por encargo de León y Castillo»; y, confirmando el carácter circunstancial del encargo, añadía: «la comencé sin saber cómo había de desarrollar el asunto. La escribí a empujones, quiero decir, a trozos, como iba saliendo» (cit. Alas, *Galdós,* pág. 28). Tan solo a comienzos del siglo XX, tras el éxito obtenido por la versión dramática de 1896, el novelista se refiere a ella como ejemplo de literatura comprometida con la realidad: «Creo que la literatura debe ser enseñanza, ejemplo», declaraba en 1912, en una entrevista en la que reflexionaba sobre su larga trayectoria como escritor para, inmediatamente, añadir: «Yo escribí siempre, excepto en algunos momentos de lirismo, con el propósito de marcar huella. *Doña Perfecta, Electra, La loca de la casa,* son buena prueba de ello» (cit. Rodgers, *From Enlightenment to Realism,* pág. 14).

El deseo de ser significativo que el gran novelista expresaba en esta ocasión, resumía una concepción estética que había arraigado en España en la segunda mitad del siglo XIX. Bebiendo sus fuentes en el idealismo alemán, dicha estética entendía la literatura, y de modo preferente la novela, como una actividad con contenido ético destinada a la reflexión, en la que el lector podía encontrar importantes enseñanzas para la vida (véase González Serrano, *«Doña Perfecta»,* págs. 201-207). En la segunda mitad del siglo XIX, en España, las masas accedían ya en grandes números, por vez primera en la historia, a la cultura escrita; y Galdós era consciente de que, en este escenario, la novela podía contribuir a la difusión del pensamiento. Era el género literario idóneo para «marcar huella».

La novela cuenta la historia del joven Pepe Rey, que viaja a Orbajosa para casarse con su prima Rosario. El enlace ha sido propuesto por el padre del joven, y aceptado por Perfecta, tía de Pepe, quien expresamente reconoce que con este enlace paga los muchos favores que debe a su hermano. En el pasado, este había rescatado la destartalada economía de Perfecta quien, en el momento de quedarse viuda, se había enfrentado a la ruina económica. En pago a dicho favor, Perfecta accede al matrimonio de su hija con su sobrino, porque, según confiesa a este, «basta que esta unión haya sido propuesta por tu padre, a quien tanto debemos mi hija y yo, para que la acepte» *(Doña Perfecta,* págs. 241-242)[1].

Pero este proyecto entorpece las aspiraciones de don Inocencio, sacerdote y consejero de Perfecta, que secretamente sueña con casar a la rica heredera Rosario con su

---

[1] Todas las referencias al texto de la novela remiten a la presente edición.

sobrino Jacinto. El cura se apresta a impedir la boda aprovechando el recelo que en los lugareños despierta un ser forastero y urbano como Pepe Rey. Repetidamente provoca a este con el objeto de presentarle en público como poco respetuoso con los hábitos y la fe de los orbajosenses, muy sensibles en materia de religión. Falto de prudencia o de tacto, Pepe cae repetidamente en las trampas que le tiende el clérigo, cometiendo numerosos errores que lamentablemente sirven para corroborar, ante los ojos de los demás, y en especial de su tía, las reiteradas calumnias del cura.

En una ciudad levítica como Orbajosa, no ya la impiedad, sino exhibir poca reverencia en los ritos públicos de la religión, es sentido como una falta gravísima. Y esto ocurre con el protagonista. Con su pensar independiente, Pepe causa el rechazo generalizado de los lugareños, desde el obispo hasta los humildes labriegos; y finalmente descubre que su tía ha estado maniobrando en secreto para impedir la boda acordada entre los primos. Perfecta abiertamente confiesa que no quiere que su hija case con un ser al que ella considera ateo e inmoral, y a quien, en castigo por sus creencias, cree destinado a la condenación eterna.

Perfecta es un personaje de gran carácter, sensible a veces, en otras ocasiones calculadora, que unas veces simula llorar y otras llora de verdad, sea de dolor o de ira. Manipula a su sobrino, que carece de la doblez, o de la trastienda, de su tía. Pero en lo que no admite duda alguna es en materia de creencias. Encarna la fe ciega y antañona, las creencias de una pieza y sin fisuras, y los prejuicios heredados de la España castiza. En el análisis de las emociones de los personajes, el narrador indica que los habitantes de Orbajosa defienden una fe y un fervor de los que en realidad carecen, pues sus sentimientos religiosos han sido exacerbados por el clero para servir sus intereses. Así ocurre con Perfecta Rey de Polentinos. A lo largo de la novela, y de modo especial en el desenlace, su comportamiento pone de manifiesto un personaje fanático, que acertadamente se ha considerado precedente de otras figuras que representan la autoridad desmedida e intransigente, desde *Doña Bárbara,* de Rómulo Gallegos, a la futura Bernarda Alba lorquiana (Fox, págs. 57-65; Wright, págs. 151-156; Rubio González, págs. 309-318; Blake, págs. 115-133). Debido a la actitud inflexible que exhibe, el conflicto entre ella y su sobrino se carga de valor simbólico, llegando a encarnar la pelea entre lo viejo y lo nuevo, entre tradición y renovación; un conflicto que ha sido entendido, a lo largo de los años, como muestra del enfrentamiento entre la España tradicional y una nación alternativa, portadora de ideas de renovación y libertad.

La crítica ha reconocido en *Doña Perfecta* un aliento nuevo que resulta de la novedad estética que aporta el Realismo y de la novedad de los contenidos. Mostrando el enfrentamiento entre pasado y futuro, *Doña Perfecta* conecta con los debates intelectuales que, en la Europa del siglo XIX, trataron de las novedades políticas y culturales que trajo el mundo moderno.

Esta novela se publica tras el fracaso de la revolución liberal en un momento en que en España se libra una importante guerra cultural entre liberales y conservadores[2],

[2] El término «guerra cultural» aparece en el siglo XIX al mismo tiempo que se extiende en política el pluralismo ideológico propio de la modernidad. En las democracias avanzadas de hoy, España incluida, nombra el conflicto social y político que resulta de entendimientos diferentes de la moral, y la disparidad entre las creencias individuales y el discurso público; y, más generalmente, se usa para hablar de la lucha entre liberales y conservadores. Este conflicto, que incluye el enfrentamiento entre ideologías opuestas, y la oposición entre ciudad y campo, es esencial a *Doña Perfecta,* pero no es en modo alguno un asunto exclusivamente español. Recibió nombre de la imposición de una educación secular, por parte del canciller Bismarck (la *Kulturkampf),* frente a las pretensiones dogmáticas de los católicos alemanes. En Estados Unidos el término ha designado hasta hoy el enfrenamiento entre la derecha evangélica y reaccionaria y los intentos liberalizadores en polí-

estos nostálgicos del mundo antiguo y decididos a frenar el avance de la revolución; aquellos partidarios de lo nuevo. En este contexto, la «modernidad» de que hablamos tiene que ver con la modificación que, en el siglo XIX, se introduce en el pensamiento y en las formas de vida para llegar a una forma secular de la existencia (Bénichou). Se trata del «universo sin Dios» (Alarcón, Nietszche, Lukács) que lucha frente a las devociones tradicionales, defendidas por el dogmatismo católico. Este conflicto religioso alcanzó gran fuerza en los países meridionales de Europa (González Serrano, Croce), y fue tema preferente de la novela ideológica, el género al que pertenece *Doña Perfecta*. Esta novela de Galdós es la muestra más afamada, y ejemplo paradigmático, de dicho género ideológico, que es el tipo de novela que triunfó en España entre 1875 y 1880. Como hemos de ver en detalle, se trata de una novela de intención filosófica, de concepción abstracta y maniquea, que fue concebida con la intención de influir en la realidad; o, como dijera Galdós, con el deseo de «marcar huella».

La novela y su personaje

Doña Perfecta se publicó originalmente en 1876, en los volúmenes XLIX y L de la *Revista de España*. Apareció en cinco entregas sucesivas en los números correspondientes a:

---

tica; nombra también el enfrentamiento entre las culturas urbanas (por ejemplo, noreste de los Estados Unidos o California, este de Canadá) frente a las zonas rurales del oeste y del medio-oeste (véase, por ejemplo, J. M. Hunter, *Culture Wars,* Nueva York, Basic Books, 1991; E. P. Lazear, *Culture Wars in America,* Stanford, Hoover Institute, 1996; G. S. Jay, *American Literature and the Culture Wars,* Ithaca, Cornell University Press, 1997).

— marzo, núm. 194, págs. 231-268 (incluye caps. I-VIII)
— abril, núm. 195, págs. 374-415 (caps. IX-XV)
— mayo, núm. 196, págs. 510-536 (caps. XVI-XVIII, aunque incluye en realidad cuatro capítulos, al contar con el «capítulo XVI, bis: Luz a oscuras», que parece haber sido añadido a última hora a base de dividir el capítulo XVI)
— mayo, núm. 197, págs. 49-71 (caps. XIX-XXIII) y
— junio, núm. 198, págs. 224-266 (caps. XXIV-[Epílogo]).

Pese a que, según vimos, el autor declaró haberla escrito según «iba saliendo», parece claro que siguió un plan preconcebido, escribiendo una media de ocho capítulos para cada una de las entregas: la primera tiene, efectivamente, ocho capítulos; la segunda, siete; y la última, ocho más el breve epílogo; mientras que las entregas tercera y cuarta, juntas, sumaban inicialmente ocho capítulos (se incrementa en uno, con la adición del XVI bis).

Las entregas ofrecen información importante relativa al ordenamiento estructural. La novela consta de una presentación (entregas primera y segunda, capítulos 1 a 15 de la novela), seguida del enredo en que el protagonista se enfrenta a su tía y se propone liberar a su amada (correspondiente a la parte tercera, publicada en dos partes en mayo, capítulos 16 a 24); y, finalmente, una resolución o desenlace (última entrega, capítulos 25 a Epílogo). El mayor número de capítulos en la primera parte responde a una necesidad morfológica obvia, pues la presentación contiene la introducción de los personajes principales, desde el protagonista a la aparición del rival, o sea, Jacintito (primera entrega); y la «desavenencia» o conflicto que ha de surgir entre Pepe y los habitantes de Orbajosa (segunda entrega). Este conflicto es el hilo conductor de las dos primeras entregas, donde aparece inicialmente como «desavenencia» (caps. 5, 6, 7 y 9) para, a medida que la situación de Pepe se vuelve crítica, convertirse en «discordia» y finalmente en «guerra» (caps. 10, 11, 14 y 15).

A diferencia del conflicto descrito, que trata de las formas de pensar, el enredo posterior tiene una dimensión dramática y activa (caps. 16 a 24), y muestra la manera como el protagonista lucha contra sus antagonistas. Según esto, cabe destacar un orden complementario del anterior, que divide la novela en dos partes bien diferenciadas de similar número de capítulos. La primera corresponde al asedio a Pepe llevado a cabo por su tía, por don Inocencio y, en fin, por los orbajosenses. Una vez más, se trata de la «desavenencia» que concluye en «discordia». Esta parte se centra en las ideas de Pepe y como estas son recibidas, y rechazadas, por quienes le rodean. Es también la parte en que el autor opone las ideas de modernidad a las creencias heredadas de la España profunda. El protagonista no entiende la hostilidad que encuentra en casa de su tía, ni la trama que existe contra él. Esta parte concluye cuando Rey, que ha resuelto irse de Orbajosa, cambia súbitamente de plan, y decide quedarse en el pueblo, con lo que da paso al enfrentamiento definitivo entre él y su tía.

La segunda parte, que comienza con el capítulo 16, tiene un ritmo diferente. Me he referido a esta parte como el enredo. El novelista partió en dos el capítulo 16, creando el 16 bis —con posterioridad, al editar la novela, el capítulo 16 bis ha pasado a ser el capítulo 17, y los capítulos siguientes cambian la numeración sucesivamente; en la presente edición he respetado este criterio, hoy universalmente aceptado. En esta segunda parte, el protagonista adopta un papel activo a partir del melodramático encuentro nocturno con su prima. Inicia la lucha contra su tía con el fin de conseguir liberar a su novia, Rosario. Esta estructura novelesca en dos partes responde al modelo que el autor sigue en otras obras suyas contemporáneas (por ejemplo, *Gloria).*

La edición en libro estuvo a la venta a mediados o finales del mes de mayo[3], y se agotó al mes siguiente. Esta primera edición repite la versión de la *Revista*[4]. Mantiene el desenlace original, el cual los críticos censuraron por considerarlo melodramático y poco afortunado (Revilla, *Críticas*, págs. 124-125).

La obra, no obstante, evidenciaba un estilo nuevo, subrayado por los más importantes críticos del momento (Manuel de la Revilla, Urbano González Serrano, Leopoldo Alas «Clarín»), los cuales detectaron novedades que venían a marcar el camino de la novela posterior. En un primer momento se vincularon dichas novedades con el modelo inglés, y se destacó la admiración sentida por el novelista español hacia Dickens (González Serrano, *«Doña Perfecta»*, pág. 203). Galdós sintió siempre una atracción indiscutible por el novelista británico. Pero en las fechas en que publica esta novela, se había empapado del modelo realista francés, una corriente literaria innovadora que, a partir de entonces, había de aportar a la literatura española una visión analítica nueva.

El autor se concentraba en el interés económico (de don Inocencio y de su sobrina María Remedios, por ejemplo) como la fuerza que impulsa las relaciones humanas, siguiendo con ello los «análisis» que había encontrado en Balzac. Este había hecho tema central de su obra la transformación que se había operado en el siglo XIX, momento en que habían desaparecido las relaciones y afectos familiares del pasado, y donde la fe y las creencias anteriores habían dejado de sostener los ideales de la vida. Los lazos sustantivos, que sirvieron de fundamento al mundo ante-

---

[3] Benito Pérez Galdós, *Doña Perfecta, novela original*, Madrid, Imprenta de J. Noguera a cargo de M. Martínez, 1876, 320 páginas, volumen en 8.º.

[4] Versión publicada en la página web de la Biblioteca Cervantes de la Universidad de Alicante; véase *cervantesvirtual.com.*

rior, habían sido reemplazados por los intereses individuales, entre los que destaca el provecho económico; y las visiones trascendentales del pasado, habían sido reemplazadas por el egoísmo y la vanidad. El novelista francés había mostrado este tránsito como característico del mundo moderno[5]. Galdós noveló estos conflictos en *Doña Perfecta* al enfrentar al joven Rey con el mundo rural de Orbajosa, y la transición de un mundo de creencias antiguas, tanto positivas (fe, fervor religioso, orden social) como negativas (conflictos históricos, ignorancia, intereses egoístas de los caciques rurales), a una visión secular, igualmente contemplada tanto desde un punto de vista positivo (ideas de cambio y redención, voluntad de progreso) como negativo (falta de respeto por las creencias ancestrales, disolución de los valores, escaso respeto por la autoridad, etc.).

Balzac fue, sin duda, el modelo principal de Galdós. La novela más frecuentemente citada como fuente de inspiración, tanto en lo que se refiere al tema como en la visión de la realidad, es *Eugénie Grandet* (Truel, págs. 105-115), aunque Gilman ha mencionado además el modelo posible de la novela *Les paysans (Galdós,* pág. 71). Sea cual sea el modelo concreto, lo indudable es que el autor español tomó del maestro francés un rasgo excepcionalmente importante, el cual supone una innovación considerable en el panorama literario español del momento. Este rasgo está anticipado probablemente en algunos de los *episodios* de la «segunda serie», publicados poco antes, pero resulta notable por vez primera en la novela de 1876. Se trata del desarrollo completo de todos los personajes de la novela. «No hay personaje, por insignificante que sea, que no constituya un verdadero carácter, magistralmente delineado», nota Revilla en su reseña *(Críticas,* vol. 2, pág. 126; véase, también,

[5] Paul Bénichou, *La coronación del escritor,* México, FCE, 2012.

Montesinos, vol. 1, págs. 165-169). La elaboración de los personajes modificaba, y mejoraba notablemente, lo que hacían por entonces los demás novelistas en España, como Alarcón o Valera, que relegaban los personajes secundarios a un papel meramente episódico —algo que sucedía también en el folletín del momento— o a cumplir la función de *deus ex machina* (tal es el caso de Gutiérrez en *El escándalo,* o de Antoñona en *Pepita Jiménez).*

Este interés por el personaje imponía una concepción innovadora de la novela que, en la España de 1876, correspondió a un importante cambio en la orientación estética. Desde Aristóteles se ha debatido sobre si el énfasis de la narrativa debe ponerse en la acción o en el personaje; esto es, si debe primar la imaginación y el entretenimiento con la narración de aventuras y acciones sucesivas, o importa más el análisis de los sentimientos y la elaboración detallada de las psicologías[6]. En España, en la segunda mitad de la década de 1870, esta distinción sirvió para separar definitivamente las estéticas del Romanticismo *(El escándalo, El Niño de la Bola)* y del Realismo *(Doña Perfecta, Gloria, La familia de León Roch, Don Gonzalo González de la Gonzalera).* Es una distinción que resulta esencial para la novela aquí editada. Galdós apostaba decididamente por el personaje, marcando el camino por el que había de transitar la novela moderna a la que, primero que nadie, él daba carta de entrada en nuestra literatura nacional. La acción, que era producto de la imaginación creadora, que había estado destinada a la narración de aventuras, y que buscaba el entretenimiento del lector en la novela precedente —la imaginación había sido la gran potencia creativa para los autores románticos (todavía lo es para el Alarcón de *El escándalo,* por ejemplo)—, se subordinaba a las necesidades del

---

[6] H. Porter Abbott, *Narrative,* Cambridge University Press, 2002, págs. 123-124.

análisis de los estados psicológicos de los personajes. En la novela de Galdós los personajes secundarios (Caballuco, el tío Lucas, las Troyas, Jacintito, María Remedios) adquieren desarrollo, y desempeñan un papel relevante en la estructura. De modo que, en la nueva estética, la inventiva dejaba paso a la descripción detallada.

La objeción mayor que la crítica ha presentado para cuestionar la modernidad de *Doña Perfecta,* está en la visión maniquea y abstracta que domina en ella. Esta visión en efecto existe, pero no puede aceptarse como objeción porque es elemento morfológico esencial de este tipo de novela. Los autores buscaron la polémica en su deseo de ser socialmente significativos en el momento en que se publicaron las obras. Pero hemos de notar, además, que el tránsito de la visión abstracta a los análisis psicológicos no se hace dando un gran salto, sino mediante una transición progresiva. Cierto que el impulso inicial en la visión de los personajes de la novela de 1876 tiene mucho de abstracto, de materia ideológica, como ocurre también en la contemporánea *Gloria,* por ejemplo. Esto se debe a que el autor sigue un modelo que todavía depende de nociones románticas puesto que la novela de 1876 combina, en diferentes grados, las dos estéticas dominantes en el momento de su publicación. Esto afecta a los personajes principales[7], que son vistos atendiendo a su valor simbólico. Pero, y aquí entra ya el componente realista, abunda el tratamiento irónico, como indican los nombres de Inocencio y Perfecta, los cuales significan mediante antífrasis (Brendler, págs. 112-118); o la visión humorística (Caballuco, las

---

[7] Valera destacó que este «defecto» era una herencia del drama romántico anterior, en el que había una tendencia a «elevarse a lo general y no partir de lo individual», lo cual redundaba en la abstracción que la obra ofrecía, pues en ella no se presentaban «personajes vivos y verdaderamente humanos, sino abstracciones personificadas» *(Continuación de la Historia,* pág. 54).

Troyas, Tafetán, don Cayetano) en la descripción de los hábitos y las formas de ser de los personajes (Sánchez, págs. 51-59). En la visión de estos destacan los rasgos exteriores tales como el aspecto, la forma o apariencia que presentan en un momento dado para el observador[8].

Aunque el impulso dominante en el tipo de novela a que pertenece *Doña Perfecta,* es crear personajes influidos por una idea (Pepe, Perfecta), Galdós logra una notable complejidad que rompe los moldes de la idea inicial. De Balzac ha aprendido la noción principal de no crear personajes que sean del todo positivos, o del todo negativos. Pepe Rey, el protagonista, tiene sus defectos, que el narrador enumera (Dendle, «Orbajosa», págs. 51-67); Rosario, no es la belleza de égloga de las novelas de folletín, sino una muchacha de una belleza corriente.

La mezcla de cualidades es particularmente visible en los casos en que, frente a las pasiones centrales de los protagonistas, se buscan motivaciones fundadas en sentimientos menores. La figura del clérigo, don Inocencio, es verdaderamente ejemplar en este sentido. Es, con mucho, uno de los personajes más elaborados de la novela. Impulsado por el amor hacia su sobrino Jacinto, y espoleado por las exigencias de María Remedios, don Inocencio es el ser malévolo y astuto que provoca a Pepe con facilidad. Servicial y logrero en su trato con Perfecta, controla a esta a su antojo. Con su plan de impedir la boda, es el ser mefistofélico que manipula la trama y causa la caída de Pepe. Pero su maldad no es absoluta: el trágico desenlace del protagonista abre los ojos del cura ante la magnitud del mal que ha causado, y le produce una pesadumbre y un remordimiento que, según dice la carta final de don Cayetano, auguran para él un final sombrío.

---

[8] Se trataría de la visión metonímica que Roman Jakobson consideró característica de la escuela realista; véase, Roman Jakobson y Morris Halle, *Fundamentos del lenguaje,* Madrid, Fundamentos, 1965.

La importancia de los personajes es central al aprecio que han sentido por esta novela sucesivas generaciones de lectores. Lo dejó establecido en 1909 el primer historiador de la novela del XIX español, Andrés González Blanco, quien se expresaba así:

> La crítica más inclemente no podrá negarle [a Galdós] ese don de humanidad privativo de los grandes genios. Le negará requisitos de estilo y repulgos de dicción de que él no se cuida, pero la facultad de crear hombres y de reconstituir épocas no se adjudica [sin que haya quien discrepe], y a quien se adjudica se llama Balzac, Zola, Galdós. Desde *Doña Perfecta* hasta *La de los tristes destinos*, ¡qué serie de hombres y mujeres, ya animados o tristes, risueños o llorosos, sollozando, implorando, gimiendo todos en la plena posesión de su ciudadanía en la Urbe Humana! ¡Cuánta humanidad en movimiento a través de las novelas del genial maestro! *(Historia de la novela en España,* pág. 372).

Se trata de una valoración que ya habían establecido los críticos contemporáneos quienes, desde un comienzo, hablaron de la riqueza en la «pintura» de los caracteres y en la «observación» de la realidad. Clarín destacaba esta riqueza como novedad esencial, celebrando además el «verdadero realismo» de la novela, y que el autor se separara del idealismo «abstracto [...] débil y vagaroso [que] reina en nuestra literatura», pues Galdós ha atendido de manera especial «a la realidad poética» *(«Doña Perfecta», OC,* vol. 5, págs. 580 y 582).

La capacidad para crear personajes es considerada, incluso a día de hoy, rasgo distintivo del genio galdosiano. Lo trataron Unamuno y Cernuda en poemas memorables. Ambos autores, además, hicieron hincapié en la visión de la realidad que ofrece el novelista canario, la cual escapa a los tópicos reaccionarios y a las visiones castizas de lo español. Cernuda habla de la «España mágica, la que no es de este mundo», que él descubrió en la lectura de las novelas galdosianas que hizo en el colegio de Sevilla siendo adolescente, donde encontró «tantos personajes creados para siempre / por su genio generoso y poderoso»; mientras que el autor vasco recordaba su infancia, y los «días liberales que me llenó de ensueños don Benito»[9]. Estas reiteradas evaluaciones nos llevan a considerar las distintas interpretaciones de la novela, que han pasado desde una primera visión contextual, que nos habla elocuentemente de la importancia de *Doña Perfecta* en el momento de su publicación, hasta la visión de un personaje que ha alcanzado valor simbólico; que, incluso, tiene valor mítico en el imaginario cultural de los lectores de habla hispana.

Historia, drama y mito

Los primeros lectores hicieron una lectura coyuntural de la novela. Influidos por las eventualidades de la realidad social y política del momento, vieron en ella un alegato contra la intransigencia, tema de candente actualidad en 1876, año en que se debate y aprueba la constitución de la monarquía restaurada; momento, además, en que la situación política en España estaba enrarecida y había alcanzado una tensión excepcional. Se vivía en esa fecha la que se conoce como «Segunda Cuestión Universitaria», esto es, el momento en que los profesores universitarios adeptos al krausismo, sufrían la persecución del marqués de Orovio, el ministro de Fomento del primer gobierno de la Restauración. Orovio se había propuesto erradicar dicha corriente krausista de las instituciones educativas españolas. Su objetivo era acabar con la actitud crítica liberal que los seguido-

---

[9] Unamuno, «Volviendo a leer *Doña Perfecta,* de Galdós», *De Fuerteventura a París, OC,* Madrid, Afrodisio Aguado, 1958, vol. 14, pág. 517; Cernuda, «Díptico español, 2», *La realidad y el deseo,* México, FCE, 1958, pág. 331.

res de Krause habían introducido en el mundo universitario español[10].

Los debates previos al texto constitucional y la persecución de los profesores universitarios, formaban parte de una ofensiva ideológica de los conservadores más intransigentes, que exigían la derogación de las leyes aprobadas durante el anterior Sexenio Revolucionario. Esto hizo estallar una guerra cultural en que se enfrentaron filosofías contrarias y, en tanto que contexto específico de la novela ideológica, este debate público explica la voluntad polémica del género, a que me he referido antes, y el carácter maniqueo de la mayor parte de las obras. Los reaccionarios querían erradicar la herencia del régimen derrotado. Opuestos a estos, los hombres de ideología liberal respondieron a los ataques de aquellos, haciendo reiteradas llamadas a la tolerancia. En este contexto, que es, como digo, el momento en que se debatía la nueva constitución, los primeros lectores vieron en la novela de Galdós una reclamación de tolerancia, considerando que contenía una pro-

[10] La «Segunda Cuestión Universitaria» estalló tras el Real Decreto de 26 de febrero de 1875, promulgado por Orovio (la «primera cuestión», motivada por el «rasgo» de la reina Isabel II, había tenido lugar durante el gobierno de Narváez, antes de la revolución del 68). Pese a reconocer la libertad de enseñanza, «que el gobierno respeta», Orovio prohibió todas las manifestaciones contra la religión católica, las contrarias a su dogma, a sus doctrinas o a sus mandamientos: «El Gobierno no puede consentir que en las cátedras sostenidas por el Estado se explique contra un dogma [el católico] que es la verdad social de nuestra patria» (Antonio Jiménez Landi, *La Institución Libre de Enseñanza: Orígenes*, Madrid, Taurus, 1973, pág. 479). Esto suponía impedir que se enseñara ninguna idea políticamente liberal, pues la Iglesia había condenado todas las ideas modernas en el *Syllabus* de 1864. Con su decreto, el ministro buscaba silenciar a los profesores krausistas, pero sus acciones tuvieron el efecto opuesto, y el decreto provocó la rebelión del profesorado. Muchos prestigiosos profesores universitarios vieron amenazadas sus cátedras (Castelar dimitió de la de Historia en la Universidad de Madrid); algunos (Giner, Salmerón, Azcárate, González Linares, Calderón...) acabaron en prisión o en el destierro.

puesta muy actual para combatir «el fanatismo de nuestros pueblos» (Alas, *OC*, vol. 5, pág. 582).

Pero este significado coyuntural, aunque motivado por los hechos de la política, no abarca por completo el alcance de la obra. Nadie duda hoy, ni dudó tampoco en el siglo XX, cuando la novela alcanzó una popularidad extraordinaria, que hay en ella mucho más que un simple reclamo de tolerancia motivado por la «cuestión universitaria». Los lectores del siglo XX entendieron que la novela contiene una representación dramática de la esencia nacional, y en concreto el conflicto que surge cuando las minorías ilustradas se enfrentan a una realidad hostil y resistente al cambio.

Para lograr esto, la novela ofrece una visión de las rivalidades nacionales representadas simbólicamente en el enfrentamiento entre ciudad y campo. Se basaba esto en la experiencia de los lectores. La lectura de novelas, en el momento en que se publica esta obra, era privilegio prácticamente exclusivo de las grandes urbes, y el lector del XIX en general, y de esta novela en particular, era la población urbana[11]. El enfrentamiento entre el protagonista y los orbajosenses adquiere de este modo un valor añadido: el lector implícito, que el autor hubo de tener en mente, era un individuo urbano, probablemente lleno de buenas intenciones en lo que se refiere a la redención del país, pero poco familiarizado con la vida rural y con el ambiente en que se desarrolla la acción, de la que sin duda había de tener una idea convencional, influido por las figuraciones literarias y cega-

[11] A la mayoría de las ciudades y a los lugares de provincia no llegaban las novedades literarias, o llegaban mal y mucho más tarde. En 1875 Valera declaraba no haber podido encontrar ni una sola de sus novelas a la venta en Córdoba, Málaga o Granada; y, en 1879, Gumersindo Laverde, que vivía en Valladolid, «una de las primeras ciudades de España, donde hay Universidad», no podía encontrar en lado alguno, para leerlo, un ejemplar de *El Comendador Mendoza*. Lo que llegaba a las provincias, porque se distribuía mejor, era el folletín popular (cit. Montesinos, *Valera o la ficción libre*, Madrid, Castalia, 1970, págs. 21 y 23).

do por los proyectos académicos de redención. Un mundo exterior al que los reformistas del XIX se habían enfrentado con el bagaje de un idealismo que entorpeció su relación con la realidad. Galdós, en cambio, en su viaje literario al «corazón del país» *(Doña Perfecta,* pág. 152), ofrecía una representación de la España profunda a modo de incitación para que el lector reflexionara sobre el presente y sobre la historia reciente, y adquiriera un entendimiento libre de las ataduras ideológicas o literarias que aportaba la tradición.

El desconocimiento de la realidad nacional por parte del lector de 1876 encuentra eco, dentro de la novela, en la ingenua visión del protagonista. En un principio este, de lo que colegimos de la conversación que mantiene con su padre, imagina que se dirige a una arcadia idílica, ajena a los conflictos históricos: «en esa remota Orbajosa [...] se pasa la vida con la tranquilidad y dulzura de un idilio», le dice su padre mientras le propone el viaje para conocer a su prima; y añade: «¡Qué admirable lugar para dedicarse a la contemplación de nuestra propia alma y prepararse a las buenas obras!» *(Doña Perfecta,* pág. 175). A la realización de buenas obras quiere dedicarse, por disposición de carácter, el joven protagonista:

> Hombre de elevadas ideas y de inmenso amor a la ciencia, hallaba su más puro goce en la observación y estudio de los prodigios con que el genio del siglo sabe cooperar a la cultura y bienestar físico y perfeccionamiento moral del hombre *(Doña Perfecta,* pág. 173).

Siguiendo las elevadas ideas del siglo, Pepe sabe que puede haber gran beneficio en la aplicación de sus amplios conocimientos teórico a la dócil Naturaleza. Desde pequeño, y como estudiante aprovechado, él había tirado líneas sobre el papel; y una de esas abstracciones, nos dice el narrador, se materializó y convirtió en realidad: se trata del puente sobre el río Francolí. Esta experiencia anterior del protagonista augura magníficos resultados. Porque ese puente, o sea, ese proyecto realizado, demuestra que se puede ir de la teoría a la realidad, y que la filosofía puede usarse, como querían los krausistas, para corregir las carencias de la Naturaleza.

¿Por qué no usar el mismo método, esto es, aprovechar la filosofía, para enmendar los errores de la Historia y corregir los vicios de los hombres?

Este había sido el modelo de un idealismo de base germánica que, desafortunadamente, tenía poca aplicación a la vida española. Difícilmente podría alcanzarse igual resultado al intentar hacer valer esas ideas en la sociedad, aplicadas a los seres que integran las comunidades rurales, cuando estas eran enemigas declaradas del progreso, y estaban cerradas a toda posibilidad de cambio. La realidad que encuentra Rey en nada se parece a la imagen idealizada que se había forjado. La primera sensación que recibe al ver el paisaje, le hace descubrir una realidad áspera, tan solo embellecida por la ciega pasión de quienes en ella habitan. Mi madre, dice Pepe,

> hacía tales ponderaciones de este país, y me contaba tantas maravillas de él, que yo, siendo niño, creía que estar aquí era estar en la gloria. Frutas, flores, caza mayor y menor, montes, lagos, ríos, poéticos arroyos, oteros pastoriles, todo lo había [...] en esta tierra bendita, la mejor y más hermosa de todas las tierras... ¡Qué demonio! La gente de este país vive con la imaginación *(Doña Perfecta,* pág. 156).

En un momento de conflictos repetidos, y en una sociedad prona a las «carlistadas» (los rescoldos de la recién acabada tercera guerra carlista aún ardían, cuando se escribe la novela), la diferencia entre ciudad y campo no daba para ensoñaciones literarias ni el tema podía tratarse como si estuviéramos ante un argumento de novela pastoril[12]. Tam-

[12] Por las mismas fechas Pereda, en su cuento «Suum cuique», muestra al personaje madrileño que tiene una visión convencional y distorsio-

poco se trataba de una cuestión puramente geográfica. Era sobre todo una diferencia ideológica y moral. En su visión de la España profunda, el autor recreó los ambientes que no habían sido modificados por las novedades del siglo, los cuales veían el progreso con hostilidad, y el cambio como maldad o pecado. Aislada del «genio del siglo», «la patria de los Polentinos [es] ciudad muy apartada del movimiento y bullicio que han traído el tráfico, los periódicos, los ferrocarriles y otros agentes [de la civilización]» *(Doña Perfecta*, pág. 293). Para obtener esta representación de los conflictos históricos en el presente, hizo viajar a este escenario al ingeniero Pepe Rey. Heredero del hombre nuevo que había ideado el krausismo anterior, el ingeniero encarna un proyecto de mejoramiento de la sociedad y de las condiciones de vida, que la edad moderna había convertido en un porvenir hacedero, en realidad posible.

La dicotomía nacional entre ciudad y campo conecta con la visión tradicional, idílica, de España que había ofrecido hasta entonces el *costumbrismo*. Esta había sido una de las herencias estéticas con que se había encontrado el joven Galdós al comienzo de su carrera literaria. Pero para la minoría educada y urbana, de tendencias liberales, hubo de ser particularmente irónico, repugnante incluso, observar que la sociedad atrasada que regían los caciques en la realidad, esto es, las múltiples Orbajosas esparcidas por la nación, eran ofrecidas como modelo idílico de la esencia nacional[13]. En la novela galdosiana, la huida de la ciudad al

---

nada del campo: «anheloso de disfrutar plenamente la hermosa naturaleza montañesa, [lleva] consigo un tomo de las poesías de Garcilaso, y hasta sale al campo con la pretensión de que estas le han de ayudar a sentir [la Naturaleza]» (véase A. Clarke, *Pereda, paisajista,* Santander, Diputación, 1969, pág. 9).

[13] El rechazo del costumbrismo se percibe en la visión de los lugareños como seres a la vez egoístas y astutos, frente al modelo estético que Fernán Caballero ofreciera con anterioridad, en el que los seres rurales eran vistos como modelo de virtud. Ejemplo de la modificación galdosia-

campo no es vista como algo positivo, como una manera de escapar del proverbial «mundanal ruido» de Fray Luis; es, por el contrario, el viaje a una sociedad primitiva y caótica en la que siguen vivos los conflictos históricos. Orbajosa, nos dice el narrador, «no está muy lejos ni tampoco muy cerca de Madrid, no debiendo tampoco asegurarse que enclave sus gloriosos cimientos al Norte ni al Sur, ni al Este ni al Oeste, sino que es posible esté en todas partes, y por do quiera que los españoles revuelvan sus ojos» *(Doña Perfecta,* pág. 295).

El interés galdosiano por el *costumbrismo* destaca desde su artículo temprano, «Observaciones sobre la novela contemporánea en España». Entre los autores de esta tendencia literaria, Galdós menciona a Fernán Caballero y a José M.ª de Pereda: la primera, dice el novelista canario, tiene «gracia y sencillez», pero no es capaz de escribir sobre lo público, ya que su ingenio no logra «salir del breve círculo del hogar campestre» y sus novelas pecan de «filosofía bonachona» y de «mojigatería lamentable»; el segundo, añade, es «muy diestro» artísticamente, pero localismo y bucolismo, las dos cualidades principales del estilo perediano, dificultan que en sus obras pueda verse representada «la aspiración literaria de hoy».

No obstante, los límites del *costumbrismo* no eran tan solo estéticos. Dicha corriente se apoyaba en una mentalidad nostálgica y en una visión melancólica de la realidad. El autor costumbrista representaba unos usos ancestrales que, en la vorágine de la sociedad del XIX, corrían rápidos a su desaparición. Esta tendencia se sustentaba, además, en una ideología conservadora que entendía la tradición casti-

---

na se observa en la descripción inicial del Tío Licurgo donde, frente al habitual modo de representar con humorismo los aspectos pictóricos del personaje, el narrador habla de «una oscura masa de paño pardo sobre sí misma revuelta, y por cuyo principal pliegue asomaba el avellanado rostro astuto de un labriego castellano» *(Doña Perfecta,* pág. 148).

za como la esencia de la nación y, por ello mismo, como inamovible. El *costumbrismo,* por tanto, era resistente al cambio que concebía como algo expresamente negativo (Santana, págs. 283-304). En nada correspondía dicha representación convencional a la «aspiración literaria de hoy» galdosiana, que era, siguiendo el modelo de reflexión pública que habían impuesto los krausistas, una aspiración a someterlo todo a la labor de la crítica, «mostrando así un sentido renovador que laboriosamente indaga el fundamento de todo»[14].

Galdós no aceptó la visión de una España típica, castiza e inmutable, que era característica del costumbrismo. Este no solo estaba pasado de moda en la estética; además, repugnaba ideológicamente. El siglo XIX, en general, y la revolución liberal en concreto, habían mostrado que del cambio podían sucederse, no solo beneficios, sino importantes valores. En el caso de España, el cambio era también una necesidad en una nación que buscaba regenerarse. En 1874, al escribir la primera parte de *Gloria,* Galdós había planteado ya la necesidad del cambio. Esta idea reaparece en *Doña Perfecta,* cuando Pepe Rey apunta de qué modo la crítica, que es el signo de los nuevos tiempos, ha alterado definitivamente el orden heredado. Tan solo la existencia del cambio es permanente en una sociedad en que «se han corrido las órdenes para dejar cesantes a todos los absurdos, falsedades, ilusiones, ensueños, sensiblerías y preocupaciones que ofuscan el entendimiento del hombre» *(Doña Perfecta,* pág. 196).

Este momento, en que Pepe Rey se enfrenta a don Inocencio para alabar las novedades de los tiempos, es ya evidencia de la distancia que Galdós había establecido respecto a la heredada poética del *costumbrismo.* En el cuadro de

---

[14] Fco. J. Barnés y Tomás, *Ideas religioso-morales, discurso inaugural leído ante el claustro de la Universidad de Oviedo en la apertura del curso académico de 1873 a 1874,* Oviedo, Brid y Regadera, 1873, pág. 6.

costumbres, el observador es un ser nostálgico, que adopta una actitud de admiración ante lo que ve, lo cual estima como signo de una autenticidad y de un carácter que convierten lo observado en digno de respeto y, por ello, en algo que merece ser preservado. En *Doña Perfecta,* el impulso ideológico hace que el protagonista tenga el comportamiento opuesto. La realidad española, resto contemporáneo de una tradición que era preciso erradicar, según había propuesto el discurso revolucionario, estaba llena de muestras que exigían el cambio. Pepe Rey, que en ningún momento es observador ajeno o neutral, sino alguien comprometido con lo que ve, busca remediar además lo que, en la realidad existente, cree injusto, negativo o producto de la ignorancia. Como el «hombre nuevo», que debería haber sido el agente de una revolución transformadora, el protagonista de esta novela de Galdós actúa desde un compromiso personal con una realidad imperfecta que necesita transformación.

Al ofrecer una representación del mundo rural, el autor desmantela los tópicos literarios e idealistas empleados por la clase culta para pensar la realidad del campo. El tópico del *Beatus ille* horaciano, y el tema aledaño correspondiente al menosprecio de corte y alabanza de aldea, ambos heredados de la tradición literaria, adquieren en esta novela un valor opuesto al habitual (Correa, *Simbolismo religioso,* págs. 40-43; Dorca, *Volverás,* pág. 90). Al revisar la imagen convencional que las clases cultas tienen del mundo rural, el autor destaca la división que escindía la sociedad del momento, y que resultaba visible al contrastar la profunda diferencia de creencias que separaba las ciudades, en las que iban arraigando las ideas modernas; y las zonas rurales, que veían toda novedad como perversión de las formas de vida tradicionales. Los hombres del siglo XIX entendieron con frecuencia esta dicotomía en términos de civilización frente a barbarie, a medida que proyectaban la transformación y el mejoramiento de las zonas menos desarrolladas, y la regeneración del país. Pero la sociedad rural no se dejó cautivar por los designios modernizadores que las élites urbanas les imponían. Perfecta Rey, la antagonista, considera esa España venida de fuera como una entidad amoral, y reniega de su propio sobrino al que considera encarnación de «la blasfemia, el sacrilegio, el ateísmo, la demagogia», representante de «esa segunda nación, compuesta de los perdidos que gobiernan en Madrid», «una nación ficticia que firma al pie de los decretos, y pronuncia discursos» (*Doña Perfecta*, págs. 354-355).

El primer capítulo nos mete de lleno en esta división que parte en dos el paisaje político español: Pepe Rey viaja en el tren «descendente», o sea, el tren que va de Madrid a las provincias. Viaja de la civilización y de la vida urbana (el mundo que el lector galdosiano, predominantemente urbano, reconocería como propio, y cuyos ideales hubo de compartir) a un mundo rural que desconoce por completo, el cual será hostil a sus proyectos de reforma. Un mundo que se mostrará igualmente contrario a las opiniones del protagonista, como queda claro bien pronto tras la llegada de Rey a Orbajosa —en buena medida, y dicho sea de paso, porque este acostumbra a expresar sus opiniones con la falta de consideración y de respeto, o con el exceso de condescendencia y falta de delicadeza, con que el ser urbano habla a quienes percibe como unos palurdos— (cfr.: «doy a usted las gracias por haberme advertido los ruines propósitos de esos palurdos», *Doña Perfecta*, pág. 229).

No obstante, pese a que Pepe exhibe una enorme falta de tacto, sus ideas de regeneración hubieron de ser leídas con aprecio por el lector galdosiano que, como el protagonista, vive en un mundo urbano alejado del resto de la realidad nacional. Dicho lector hubo de creer que las ideas del joven Rey son esencialmente buenas, aunque no fueran siempre adecuados los métodos usados por él para presentarlas; y que, de haber sido aceptadas, habrían contribuido no poco a transformar un país urgentemente necesitado de regeneración. Pero la comunicación entre el joven y los orbajosenses es inviable desde el principio, porque en aquellos no hay deseo alguno de mejoramiento o de transigir con quien tiene una visión crítica de la realidad en que viven. Los proyectos de transformación que formula Pepe Rey, a menudo envueltos en comentarios agraces y condescendientes, son vistos por los lugareños inequívocamente como una afrenta o como una humillación. Pronto habrá de notar el protagonista, «con dolor que no pronunciaba una palabra sin herir a alguien» (pág. 202); y ha de cavilar, pesaroso, «procurando indagar la causa de aquella pugna, entablada a pesar suyo entre su pensamiento y el pensamiento de los amigos de su tía» (pág. 227).

Pero es indispensable que ampliemos nuestra interpretación en este punto. Porque el dramático enfrentamiento entre el ser urbano y la sociedad de provincias, con ser esencial al argumento, tampoco agota el alcance de esta novela. Además del significado coyuntural que, como vimos, buscaron en ella los primeros lectores, en 1876, y además de la interpretación dramática que opone el mundo urbano al rural, que he enunciado después, hemos de tener presente un tercer significado: su valor como símbolo o mito literario. Los lectores han entendido el enfrentamiento entre los protagonistas como versión literaria del repetido conflicto civil entre los españoles. Se trata de la lucha de las dos Españas, esto es, el choque entre las aspiraciones de reforma de una minoría ilustrada, culta y portadora de una nueva moralidad; y una sociedad que entorpece dichos cambios por miedo o por cálculo, con el fin de seguir beneficiándose de la situación tradicional. Este conflicto es anterior a la novela remontándose, al menos, a la labor de los reformadores ilustrados del XVIII (Jovellanos, Cadalso, etc.) así como la posterior lucha entre liberales y *servilones* durante el reinado de Fernando VII; y continúa hasta mucho después, a lo largo del siglo XX, extendiéndose hasta la guerra civil (1936-1939) y la posguerra (1939-1975).

Esta novela de Galdós se ha convertido en imagen literaria universalmente aceptada de las repetidas peleas civiles entre los españoles, y toda referencia a la lucha de «las dos Españas» nos remite, una vez y otra, al drama de esta novela. Por ejemplo, cuatro décadas más tarde, en un discurso que describía la sociedad española de comienzos del siglo XX, Ortega y Gasset hablaba del enfrentamiento entre

> una *España oficial* que se obstina en prolongar los gestos de una edad fenecida, y otra España aspirante, germinal, una *España vital,* tal vez no muy fuerte, pero vital, sincera, honrada, la cual, estorbada por la otra, no acierta a entrar de lleno en la historia[15].

El problema de que habla Ortega (a saber, que el régimen de la Restauración carece de capacidad para renovarse a la altura de 1912, siendo preciso un cambio profundo en la política para responder a las aspiraciones de modernidad que han cundido en el seno de la sociedad española de comienzos del siglo XX) es diferente del presentado por Galdós en la obra aquí editada. Pero la novela representa adecuadamente el conflicto que formula el filósofo, pese a la diferencia cronológica y a los distintos referentes. El novelista ofrece una visión dramática que ha pasado a formar parte del imaginario cultural de la nación, ejemplificando la capacidad que, en el siglo XIX, tuvo el género novelesco para crear mitos perdurables.

La popularidad de *Doña Perfecta,* y su valor como mito literario y como representación de las dos Españas, se afianzaron a partir de 1943 cuando, con motivo del centenario del autor, se inició su recuperación crítica. La nueva estimación se alejaba de los ataques procedentes de las vanguardias del primer tercio del siglo XX, que habían recibido

---

[15] *Vieja y nueva política. Obras completas,* Madrid, Alianza, 1983, vol. 1, pág. 273.

el Realismo en general, y Galdós en particular[16]. Puesto que esta recuperación fue hecha en gran medida por estudiosos que vivían en el exilio, pronto se establecieron coincidencias entre esta novela y las consecuencias de la guerra civil de 1936. Los exiliados republicanos no pudieron evitar ver representada en ella su propia tesitura y, por extensión, la representación dramática de la realidad de la nación. Desde un comienzo había quedado claro que, pese a las aspiraciones de progreso de una minoría ilustrada, el país no se hallaba preparado para aceptar el proceso transformador que había de conducirlo a la modernidad. Seis décadas más tarde, gran número de lectores, forzados a vivir en el exilio tras la guerra civil de 1936, constataban con pesar que España seguía viviendo en una situación política irregular, inmersa en perpetuo conflicto fratricida.

No extraña, por tanto, que algunas de las interpretaciones más apasionadas que se han ofrecido de la novela, deriven de esta situación histórica. Hay que destacar, no obstante, que la lectura que se hizo a partir de la guerra civil de 1936, contiene un diagnóstico pesimista sobre la esencia de la nación. Notablemente influidos por el «tremendismo» que, en la posguerra, dominó la estética nacional, los estudiosos veían la nación española como una entidad incapacitada para la redención que había de traer la modernidad. España era la nación fanática y atrasada en la que el ímpetu liberador acababa siempre sofocado por una herencia impermeable al cambio. En los años de

[16] Aunque, como indicó Agustín Sánchez Vidal, dentro de las vanguardias había una tendencia «ramoniana», opuesta a la tendencia deshumanizada «juanramoniana», que siempre vio positivamente la literatura realista y, en concreto, a Galdós. Buñuel es el ejemplo que cita Sánchez Vidal, de artista que vio en Galdós un espíritu afín; y no olvidemos que el cineasta quiso hacer una versión cinematográfica de *Doña Perfecta*. No pudo completar este proyecto porque los derechos de la película habían sido vendidos con anterioridad. Véase, *El enigma sin fin*, Madrid, Planeta, 1988, págs. 92-108.

posguerra, el enorme desarrollo de los estudios galdosianos en el mundo académico norteamericano, debido en buena medida a las enseñanzas de profesores españoles exiliados en Estados Unidos tras la guerra civil de 1936, hizo que esta lectura se difundiera internacionalmente y lograra gran resonancia. Al mismo tiempo que esto ocurría, aparecían dos visiones amalgamadas de la novela que persisten hasta el día de hoy, y que habitualmente se confunden, mezclándose con frecuencia en un mismo crítico. No cabe duda de que ambas visiones se nutren de ideas que aparecen en la novela misma, y en las que se combinan las distintas perspectivas (histórica, dramática y mítica) que he enumerado anteriormente. Pero conviene distinguir entre ellas para entender la naturaleza de las interpretaciones que, de esta novela, se han ofrecido a lo largo del tiempo.

La primera visión entiende la novela como representación de la España anclada en un punto del pasado, necesitada de redención. Heredera del idealismo liberal del XIX, esta perspectiva cree que el problema que se presenta en la novela, es histórico y, por ello, un conflicto que tiene un contexto bien definido: el del problemático camino hacia la modernidad. Desde esta perspectiva, Pepe Rey encarna una moralidad nueva y más auténtica, que fracasa al enfrentarse a un mundo de creencias heredadas. Esta visión crítica contextualiza el conflicto en un momento dado, considerando que la novela retrata la sociedad «teocrática y anquilosada» de la España decimonónica (Casalduero, *Vida y obra de Galdós,* págs. 56-57). Tiene el propósito adicional de desenmascarar a quienes, herederos e intérpretes exclusivos de una moralidad castiza, que ha sido impuesta al resto de la nación, se creen mejores que los demás, pero no lo son. El epílogo alerta al lector ante los problemas y las falsedades impuestas por quienes obstaculizan el camino redentor, siendo la misma denuncia un reclamo de superación.

La segunda visión, que con frecuencia aparece entreverada con la anterior, interpreta la novela como diagnóstico literario de una condición transhistórica perpetuamente presente en la sociedad española. Esta explicación se basa en una hipótesis, a veces implícita, sobre el carácter español y, según dije con anterioridad, está teñida del fatalismo propio de las interpretaciones de postguerra. Se trata de una visión que extrapola los hechos históricos para llegar a reflexiones sobre el atávico cainismo hispano. El referente último de esta interpretación es la visión galdosiana del irredentismo castizo y ultraconservador, fanático y cerrado a toda posibilidad de cambio, según aparece primero en los *episodios,* más tarde en la novela aquí editada. Este fanatismo es visto como cualidad nacional de los nativos. *Doña Perfecta* es, según esta perspectiva, testimonio de las fallas morales y sociales entre los españoles; y evidencia de que estos son irredimibles. Los lectores pueden contemplar, en imagen refleja de sí mismos, su odio ancestral hacia aquellos compatriotas suyos que son rivales ideológicos, siempre dispuestos, como el personaje que da nombre a la novela, a resolver la situación acabando con el adversario al grito de «¡Mátalo!» (Casalduero, págs. 52-54; Gilman, *Galdós,* pág. 71).

Este entendimiento abstracto de la novela tiene gran atractivo al ofrecer, en poderosa imagen dramática, un compendio de las reiteradas luchas civiles entre los españoles a lo largo de los siglos XIX y XX. No cuesta entender, por tanto, que la novela haya sido entendida como representación literaria de «las dos Españas». Pero resulta simplista dar a dicha metáfora más valor del que tiene. En principio porque la novela, pese a ser inequívocamente «española», tiene una clara dimensión universal. Ricardo Gullón advirtió, a quienes solo buscaban el «españolismo» y lo pintoresco en ella, que *Doña Perfecta:*

> por lo que tiene de español, satisface el gusto de cierto público extranjero por el pintoresquismo, es decir, por la

> leyenda castiza; por lo que tiene de universal permite reconocer e identificar en las figuras novelescas sentimientos y pasiones familiares *(Técnicas de Galdós,* págs. 35-36).

Doña Perfecta muestra el enfrentamiento que se da en las sociedades poco desarrolladas al sentirse amenazadas por ideas de cambio que, procedentes del exterior, vienen a cuestionar un orden heredado. En el XIX, este conflicto surge porque el impulso modernizador, inspirado en ideas importadas del norte y del centro de Europa, no contó con fuerzas suficientes al trasplantarse a las geografías meridionales donde, impulsado por una élite reformista, fue incapaz de vencer la reacción de poderes históricamente arraigados. Es logro indudable de Galdós haber encarnado este conflicto universal en las personalidades de Pepe Rey y de su tía Perfecta; y haber hecho esto a la vez que contribuía de manera decisiva al desarrollo de la novela española. Lo que de verdad distingue esta obra de Galdós de otras creaciones del mismo tema, sea en literatura o en cine, es que el personaje galdosiano de Perfecta es absolutamente inolvidable; o como dijera Casalduero, con frase afortunada, resulta «colosal» *(Vida,* pág. 54). Ante dicha creación, cualquier comparación resulta improcedente; incluso Pepe Rey, que es el protagonista y personaje positivo en la novela, palidece en comparación con su tía.

Perfecta Rey de Polentinos ha sido vista reiteradamente como ejemplo de la intransigencia nacional. Es la cacique local, y la dueña económica y espiritual de Orbajosa. Apoyada en su corte de clérigos (don Inocencio) y bandidos (Caballuco), es «maestra en dominar», según nos dice el narrador. Impone su autoridad y su voluntad intransigente en un mundo atrasado y miserable. Responde a toda propuesta de cambio con una resistencia voluntariosa porque concibe el mundo exterior como el mal, y toda posibilidad de contemporizar con el mundo moderno como una amenaza de condenación en el infierno. Como ya hemos dicho, puede ser a ratos maternal o fría, llorar tiernamente y revolverse con fiereza, fingir dolor o dolerse de verdad; pero, en cuestiones ideológicas o religiosas, es absolutamente inflexible. Afirma sus creencias con la proverbial fe ciega del carbonero, y carece de paciencia alguna con quienes, como su sobrino, vienen de fuera a ofrecer la visión de una sociedad mejorable. Para ella no hay puntos de vista complementarios, sino una verdad pura y simple. Todos sus atributos han sido entendidos como representación de la España histórica y reaccionaria, la España «tibetanizada» (para usar la conocida expresión de Ortega), inmune a toda idea de progreso, y agresiva ante cualquier contacto con el exterior.

Pero la novela no trata, en modo alguno, un tema exclusivamente local. Galdós se ocupa de un problema español, en efecto, pero este repite lo que ocurre en otras naciones europeas y americanas con el advenimiento de la modernidad. Cuando en la literatura italiana o iberoamericana se representa la sociedad rural, se ofrecen ejemplos comparables; y otro tanto ocurre, con significativa frecuencia, en la literatura y en el cine norteamericanos del siglo XX, cuando personajes procedentes de los estados industriales del norte viajan a una realidad sureña que se representa como corrupta, racista, retrógrada, ignorante y satisfecha de sí misma.

Croce describió este conflicto que, en el siglo XIX, enfrentó a historia frente a razón, oponiendo herencia (tradición) frente a novedad (cambio)[17]. Galdós recrea este momento en que un mundo de tradiciones y creencias heredadas, incapaz de renovación y en apariencia inerte, pero todavía vivo y poderoso —representado en la novela por una ciudad somnolienta, ignorante y autosatisfecha—, se

---

[17] B. Croce, *Historia de Europa en el siglo XIX*, Barcelona, Ariel, 1996, págs. 5-19. Véase, además, G. L. Mosse, *La cultura europea del siglo XIX*, Barcelona, Ariel, 1997, págs. 121-140.

encuentra con el presente, representado este por un joven ingeniero, sin duda de buenas intenciones, aunque de maneras y modos torpes al tratar de modificar las ideas de unos lugareños con la sensibilidad a flor de piel. Para mostrar el choque entre las expectativas de renovación, y una realidad poco receptiva a los cambios, Galdós se adentra en la representación de la «España profunda». Se trata de la sociedad rural, contenta de sí misma, formada por labriegos, ricos los unos, pobres los otros, pero todos ellos «libres de altas aspiraciones», hermanados por «un sentimiento de viva hostilidad hacia todo lo que de fuera viniese» (*Doña Perfecta,* pág. 238); carentes, en fin, de todo ideal o proyecto de mejora al estar sumidos, en su ceguera complaciente y autosatisfecha, en la cómoda convicción de que viven en el mejor de los mundos posibles.

La novela había aparecido, efectivamente, en un contexto histórico de enfrentamiento social y político que tiene sus raíces históricas en el XIX. Escrita inmediatamente después del fracaso de la revolución liberal, contiene la meditación de un joven escritor, de profundas convicciones progresistas, ante el vacío de esperanzas que siguió al Sexenio. España debía abrazar la modernidad para contar de veras en el mundo occidental. Pero este loable objetivo encontraba la oposición de una España hostil a las reformas, la cual históricamente había echado raíces y se había adueñado de las zonas rurales. A esta hostilidad se unía la torpeza de una España reformadora, que había partido de un conocimiento desquiciado, por excesivamente idealizado, de la realidad nacional; y por su constante falta de pragmatismo. En la experiencia histórica del Sexenio, los renovadores, cuyas ideas Galdós compartía, habían fallado al tratar de modificar una realidad que conocían tan solo de una manera abstracta e inadecuada, y habían fracasado asimismo en la transformación del ser individual; quienes se oponían a ellos, habían provocado el fracaso del proyecto redentor a fin de seguir conservando sus privilegios históricos. De modo que los del bando opuesto eran culpables por retrógrados y egoístas; los del propio, por dejarse llevar de un radicalismo torpe e ingenuo que no había tenido en cuenta la realidad del país ni de sus habitantes[18].

Los renovadores del 68 habían aportado un caudal de ideales para transformar un mundo que, lamentablemente, no respondía a la idea que tenían de este. Galdós nos ofrece lo que puede bien ser una metáfora de esta visión desquiciada entre el redentor y el objeto de sus cuidados. «País de hielo», lo llama el protagonista al llegar a Villahorrenda, en los primeros párrafos de la novela. Y lo que tenía peor remedio era que, además de insensible y con una aridez «de hielo», era un país obstinado en sus costumbres y satisfecho de su ignorancia. En el capítulo XI de la novela, el autor resume esta actitud al escribir que «siempre que algún forastero de viso se presentaba en las augustas salas, creíanle venido a poner en duda la superioridad de la patria del ajo» *(Doña Perfecta,* pág. 238). Lo había advertido con agresividad don Inocencio, en su primer diálogo con Pepe, al declarar su aversión a toda crítica cuando era vertida por un forastero:

> Váyanse con mil demonios, que aquí estamos muy bien sin que los señores de la Corte nos visiten, y mucho mejor sin oír ese continuo clamoreo de nuestra pobreza y de las grandezas y maravillas de otras partes *(Doña Perfecta,* pág. 187).

---

[18] A juicio de algunos protagonistas de la experiencia de la Segunda República, la situación se repitió tras la victoria del Frente Popular en febrero de 1936. Reflexionando en 1956, en el exilio, sobre las causas del fracaso de la República, Maurín escribe a Sender: «Franco no es una causa, sino un resultado: el resultado de la incapacidad y el fracaso de los republicanos. Comprendo que esto es un poco duro de "digerir", pero hay que decirlo» (Francisco Caudet, *Correspondencia Ramón J. Sender-Joaquín Maurín [1952-1973],* Madrid, Eds. de la Torre, 1995, págs. 262-263).

La pregunta inevitable era, ¿qué hacer ante tamaña cerrazón? ¿Qué camino tomar?

La respuesta de los reformistas de la generación anterior, la krausista, había sido un baño de idealismo para dibujar en el futuro un horizonte soñado, regido por la razón. Pero más allá de los reducidos cenáculos intelectuales de las grandes ciudades, hubo de resultar grotesco pedir rumbos a la filosofía y extenderse sobre las ventajas de la razón ante las estampas de miseria real, y de barbarie, que ofrecía por doquier la realidad española. ¿Qué labor redentora era posible en un país en el que, en 1876, y pese a las políticas educativas de los sucesivos gobiernos, todavía más del 80 por ciento de la población era analfabeta y, desde las guerras napoleónicas, y en gran medida a causa de la destrucción provocada por estas, el país seguía atrapado en una economía agrícola poco productiva que condenaba a la mayoría de la población a vivir en una situación de miseria endémica? ¿Cómo pedir a la política que ejerciera su labor redentora con sabiduría, y hasta democráticamente, en un país que —y sigo hablando de 1876— carecía de cultura política, no contaba con partidos políticos estables o simplemente constituidos como tales partidos[19], y en el que el voto era fácilmente manipulado por caciques (como doña Perfecta, todo sea dicho entre paréntesis) que aprovechaban la ignorancia total de sus vecinos para imponer su criterio particular y seguir defendiendo sus intereses más egoístas?

La solución no podía venir de un idealismo desconectado de la realidad. Era preciso enfrentarse al mundo objeti-

---

[19] Lo recuerda el conde de Romanones al describir las agrupaciones políticas de la segunda mitad del XIX: «Los partidos políticos venían siendo, hasta entonces, agrupaciones inorgánicas, facciones constituidas solo para gozar del Poder, combatiéndose entre sí en todos los terrenos con saña y empleando las peores armas, sin programas definidos» (*Sagasta, o el político,* Madrid, Espasa Calpe, 1934, pág. 47).

vo sin las trampas de este idealismo que distorsionaba la experiencia. En 1818, en un libro considerado por muchos como la base epistemológica del Realismo posterior, Hegel alertaba contra el ensimismamiento intelectual del sujeto que, movido por un voluntarismo equivocado, confunde su idea de la realidad con la realidad misma, identificando una y otra. Escribía que, fuera del pensamiento, «en la existencia, el sujeto ya no es un término inmediatamente cualitativo, sino que tiene una relación y una conexión con otros términos, con un mundo exterior»[20].

El idealismo objetivo corregía los excesos del ensimismamiento de la filosofía anterior[21]. En la España de 1875 se trataba de conocer ese mundo exterior, su entidad moral, paso previo para la transformación necesaria. La labor regeneradora había de hacerse tras reconocer al enfermo, y habría de llevarse a cabo con paciencia, sembrando esperanzados la semilla de una transformación futura en la que el país pudiera regirse por la nueva luz de la razón moderna. Con gracia infinita se sugiere esta indispensable tarea al comienzo de la novela, en una preciosa imagen, no sé si intencional o fortuita, cuando se describe la luz que «caía sobre el piso del andén, formando un zigzag semejante al

---

[20] G. W. F. Hegel, *Lógica*, Madrid, Ed. Ricardo Aguilera, 1973, pág. 304. Aunque nada parece indicar que los novelistas leyeran la *Lógica* hegeliana, esto no impide que fueran conscientes de los problemas sobre los que Hegel advierte al lector; y que el filósofo articule un modo de pensar que los realistas desarrollaron, resonando indirectamente en el trabajo de quienes, Galdós incluido, vinieron después (véase Marshall Brown, «The Logic of Realism», *PMLA*, marzo de 1981, pág. 225).

[21] Años después Ortega y Gasset habría de volver sobre los excesos del idealismo cuando, en su magnífico *Prólogo para alemanes*, escribía: «hay que extirpar al vocablo *Erleben* ("vivencia") todo residuo de significación intelectualista, "idealista", de inmanencia mental o conciencia, y dejarle su terrible sentido original de que al hombre le pasa absolutamente algo, a saber, ser —ser, y no solo pensar que es—, existir fuera del pensamiento, en metafórico destierro de sí mismo» (*Prólogo para alemanes*, *OC*, vol. 8, pág. 52).

que describe la lluvia de una regadera» *(Doña Perfecta,* pág. 148). De eso se trataba, en fin, de ir regando la luz de la razón a lo largo y ancho de un «país de hielo», en una realidad que, por el momento, era dura, árida y enemiga.

Galdós había sido partidario del liberalismo de Prim y, durante la revolución, escribió artículos en la prensa a favor de la monarquía democrática de Amadeo (Ortiz Armengol, págs. 268-270). La abdicación de este en 1873, y la desordenada y breve aventura republicana que siguió, lo sumieron en el pesimismo que inicialmente atenazó a toda su generación. Lo recuerda él mismo, veinticinco años más tarde, en la citada semblanza que de él publicó Clarín. Después del fracaso de la revolución, y en concreto cuando está a punto de escribir *Doña Perfecta,* Galdós confesaba haberse sentido «algún tiempo como atortolado, sin saber qué dirección tomar, bastante desanimado y triste, no siendo exclusivamente literarias las causas de esta situación de espíritu» (Alas, *Galdós,* pág. 21). Había muchas razones para que cundiera el desaliento. La fundamental consistía en ver que la libertad, que era la gran religión secular del siglo XIX, resultaba entonces una aspiración filosófica imposible de llevar a la práctica en España.

El fracaso de las ansias renovadoras fue motivo de un repetido sentimiento de desesperanza entre los miembros de la generación a que pertenece el autor[22]. Esta sensación explica el pesimismo de la novela aquí editada. Cuando, en enero de 1875, comienza la Restauración borbónica, había fracasado algo más que un régimen político, fuera la mo-

---

[22] Refiriéndose al fracaso de la revolución anterior, la del 54, Revilla ya expresaba el desaliento de la generación joven ante los hechos de la política: «por milésima vez la revolución pigmea murió a manos de la reacción microscópica; la historia española registró en sus anales el pronunciamiento número mil y tantos; y en el alma abatida de aquellos ineptos soldados de la libertad se introdujeron el desengaño, la desilusión, el desaliento y la apostasía» (Manuel de la Revilla, *Obras,* 92).

narquía liberal de Amadeo, fuera la primera República, de desordenada y turbulenta vida. Había fracasado la revolución, lo cual era mucho más grave, pues significaba que había desaparecido la posibilidad de alcanzar la redención nacional mediante una eficaz acción política. En 1875, este proyecto era un objetivo que escapaba de las manos de la generación a que Galdós pertenecía, la cual había visto naufragar el hecho histórico más importante de sus vidas. Se había hundido el sueño de una transformación redentora que conllevaba la regeneración del individuo, beneficiario último de proyectos e ideas esperanzadoras.

Al año siguiente, en 1876, el autor ofrece una respuesta literaria innovadora en un contexto que había quedado huérfano de ideales. Clarín recuerda, en su reseña de la novela, el deseo de novedades que ansiaba el lector del momento: «Mucho tiempo hace que viene pidiendo la crítica a nuestros literatos obras de interés actual, reflejo y transparencia de la vida contemporánea» (Alas, *«Doña Perfecta»*, *OC*, vol. 5, pág. 579). Galdós respondía a este desafío ejercitándose en la novela, un género que, por su flexibilidad, servía para el debate filosófico y para la reflexión sobre la realidad, y que hasta entonces había sido malgastado en las narraciones del folletín popular. Y por la importancia que el debate de ideas tenía en el momento en que se escribió *Doña Perfecta*, el autor se interesó en, y practicó, la novela ideológica, esto es, un tipo de novela con ambición filosófica, ocupada en el análisis de la realidad contemporánea, y que se ofrecía al lector como incitación para la reflexión individual sobre los grandes temas del momento. Comparte este interés con, al menos, tres autores contemporáneos: Alarcón, Pereda y con un enigmático autor krausista, que firma como S. de Villarminio, del que nada sabemos[23]. To-

---

[23] Al editar esta novela, he propuesto el nombre de Francisco José Barnés y Tomás como posible autor (véase I. J. López, *Revolución, Restauración y novela ideológica. «La novela de Luis» de S. de Villarminio*, Ma-

dos ellos escribieron «novelas ideológicas», género del que es preciso hablar en detalle porque ha sido visto con muy poco acierto por la crítica.

El género: la novela ideológica

Siguiendo un planteamiento simplista, se ha entendido la novela ideológica como paso preliminar que prepara la novela que sigue. En concreto, *Doña Perfecta* ha sido vista como obra de tránsito, apreciándose, no lo que el autor consigue con ella, sino su valor como anuncio de logros desarrollados en obras posteriores. Stephen Gilman, autor de un inspirado estudio de la obra galdosiana, ha sido criticado por ofrecer esta perspectiva (Gilman, *Galdós,* pág. 91; véase, críticas en Rodgers, *From Enlightenment to Realism,* pág. xvi; López, *Realismo,* págs. 33-38)[24]. El suyo no es plan-

drid, Eds. de la Torre, 2012, págs. 42-43). También considero novela ideológica la *Minuta de un testamento,* de Gumersindo de Azcárate, obra escrita mientras el autor estaba desterrado en Badajoz a causa de la «segunda cuestión universitaria». Preciso es destacar que el carácter de novela de este título es muy tenue. El texto de Azcárate circuló inicialmente de manera manuscrita hasta que el autor, con el fin de evitar la censura (que se aplicaba a los folletos, pero no a los libros ni a las novelas), añadió las notas a pie de página y dio en llamarla novela. En cambio, no considero novela ideológica *Doña Luz,* de Valera, pese a que en el prólogo dedicando la novela a la condesa de Golmar, el autor propuso inscribirla en este género.

[24] Y ha habido, en contrapartida, un planteamiento opuesto según el cual *Doña Perfecta* contiene, *in nuce,* absolutamente todas las novedades galdosianas posteriores, por lo que es inadecuado leerla como novela ideológica. Esta perspectiva logró gran predicamento inicialmente entre los hispanistas británicos tras un importante trabajo de Richard Cardwell («Galdós *segunda manera»;* véase, además, los estudios de Varey y Dendle citados en bibliografía; una perspectiva similar en Cardona, págs. 44-48 y, aunque con matices, también en Rodgers, págs. 51-62); y ha logrado desarrollo entre los estudiosos vinculados al mundo académico anglosajón y estadounidense, que han explorado con particular

teamiento único, sino que está sobradamente extendido en el estudio de la novela del XIX español. Tomando como punto de partida opiniones anteriores de Juan Ignacio Ferreras y Sergio Beser, a quienes menciona, Pilar Aparici Llanas resumía esta visión de la novela ideológica indicando que «los tres eslabones del ascenso del Realismo [en España] son costumbrismo, novela de tesis o tendenciosa, y novela realista y naturalista» *(Novelas de tesis,* pág. 9)[25].

El error de este acercamiento crítico a la novela ideológica consiste en que ve *Doña Perfecta* como un puente hacia obras venideras, en vez de considerarla el comienzo de un nuevo paradigma narrativo. Con ello, el valor de esta novela concreta, y por extensión del género ideológico, quedan difuminados al ser entendidos como ensayo o preparación de la novela que sigue. Para desechar este enfoque equivo-

---

atención la complejidad formal de esta novela. En este acercamiento crítico destacan los trabajos, entre otros, de Germán Gullón, Harriet Turner y Wilfred de Ràfols. Me parece indispensable corregir esta perspectiva que, pese a sus aciertos en el análisis estructural de la novela, presupone dos errores complementarios. El primero es normativo, el cual considera que una novela ideológica desmerece, o es cualitativamente inferior, por ser «ideológica» (para una visión diferente, más acorde con lo expuesto en esta introducción, véase Zahareas, págs. 29-58, y Oleza, «La génesis del Realismo», págs. 410-436), pese a que en los siglos XIX y XX se han celebrado obras ideológicas como *Le disciple* de Paul Bourget, *Also sprach Zarathustra* de Nietzsche, *Fontamara* de Ignazio Silone, *Le Nœud de vipères* de François Mauriac; y en la literatura española, las novelas de Cigés Aparicio, Arconada, Zugazagoitia, López Salinas o López Pacheco, además de obras tan renombradas como *Reivindicación del Conde don Julián* o *Terra Nostra;* el segundo error es historiográfico, y se basa en un entendimiento incorrecto del desarrollo del género ideológico en la historia de la novela española de nuestro siglo XIX.

[25] Hazel Gold ofrece un planteamiento similar, cuando describe esta situación, sin cuestionarla, aceptándola como el orden natural en los estudios del XIX. Se trata, según dicha autora, de un orden de mayor a menor («prevailing pecking order») según el cual preferimos *La de Bringas* o *La desheredada* a *Doña Perfecta* o *Gloria,* las novelas a los *episodios,* Galdós a Pereda, y este a Alarcón *(Reframing,* pág. 185).

cado, basta con abstraer esta novela e imaginar, por ejemplo, cuál sería nuestra consideración de la misma si Galdós hubiera dejado de publicar en 1876, y su obra posterior no sirviera como punto de comparación porque, según el caso hipotético que planteo, dicha obra no se habría escrito. Este escenario sería lamentable, pues nos faltaría su ingente obra posterior, pero sirve bien para mostrar lo que quiero decir. Esto es que, de no haberse publicado la novela siguiente, *Doña Perfecta* destacaría por su singularidad, y hoy la consideraríamos, no como obra preparatoria de la narrativa galdosiana posterior, sino como ejemplo sobresaliente de la mejor narrativa decimonónica española. La enorme variedad y extraordinaria calidad de la novela galdosiana que sigue, nos ha hecho perder de vista la importancia de la aquí editada y, por consiguiente, minusvalorarla. Pero la perspectiva adecuada nos obliga a replantearnos esta evaluación, y atender a la novela, no usando como referente la obra venidera, sino viéndola como coronación y superación del camino que lleva hasta ella.

La importancia de la novela ideológica no puede negarse en cuanto fue esencial, tanto en el asentamiento de la novela en nuestro país, como en la introducción del Realismo en la novela española. Al tratar temas filosóficos, se aseguró un lector culto que, en los años que siguen, fue fiel lector de novelas. Además, al escribir *Doña Perfecta,* Galdós toma partido de una manera decisiva ante las opciones estéticas disponibles en el momento, que se concretaban en las estéticas del idealismo (heredado de la generación anterior) y el Realismo, escuela novedosa que llegaba de Francia; y, optando por esta última corriente estética, apuntó firmemente hacia la novela que sigue, la cual en gran medida escribió él mismo. Porque no debemos olvidar que la novela del XIX, que hoy leemos, admiramos y aplaudimos, estaba todavía por escribirse. Para 1876, cuando aparece la novela editada aquí, se han publicado, además de serie y media de *episodios* y de las dos primeras novelas de Galdós *(La Fontana de*

Oro y *El audaz)*, tres obras más: *Pepita Jiménez* (1874) y *Las ilusiones del Doctor Faustino* (1875), de Valera; y *El escándalo* (1875), de Alarcón. La novela española era un género balbuciente debido a que, en realidad, todo estaba por hacer. En este contexto, la novedad de la obra aquí editada es de extraordinaria importancia en el desarrollo de la novela nacional.

La novela ideológica tiene como referente el fracaso de la revolución liberal. Esta idea modifica la interpretación habitual de la novela realista española del XIX, pues para explicar su desarrollo se habla comúnmente del Sexenio Revolucionario (1868-1874) como referente histórico de toda la generación a que pertenece Galdós. Pese a ser un referente habitual, el Sexenio es un referente parcial e incompleto. La revolución fue el episodio histórico en que quisieron realizarse, sin éxito, los sueños redentores de la generación krausista de 1854 (a la que por edad, temperamento e ideología pertenece Juan Valera, por ejemplo). Que los títulos más importantes de la novela española se publiquen a partir de 1875, una vez iniciado el régimen siguiente, la Restauración, esto es, cuando el sueño revolucionario ha sido cancelado, nos advierte de que el referente del 68 es incompleto y no es válido por sí solo para hablar de la generación de novelistas. Es preciso completar este referente considerando también la experiencia complementaria que supone el fracaso del proyecto revolucionario. Los autores fueron influidos, no solo por la aventura positiva y liberadora de la revolución, sino también por la experiencia inversa que, en 1875, liquidó el sueño revolucionario.

Ciertamente el Sexenio sirve de referente inicial, debido a que los años que siguieron a la revolución fueron testigos de una modificación fundamental: el nacimiento de una actitud crítica en los lectores, que se independizaron de la sujeción a la autoridad y dejaron de someterse a las ideas heredadas, notablemente en materias de religión. El cambio en las mentalidades indudablemente alentó novedades en la expresión en la medida en que los autores quisieron dar voz a la nueva experiencia que aquellos compartían con los lectores[26].

También cambió el papel social del escritor. Con anterioridad, y significativamente después de 1854, los escritores habían progresado al amparo del poder. En España, la «consagración del escritor», para usar la conocida fórmula de Paul Bénichou, se produce en torno a la revolución de Vicálvaro, en 1854; pero pronto, a fin de sobrevivir y sobre todo a fin de encontrar un hueco en una sociedad crecientemente próspera, el escritor se integra en un sistema que compensó repetidamente sus servicios con prebendas políticas. El escritor rebelde romántico pasó a convertirse en asalariado de los «hombres necesarios» de la política[27].

El orden de cosas descrito en el párrafo anterior, correspondiente a los años que siguen a 1854, no se repitió durante la Restauración. El nuevo régimen mostró poco interés por los debates de ideas y, por lo mismo, prescindió de los pensadores y de los artistas, a los que anteriormente había destinado a los puestos subordinados del gobierno o de la Administración, pero que ahora quedaban desplazados de la vida política. Como hemos de ver más adelante, el desinterés de la política por los debates de ideas explica que, pese a los progresos indudables obtenidos en este campo a partir de 1875, los escritores vean la sociedad española en términos excesivamente pesimistas. El régimen de

[26] En sus lecciones de literatura, el distinguido crítico krausista Francisco de Paula Canalejas apuntaba a esta nueva actitud crítica al indicar que, frente al arte «ortodoxo» del pasado, basado en la comunidad de creencias entre autor y público, el arte del momento era «heterodoxo» y en él tan solo existía la certeza de una actitud crítica compartida entre autor y lectores (*La poesía moderna,* Madrid, Imp. de la Revista de Legislación, 1877, págs. 81-83).

[27] I. J. López, *Pedro A. de Alarcón. Prensa, política, novela de tesis,* Madrid, Eds. de la Torre, 2008, págs. 113-136.

Cánovas no contó con los hombres de letras, y precisamente por eso los alienó. Estos desarrollaron una novedosa actitud crítica ante el poder político, que resultó esencial para el desarrollo de la novela[28]. Liberado de los miedos tradicionales, el público buscó en una novela nueva y poco complaciente con la autoridad, la visión crítica de la realidad en que vivía, y que deseaba entender.

Las referencias al importante cambio de mentalidades que se opera durante la revolución, y a causa de ella, abundan entre los escritores más significativos del periodo. El que más se extiende sobre el tema es Leopoldo Alas quien, en un importante ensayo incluido en su libro de 1881, *Solos de Clarín,* detalla la aparición de la conciencia crítica (conocida en el vocabulario del siglo XIX como «libre examen») que ha surgido en España con la revolución, y el impacto de esta novedad en el desarrollo de la sociedad:

> la revolución de 1868 [...] llegó a todas las esferas de la vida social, penetró en los espíritus y planteó por vez primera en España todos los arduos problemas que la libertad de conciencia había suscitado en los pueblos libres y cultos

---

[28] Ortiz Armegol recuerda cómo, tras el golpe de Estado de Pavía, el 3 de enero de 1874, Galdós tuvo importantes contactos en las altas instancias del poder, entre ellos León y Castillo (quien le encargó *Doña Perfecta)* y José Luis Albareda, nuevo gobernador civil de Madrid; pero el escritor no usó estas conexiones con el fin de medrar políticamente, lo cual «prueba su absorbente pasión literaria, su despego de la "política"» (Ortiz Armegol, *Vida de Galdós,* pág. 281). Creo, no obstante, que se trata de algo más que una simple dedicación a la literatura; es, más bien, una forma de comportarse críticamente lejos del poder político. Su ejemplo fue de importancia para la generación siguiente. Clarín comentará repetidamente, ensalzándola, esta independencia intelectual, y lo hizo con la acidez y el sarcasmo que son característicos de sus artículos críticos: «¿Ha sido consejero de Estado Galdós? No. [...] ¿Es Galdós jefe superior de Administración? No. Pues entonces, ¿por qué escribe novelas?» (Alas, *Galdós novelista,* edición de Adolfo Sotelo, Barcelona, PPU, 1991, pág. 92).

de Europa («El libre examen y nuestra literatura presente», *OC*, vol. 4[1], pág. 156).

Al final de *Pedro Sánchez*, Pereda insiste también en este hecho cuando recuerda la diferencia que separa las dos revoluciones más importantes del XIX español, la de 1854 y la de 1868. La primera, dice, cambió el aspecto exterior de los pueblos, modificó las costumbres y formas de vestir, e impuso una uniformidad nueva que va a ser característica de la vida moderna; pero la segunda revolución fue decisiva, debido a que modificó las formas de pensar de la gente.

Con anterioridad a estas fechas, en el periodo que media entre las revoluciones de 1854 y 1868, el nuevo modo de pensar, ingrediente esencial de la vida moderna, había sido sentido como una amenaza que los tiempos anunciaban, pero que asomaba tan solo desde el exterior, no habiendo llegado a afectar a las formas de vida española. Al hablar del «mundo moderno» me refiero, como quedó dicho al comienzo, al advenimiento de un mundo secular, que Alarcón ve como la amenaza de un mundo «sin Dios» regido tan solo por el «egoísmo» económico. En *De Madrid a Nápoles*, del año 1861, el autor anotaba esta amenaza del pensamiento libre, que nos acechaba desde el país vecino:

> Desde que los Enciclopedistas del siglo pasado preconizaron el libre examen; desde que la Razón del hombre fue aclamada como único criterio de verdad; desde que la fiebre del pensamiento, empeñada en discernir la esencia de todas las cosas, secó en el alma del pueblo bajo de Francia las fuentes del sentimiento (y con ellas la fe en lo sobrenatural), perdió aquí su eficacia aquella sublime doctrina, base del cristianismo, que hace amable la pobreza, grato el dolor, dulce la injusticia y despreciables y de poco momento las felicidades terrenas, en comparación de las bienaventuranzas de la otra vida [...] cundieron entre las clases pobres de Francia la duda y hasta el descreimiento acerca del porvenir del alma; que nadie se resignó ya a sufrir en este

mundo, desconfiando de recompensas en el otro [...] y, naturalmente, empezaron a reclamar de los Poderes cubierto en el banquete de la existencia terrenal, primero con el nombre de derechos políticos (1789) y después con el nombre de derechos sociales (1848)[29].

Y, en otro lugar, resumía el sentir del liberalismo moderado español, consciente de la necesidad de abrazar la modernidad, pero deseoso de que esta asimilación al mundo moderno se amortiguara, se retrasara incluso, a fin de no perder definitivamente un mundo de tradiciones y fervores religiosos que corría riesgo de desaparecer. Por eso, dice Alarcón, «una honda tristeza se apoderaba de mi ser, y pedí a Dios, con todas las fuerzas del amor patrio, que retrasase para España la hora de su completa *civilización,* si esta civilización ha de producir siempre resultados por el estilo de los que había contemplado en Francia» *(OC,* pág. 1227).

En 1884, en *Historia de mis libros,* el mismo autor certificaba que el cambio que causara su alarma dos décadas antes, se había producido ya. Hacía esto para explicarse la enemistad ideológica que generaban sus obras a comienzos de la Restauración, y el rechazo de las mismas por un público que, una década antes, le había seguido fielmente y hasta con entusiasmo. La respuesta, que el autor también ofrecía, tenía en cuenta el cambio profundo que, con la experiencia del Sexenio, se había operado en la realidad española:

> La variación, ocurrida efectivamente durante los doce o trece años que mediaron entre [1863 y 1875], no se había verificado en mi espíritu, sino en el de una gran parte de la Nación, o, cuando menos en las cosas políticas y sociales; en los hechos, en las leyes, en las costumbres. Yo, en 1874, era el mismo que en 1862; pero España era muy diferente.

---

[29] Pedro A. de Alarcón, *De Madrid a Nápoles, Obras completas,* Madrid, Fax, 1943, págs. 1227-1228.

En medio estaba la Revolución de 1868 *(Historia de mis libros, OC,* pág. 17).

La derrota de la revolución fue también la derrota del idealismo y de los proyectos de regeneración y las aspiraciones de la generación anterior[30]. Los cambios en política trajeron novedades en la estética, como es natural, y cuando se instaura el nuevo régimen, a comienzos de 1875, el Realismo aparece ya como una importante novedad literaria que se impone con rapidez. Pese a las notables resistencias que había encontrado hasta entonces en España, a partir de 1875 dicha corriente atrajo a los jóvenes escritores que se habían desencantado con el idealismo del periodo anterior, el cual ya no ofrecía respuestas válidas ante la nueva realidad nacional. En los primeros años de la Restauración, dicha escuela realista recibió un impulso decisivo en la obra de Galdós y Pereda; y no cabe duda que *Doña Perfecta* supone un ejemplo privilegiado de como la nueva escuela hace acto de aparición en la estética nacional.

En un principio, la oposición al Realismo no fue solo ideológica, sino también generacional. Una reacción temprana contra esta escuela la encontramos en Alarcón. Reseñando *Fanny* de Feydeau, aquel desdeña las novelas realistas, pues en ellas no hay imaginación *(OC,* pág. 1773). Vimos con anterioridad la dicotomía entre poner el énfasis en la acción o en el personaje; y Alarcón es partidario deci-

---

[30] Los historiadores conservadores catalanes Eduardo María Villarrasa y José Ildefonso Gatell, autores de una importante *Historia de la Revolución de septiembre* (Barcelona, Lib. Religiosa y Científica, 1875), consideraron que el golpe de Estado que acabó con la revolución fue, igualmente, un golpe de los militares contra el krausismo. Describen el golpe de Pavía del siguiente modo: «las tropas de la guarnición habían salido de sus respectivos cuarteles e iban ocupando las posiciones de antemano señaladas. No cabía ya duda que el krausismo y el militarismo estaban en discordancia; que la artillería iba a sostener un argumento *ad terrorem* contra los devaneos de la filosofía racionalista» (pág. 851).

dido del primer modelo. Las críticas se oyen incluso entre autores ideológicamente lejanos del conservadurismo de Alarcón. Los krausistas se habían opuesto a la nueva escuela francesa por una razón complementaria. Desdeñaban el Realismo, no solo por la galofobia que fue característica de los primeros seguidores de Sanz del Río, sino por entender que, en las trivialidades de la vida que interesaban a esta escuela, no podía encontrarse material artístico adecuado[31]. No estaban dispuestos a sacrificar el destino trascendental del arte y la grandeza de miras e ideales superiores que, siguiendo al idealismo alemán del que se sentían herederos, habían considerado requisito indispensable de toda creación artística. El profesor Aureliano Pereira declaraba, en 1877:

> odio la escuela realista; no puedo ver ni presenciar esas menguadas fotografías de la sociedad en que se oyen nuestras conversaciones, se traslucen nuestras miserias, se destacan nuestras pequeñeces [...] En el realismo no hay ideal [...] no hay arte (cit. Zavala, *Ideología,* pág. 193).

Los autores realistas prestaban excesiva atención al dibujo de los personajes y a la descripción de lugares, y usaban poca imaginación en el enredo de las acciones prefiriendo la descripción de los espacios y el análisis de las emociones y de las situaciones sociales. A ello se refiere Revilla, en una muy elogiosa reseña de *Doña Perfecta,* indicando, no obstante, que «embelesan las descripciones del señor Galdós; [pero] atrae menos la acción de sus

---

[31] Criticando el Realismo del drama francés del momento, Canalejas lamentaba que los artistas hayan hecho «creer a muchos que la reproducción fotográfica de las trivialidades vulgarísimas de la vida, o los efectos de perspectivas pictóricas o fisiológicas que recrean a los niños o solazan a espectadores adolescentes o seniles, privados de la idealidad de la juventud o de la majestad de la ancianidad, bastan para un espectáculo escénico» *(La poesía moderna,* pág. 44).

novelas, en ocasiones lánguida y poco interesante» *(Críticas,* vol. 2, pág. 124).

El juicio de Revilla había convertido a Alarcón, siquiera temporalmente, en «el mejor de nuestros novelistas» (véase Revilla, *Críticas,* vol. I, págs. 6-20), pero no era un criterio adecuado para juzgar a la nueva escuela. Porque Galdós va a convertir esos rasgos en apariencia nimios, en ingrediente esencial de su novela. Hemos visto ya que Galdós prima el personaje sobre la acción, y la descripción detallada sobre las sorpresas del argumento. El autor atiende a lo normal (e. g., la estación destartalada y poco acogedora de Villahorrenda, la carretera que lleva a Orbajosa, el río que bordea la ciudad, etc.); y atiende a lo aparentemente insignificante en los personajes, como ejemplifican de manera cómica el despiste perpetuo de don Cayetano, la necia pedantería de Jacintito, la repeinada calvicie de Tafetán o la alborotada rebelión de las Troyas. En otras ocasiones sugiere un estado de ánimo mediante la descripción de la actitud exterior o la posición que adopta el personaje. Es ejemplar la magnífica descripción inicial de don Inocencio, en la que se sugiere al lector la idea de que el cura trama algo y se prepara para acometerlo: «Quedose [don Inocencio] un rato meditabundo, sosteniendo el manteo con ambas manos cruzadas sobre el abdomen, fija la vista en el suelo» *(Doña Perfecta,* pág. 178). Clarín, que será desde el comienzo partidario entusiasta del nuevo estilo, tiene que defender *Doña Perfecta* de los ataques que pudieran venir de concepciones basadas en la estética anterior:

> Al retratar la vida de nuestros pueblos —dice—, el señor Pérez Galdós sabía que [...] los rasgos sublimes eran imposibles [...]; pero el mérito del artista no era menor [al] delinear estas figuras medianas, tan positivas, mezcla de lo grande y lo pequeño, conjunto que sólo se da en lo humano, de aspiraciones sublimes torcidas y viciadas en el roce grosero de la vida vulgar (Alas, *OC,* vol. 5, pág. 580).

Progresivamente, el rechazo del Realismo fue una posición adoptada exclusivamente por los críticos de ideario conservador, que sintieron temor ante el potencial revolucionario de una escuela analítica cuya actividad, según ellos decían, acabaría por erosionar los fundamentos sociales. Se trata de una prevención paralela a la que manifestaban contra el «libre examen» y contra las nuevas tendencias del pensamiento: «la sociedad —dice José Selgas— se encuentra bajo la acción destructora del análisis, porque la corrupción es analítica por su naturaleza» («El Realismo», pág. 596). Pero la nostalgia por una literatura de altos vuelos, ocupada en temas transcendentales, también aparece entre los críticos liberales. Revilla, el más importante de ellos, lamentaba que en el nuevo arte se hubiera perdido la grandeza, puede que un tanto ingenua, del pasado idealismo. En 1876, escribía:

> el gusto del público ha sufrido transformación pasmosa y lamentable [...] al idealismo un tanto aventurero y al sentimentalismo un tanto exagerado de la época [anterior], sustituye una aversión invencible a todo lo grande, a todo lo sublime, a todo lo bello. En la ciencia, en la religión, en la política, en el arte, en la vida social, un positivismo creciente e invasor amenaza de muerte las más altas ideas, los más bellos sentimientos que al espíritu humano engalanan y subliman *(Críticas,* vol. 2, pág. 373).

Pese a todo, el interés por una literatura ocupada en «las más altas ideas», cuyo origen hay que buscar en el idealismo previo a la revolución, persiste en *Doña Perfecta.* El interés galdosiano por el Realismo no impide que la novela combine criterios procedentes de la otra estética dominante en el momento, el idealismo ya mencionado. Por un lado, el autor aprovecha el modelo analítico de la nueva escuela realista, particularmente en lo que se refiere a la «observación» y «pintura» de los personajes, y a la descripción de ambientes; pero, como quería el severo idealismo anterior, usa la literatura para un fin trascendental y ofrece una interpretación de la realidad del momento en su viaje «al corazón de España». El autor nos da una interpretación filosófica o, como él mismo dirá en la contemporánea *Gloria,* una imagen «moral» de la nación. De modo que, del idealismo anterior se tomaba la noción de una literatura significativa ocupada en tratar los grandes temas del pensamiento, y se usaba en este caso para reflexionar sobre la realidad española en el momento en que se inicia el nuevo régimen de 1875; del nuevo Realismo, en cambio, llegaba la visión analítica que permitía una representación novedosa de los personajes. La mezcla de ambas estéticas vuelve a darse en otras obras del autor, como demuestran las diferencias entre la primera y segunda partes de *Gloria.*

La tendencia realista se impone rápidamente a partir de 1876, enfrentándose a la herencia romántica que todavía sobrevive en los escritores de más edad, como ilustraría una comparación somera entre, digamos, *La familia de León Roch* y *El Niño de la Bola,* dos obras terminadas en 1879 con escasos meses de diferencia. Pese a sus diferencias estéticas, estas dos novelas pertenecen en realidad a un solo género. Se trata, vuelvo a insistir en ello, de la «novela ideológica» (también conocida como novela «tendenciosa», novela «de ideas», novela «de tesis» o novela «de tesis ideológica»), la cual dominó el panorama literario español a lo largo de un lustro (1875-1880). Lo que unifica las muestras de novela ideológica es un estímulo común. El género se desarrolla mientras se vive en España una «guerra cultural» entre los hombres de ideario liberal, derrotados tras la revolución fracasada, y los conservadores que, escarmentados ante los riesgos y veleidades revolucionarias del Sexenio anterior, pugnaron por erradicar el idealismo krausista de la vida pública y del mundo académico: al mostrar el enfrentamiento entre el mundo anterior a la revolución liberal, y las modificaciones que esta introdujo en la manera de pensar, el género retrata el conflicto de ideas propio de la modernidad (entendiendo este término en el sentido filosófico detallado al comienzo).

Se ha propuesto también el término «novela idealista» para hablar de este género[32], con el fin de evitar hablar de «novelas de tesis», término este muy poco atractivo y repetidamente desdeñado tanto por los autores como por la crítica. La propuesta no es del todo útil en tanto que el adjetivo «idealista» es confuso y, por ello mismo, poco apropiado, ya que reduce el género *(i. e.,* la novela ideológica) a una de las tendencias estéticas que en principio contribuyeron a él *(i. e.,* el idealismo). Además, la situación se complicó grandemente porque el sentido del término «idealismo», y la visión idealista de la literatura, cambiaron en 1877. Había sido usado hasta esa fecha para referirse a una escuela filosófica liberal inspirada en el pensamiento alemán; y el sentido acabó vulgarizándose (véase Pattison, *Naturalismo español)* de la mano de Alarcón, quien usó el término para defender un arte normativo, de factura romántica, inspirado en la moral católica nacional. A fin de evitar la ambigüedad que el adjetivo «idealista» contiene en este caso, he propuesto aquí, como término alternativo, el de novela «ideológica».

El idealismo es una corriente de pensamiento que recibe la importante influencia de la filosofía alemana del momento, y que arraiga en España a partir de 1854. Una década antes de la revolución *Gloriosa* de 1868 se habían ex-

---

[32] Este término ya fue usado en el XIX por Menéndez Pelayo: «Galdós [...] pasó [en 1876] del campo de la novela histórica y política, donde tantos laureles había recogido, al de la novela idealista, de tesis y tendencia social, en que se controvierten los fines más altos de la vida humana, revistiéndolos de cierta forma simbólica» *(Contestación: Discurso leído en la recepción en la RAE,* págs. 70-71). Con posterioridad, lo han defendido Juan López-Morillas, *El krausismo español,* Madrid, FCE, 1980, pág. 136; y Germán Gullón, *La novela del XIX,* Ámsterdam, Rodopi, 1990, págs. 66-67.

tendido entre los grupos intelectuales españoles doctrinas inspiradas en el pensamiento de Schiller, Fichte, Schelling, etc. De estas fuentes germánicas, se nutrieron diferentes tendencias destacando entre todas ellas, por su enorme influencia en España y por su significación posterior, el krausismo. Se trata de la interpretación que, de la filosofía del alemán Karl C. Friedrich Krause hizo, y divulgó en nuestro país, Julián Sanz del Río, catedrático de Metafísica en la Universidad de Madrid. De la importancia de esta escuela en el ambiente intelectual español da cuenta el hecho de que, hasta el comienzo de la Restauración, el calificativo «idealismo» (o, alternativamente el de «idealismo trascendental») fuera entendido como sinónimo de la escuela krausista; en *Doña Perfecta,* Jacintillo, el impertinente sobrino de don Inocencio a quien me he referido varias veces con anterioridad, nos recuerda que este idealismo, o «panenteísmo», es una herejía abominable.

El idealismo krausista se difundió en el mundo cultural español al amparo de las nuevas libertades posteriores a la revolución de 1854, revolución conocida popularmente como *la Vicalvarada*. Krausismo y *Vicalvarada* no están conectados en su origen, pero no cabe duda que las libertades que trajo esta revolución, permitieron el desarrollo de la corriente filosófica, que logró gran influencia en la universidad entre 1854 y 1874. Después de la revolución de Vicálvaro, y significativamente durante el «gobierno largo» de O'Donnell, se dieron los primeros pasos hacia la secularización de la sociedad española (e.g., derogación del Concordato con la Santa Sede, firmado por Bravo Murillo en 1851; reconocimiento de la República Italiana frente a las reclamaciones papales, etc.). Estas novedades políticas coincidieron, en lo cultural, con la independencia intelectual que los seguidores de Sanz del Río introdujeron en la vida universitaria y en el pensamiento español.

Pese a que su lenguaje resulta harto confuso, pues resuenan en él tonos religiosos, y en ocasiones hasta ridículamente místicos, los krausistas promovieron una visión secular del pensamiento. El diputado conservador Aparisi Guijarro los denunciaba, en un discurso pronunciado el 3 de diciembre de 1860, declarando que: «La razón iluminada por la fe se llama Santo Tomás de Aquino; la razón enemiga de la fe se llama Federico Krause»[33]. Aquellos entendieron pronto que, en su lucha contra las formas del pasado, tendrían que enfrentarse al catolicismo reaccionario. Lo expresa un seguidor de la doctrina de Sanz del Río, Francisco Barnés y Tomás, cura secularizado y catedrático de Historia en la Universidad de Sevilla, que en medio del Sexenio escribía: «La sociedad titubea [...] oscilando entre la libertad y el despotismo, la declaración de derechos y el catolicismo, la filosofía y la fe» (Barnés, pág. 15). No extraña por tanto que, desde un comienzo, los krausistas fueran vistos por los hombres de ideario tradicional como una amenaza para las formas de vida española heredadas de la historia.

La concepción secular de la vida que era, como digo, característica del krausismo, heredaba la nueva moralidad del idealismo germánico. Este creía que la literatura tenía la función de elevar el espíritu, completando con ello la labor de la religión o la ciencia. Los seguidores de Krause en España adoptaron posiciones similares: «El arte [...] concurre con la religión y con la ciencia a los fines y designios providenciales que lo ennoblecen en el concierto y ordenamiento del mundo moral» (Canalejas, *Poesía,* pág. 45).

Debido a la trascendencia que se esperaba del arte, la nueva literatura contenía debates sobre los importantes temas de la actualidad. Los krausistas habían mostrado su desdén por la literatura popular que domina en España en las décadas del 50 y 60 (Pérez Escrich, Ayguals de Izco, Fernández y González), y reclamaron un arte culto en el que las cuestio-

[33] Aparisi y Guijarro, *Obras completas,* vol. 2, Madrid, Imp. Ramírez, 1877, pág. 500.

nes fueran tratadas con elevación filosófica; y aunque seguían defendiendo que el objeto del arte consiste en la creación de belleza, usaron la literatura con un fin educativo, buscando tener impacto social, aprovechando aquella para debatir temas filosóficos, políticos y doctrinales[34].

Los autores del 68 heredaron estas nociones, y usaron la novela para ofrecer atrevidas visiones de la realidad nacional. El idealismo del 54 había exigido una literatura de calidad que viniera a colmar las importantes carencias en el discurso filosófico del momento; y, en las manos de los escritores del 68, la novela suplió esta necesidad al convertirse, no solo en un género respetado, sino en alimento intelectual de la clase pensante. Lo reconoce uno de los más importantes críticos del momento, Urbano González Serrano, en una reseña de *Doña Perfecta,* donde se lee: «Es la novela el género literario más adecuado al espíritu y tendencias de los tiempos presentes» (pág. 201). Muchos años después, como vimos al comienzo, todavía Galdós siente esta idea como aplicable a su arte, y habla de su deseo continuado de hacer una literatura significativa, que «marque huella».

De las aportaciones del idealismo del 54 al pensamiento literario, que pronto fructificaron en la novela de la generación que sigue, la del 68, hay que destacar su valoración crítica del mundo contemporáneo. Las visiones tradicionales habían seguido la norma del pensamiento católico y reaccionario, que entendía el presente como decadencia y confusión, y la existencia como mortificación en el Valle de Lágrimas[35]. Los seguidores del idealismo

---

[34] Revilla describió la función didáctica de la literatura del momento, un «arte docente» cuyo fin era «la expresión y representación del ideal» aunque, para llevar a cabo esto, el poeta «canta, no por el placer de cantar, sino por manifestar un trascendental y elevado pensamiento» *(Obras,* pág. 138).

[35] Contra la novela moderna se manifestaba Cándido Nocedal en su discurso de ingreso en la Real Academia, declarando: «El hombre ha nacido para ser dichoso, afirma en una novela moderna cierto personaje,

filosófico, en cambio, consideraron que el fin de la vida era la búsqueda de la felicidad o, lo que es lo mismo, que el fin de la vida está en la vida misma, no en una realidad trascendental que llega después de la muerte. Se recuerda esto de modo expreso en *Pepita Jiménez* y en *La novela de Luis*. El presente no es decadencia y confusión. Está revestido de una ética más auténtica que los dogmas heredados de la historia. Progreso y moral van de la mano, y aquel sustenta esta: «hay en toda la sociedad europea, particularmente entre los pueblos que van al frente de la civilización, no solo gran progreso material, sino también progreso moral»[36].

Este revisionismo en materias morales permitió, a los novelistas de la generación siguiente, crear modelos de ética alternativa, usando la novela para denunciar los efectos del fanatismo religioso y para enfrentarse a los errores del pasado *(Pepita Jiménez, Doña Perfecta, Gloria, La familia de León Roch).* La nueva novela hablaba de los problemas sociales, de la realidad de la nación, de su entidad moral. Los partidarios de la razón usaron la literatura para formular los términos de una nueva ética, aplicable a un hombre también nuevo, regido por la razón y dedicado al ejercicio de la virtud y al mejoramiento de la sociedad *(La novela de Luis)*[37]. Este nuevo individuo era producto idea-

---

a quien el autor tiene la singular audacia de llamar el verdadero sacerdote de Jesucristo. ¡Vana ilusión, engaño cruel que desmienten los siglos pasados y el ahogado grito de dolor que resuena constantemente en el fondo del alma!» *(Discursos leídos ante la Real Academia Española, en la recepción pública de Don Cándido Nocedal, el día 15 de mayo de 1860,* Madrid, Rivadeneyra, 1860, pág. 16); «más filosófica y más exacta la Iglesia, nos enseña desde niños a llamar Valle de Lágrimas a la tierra» (pág. 17).

[36] Juan Valera, «De la naturaleza y carácter de la novela», *OC,* Madrid, Aguilar, 1961, vol. 2, pág. 195.

[37] Hay en *Doña Perfecta* una sugerencia de esta virtud moderna, necesaria para la vida espiritual del hombre nuevo, cuando, a comienzos del capítulo XII, el narrador escribe: «Amor, amistad, aire sano para la respi-

lizado del espíritu del Sexenio, pero cobra vida en la narrativa en los momentos en que se asistía al naufragio del legado revolucionario *(Doña Perfecta).* De modo que, cuando se escribió sobre el «hombre nuevo» en la literatura, dicho concepto era ya sólo una quimera nacida como reacción al hecho irremediable de que la revolución liberal, que debió haber coronado su triunfo, había fracasado. Estrictamente hablando, las condiciones políticas que habrían hecho posible dicho «hombre nuevo», desaparecían al mismo tiempo que quedaba representado en la novela. El resultado de este fracaso fue el pesimismo, un sentimiento que domina la producción galdosiana de estos años *(Doña Perfecta, Gloria, La familia de León Roch);* sentimiento que fue visto en el momento como opción filosófica que respondía al fracaso de los ideales (véase González Serrano, *Cuestiones contemporáneas,* págs. 65-125).

El enfrentamiento entre el presente y la historia, entre cambio e inmovilidad, será planteado en términos de dos nociones de moral diferentes. Comprometida con la realidad del momento, y portavoz de una moralidad nueva y progresiva, la literatura debía atreverse a retratar un mundo en crisis. Tenía que reflejar la nueva moral, y debía dar expresión a las novedades del pensamiento. Pompeu Gener escribía que «nuestro siglo exige a sus artistas, no solo que sientan, sino también que piensen» (cit. Zavala, *Ideología,* pág. 177). La necesidad de representar la actualidad y sus riesgos fue particularmente notable durante el Sexenio revolucionario. Pi y Margall había reclamado, en un artículo de 1874, un arte moderno y valiente, guiado por la audacia de las nuevas ideas, que, ante la gravedad de los

---

ración moral, luz para el alma, simpatía, fácil comercio de ideas y de sensaciones era lo que Pepe Rey necesitaba de una manera imperiosa. No teniéndolo, aumentaban las sombras que envolvían su espíritu, y la lobreguez interior daba a su trato displicencia y amargura» *(Doña Perfecta,* pág. 248).

sucesos contemporáneos, no estuviera preso de las convenciones del pasado: «Reproducir en el lenguaje del sentimiento las dudas, las amarguras, los vaivenes y el temerario arrojo de este siglo, no sería, a buen seguro, empresa indigna del arte»[38].

Las consecuencias de esta visión nueva y arriesgada de la función de la literatura, son importantes para la novela del 68. En un mundo en que los krausistas habían contribuido a liberarse de los miedos tradicionales[39], y que se quería regido por la razón, no podían aceptarse las supercherías que en el pasado habían alimentado el fervor popular de la gente ignorante. «Se han corrido las órdenes —dice Pepe Rey— para dejar cesantes a todos los absurdos, falsedades, ilusiones, ensueños, sensiblerías y preocupaciones que ofuscan el entendimiento del hombre» *(Doña Perfecta,* pág. 196). Pese a la importancia de este parlamento en *Doña Perfecta* (se trata del primer enfrentamiento directo entre Pepe Rey y don Inocencio), no contiene tanto una revelación como el registro de una manera de pensar, que efectivamente escandaliza a los lugareños habitantes de Orbajosa, pero que había resonado repetidamente en la vida intelectual española, en las universidades y en el Ateneo, desde al menos una generación antes.

El krausismo no sobrevivió al fracaso de la revolución, como ha quedado dicho. Pero los escritores de la Generación del 68, que pronto buscaron en el positivismo y otras tendencias, inspiración alternativa para sus proyectos, heredaron el legado intelectual de los seguidores de Sanz del

---

[38] Francisco Pi i Margall, «Del arte y su decadencia en nuestros días», *Revista de España,* 36 (1874), pág. 448.

[39] Cfr.: «los tiempos actuales no consienten que las cuestiones se resuelvan sino después de haber sido ampliamente dilucidadas y discutidas, no siendo ya posible, por grave que sea el punto de que se trate, el silencio que antes impusiera el miedo» (Gumersindo de Azcárate, *Minuta de un testamento, publicada y anotada por W.,* Madrid, Imp. V. Suárez, 1876, pág. 187, nota).

Río; y de ellos asumieron la necesidad de producir una literatura nueva y de calidad, adecuada a los nuevos tiempos. Hay, no obstante, una diferencia esencial entre una generación y otra: los krausistas carecían de aprecio por la novela, considerando que lo que pasaba por tal género en España *(i. e.,* la narrativa popular, el folletín), no merecía su estimación. En cambio, los autores de la generación siguiente, los del 68, van a hacer en la novela sus mayores contribuciones intelectuales, lo cual, sin duda, sorprendió a los krausistas que vieron cómo los jóvenes aprovecharon un género que ellos, los maestros del 54, no habían estimado debidamente[40].

La primera gran aportación de los escritores del 68 fue la novela ideológica que se escribe tras el fracaso de la revolución, de la que *Doña Perfecta* es ejemplo paradigmático, además de ser el título más afamado del género. Se trata de una novela culta, ocupada en la reflexión sobre los problemas contemporáneos. Lo que diferencia este género del contemporáneo arte por el arte, que ejemplifica *Pepita Jiménez,* es que la novela ideológica se compromete con la realidad del momento de la cual ofrece una visión crítica. La novela ideológica medita sobre el suceder y sobre la realidad inmediata. Esto es observable en escritores ideológicamente opuestos, como Galdós y Alarcón, los cuales coinciden al escribir sobre los problemas que atosigan al «hombre del siglo». Además, como Villarminio (el autor de *La novela de Luis),* que escribe sobre los «hechos contemporáneos», también Galdós va a escribir «novela contemporánea».

---

[40] Comentando la reseña que Urbano González Serrano escribió para *Doña Perfecta,* Anthony Percival recuerda que el desarrollo de la gran novela pilló a los krausistas por sorpresa, pues estos no acertaban a imaginar que un género, antes vilipendiado por las clases cultas, pudiera llegar a ser el vehículo preferente de las nuevas ideas *(Galdós and His Critics,* pág. 172).

La «novela española contemporánea» galdosiana

En 1876, Galdós hubo de sentir la necesidad de una denominación novedosa para su obra, pues introducía cambios importantes en el proceso editorial de la misma. Había firmado ese año un contrato con Miguel Honorio de la Cámara, hasta entonces editor del periódico *La Guirnalda.* A partir de entonces, y a lo largo de más de veinte años, Cámara fue editor y distribuidor exclusivo de la obra galdosiana. Sabido es que esta asociación entre novelista y editor acabó muy mal, con pleitos y denuncias por ambas partes (Ortiz Armengol, *Vida,* págs. 521-539). Pero en el momento de la firma de dicho contrato, cuando Galdós iniciaba una nueva serie de novelas, autor o editor, o ambos, debieron considerar que convenía establecer una clasificación en la obra ya producida, y organizar esta con fines mercantiles, presentándola al público de una manera ordenada. De ello resultó la decisión de presentar *Doña Perfecta,* cabeza de una nueva serie, como primera «Novela española contemporánea». Esta expresión se usó por vez primera al publicarse la segunda edición de *Doña Perfecta* en la editorial La Guirnalda[41], edición que además cuenta con un desenlace nuevo que, a partir de entonces, será definitivo (Jones, págs. 570-573).

(Corrijo aquí una observación que he hecho en trabajos anteriores, a saber: que el concepto «Novela española contemporánea» fue primero usado en la edición de *Gloria,* aunque referido a *Doña Perfecta.* Este error se debe a que no había tenido oportunidad de ver ningún ejemplar de la segunda edición de *Doña Perfecta,* la primera obra publica-

---

[41] *Doña Perfecta,* Madrid, Administración La Guirnalda y Episodios Nacionales, 1876, 280 páginas, 8.º.

NOVELAS ESPAÑOLAS CONTEMPORÁNEAS

POR

B. PEREZ GALDÓS

DOÑA

PERFECTA

DOS PESETAS

MADRID

1876

Administracion de LA GUIRNALDA y EPISODIOS NACIONALES

Barco, 2 duplicado, tercero.

Portada de la segunda edición de *Doña Perfecta* [1876], primer libro de Galdós que se publica en la editorial La Guirnalda. Por primera vez aparece la clasificación de la nueva serie como «Novelas españolas contemporáneas».

da por La Guirnalda, que ya registra este nuevo concepto. Recientemente he descubierto que la Universidad de Cornell, Estados Unidos, tiene un ejemplar de esta edición, cuya portada reproduzco aquí).

La decisión de ejercitarse en el nuevo género pesaba en un contexto en el que el autor era generalmente reconocido como el escritor de los breves *episodios*. La nueva serie de novelas «contemporáneas» alertaba al lector de que, además de dichos *episodios*, que Galdós seguía produciendo todavía a un ritmo prodigioso (un nuevo título cada tres meses), aquel se adentraba ya en lo que la crítica llamaba por entonces la «novela psicológica» (véase, González Serrano, *«Doña Perfecta»*, pág. 203), apelación que inscribía la novela galdosiana en las formas de narrativa más respetadas del momento.

Galdós se arriesgaba finalmente a practicar un tipo de novela de más peso, en lo que se refiere a la influencia que había de ejercer la literatura en el lector, y de mayores pretensiones estéticas. Al mismo tiempo que se aventuraba en la estética novedosa del Realismo, y cuando conseguía dar a su novela altura filosófica, el autor intentaba la novela larga, género este último que, para esas fechas, habían cultivado con gran éxito de crítica y público los dos escritores *senior* de su generación, Valera y Alarcón (*Pepita Jiménez* es de 1874; *El escándalo*, de 1875). Revilla, el crítico más respetado del momento, celebraba en un boceto del autor (que es probablemente el primer estudio crítico que se hizo de nuestro novelista)[42], que este practicara un tipo de novela trascendental, que había echado en falta hasta entonces en su producción (Revilla, *Obras*, pág. 113).

El autor sin duda tuvo en cuenta la obra de los dos autores *senior* mencionados, porque su proyecto se relaciona

[42] Manuel de la Revilla, «Benito Pérez Galdós», *Obras*, Madrid, Imp. Central, 1883, págs. 109-116.

(negativamente, todo sea dicho entre paréntesis), con las propuestas de estos. Por ejemplo, Galdós se interesa por el idilio de *Pepita Jiménez,* que sirve de modelo para las dos novelas que escribe en estas fechas *(Doña Perfecta* y *Gloria)*[43], pero no acepta de Valera el panfilismo filosófico, idealista, que ve la sociedad como realización del bien y de la virtud.

En una observación reveladora, López Nieto añadía el estímulo posible de *Las ilusiones del doctor Faustino,* novela que Valera publicó en 1875 en la *Revista de España,* y que por tanto es más cercana a la fecha de publicación de *Doña Perfecta*[44]. De esta novela, según López Nieto, Galdós pudo tomar tanto elementos argumentales como expresiones concretas. La observación es valiosa. Esto no obsta para que siga tratándose de un modelo en negativo en lo que se refiere a la estética: Galdós, en *Doña Perfecta,* estaba rompiendo con el idealismo literario anterior, y promoviendo una forma de literatura nueva, que marcha por el nuevo cauce del Realismo que los autores reciben de Francia; y en lo que se refiere al entendimiento del individuo: frente a la noción valeriana según la cual la virtud vence todos los

---

[43] Chamberlin, «Galdós' Reply», págs. 11-21; López Nieto, págs. 16-23; Ignacio Javier López, *Novela ideológica,* págs. 189-195. Considerando la evolución ideológica de Galdós, Gilman indicó que *Doña Perfecta* pudo ser pensada tras acabar el autor el episodio *La segunda casaca,* publicado en enero de 1876 *(Galdós,* pág. 49). La conexión temática entre *Doña Perfecta* y la anterior *Pepita Jiménez,* nos permite ampliar, y modificar, esta idea: la novela efectivamente se escribió entre enero y abril de 1876, pero la idea hubo de ser necesariamente anterior. Aunque no podemos precisar el momento exacto, hubo de corresponder al momento en que se hizo manifiesto el fracaso de la revolución, que invalidaba la visión idealista de Valera, representada en su lema según el cual «La virtud desconoce la caída». Como hemos de ver, esta noción anterior ha de ser aplicable también al modelo de novela larga que Galdós comienza a escribir justo después de la revolución liberal.

[44] Véase su introducción a Benito Pérez Galdós, *Doña Perfecta,* Madrid, Akal, 2006, págs. 15-20.

obstáculos (hermosa noción que el novelista toma del idealismo alemán del momento), Galdós aporta un correctivo pesimista, más acorde con la realidad histórica posterior al fracaso de la revolución.

También Pepe Rey es virtuoso, pero está desarmado ante una realidad hostil. El *Nescit labi virtus* [La virtud desconoce la caída] de Valera se inspira en el idealismo anterior, y supone que la virtud triunfa en última instancia, porque el destino de la existencia está marcado por un sino providencial. Galdós, que ha visto cómo ha fracasado la virtud cuando se hunden los proyectos de redención nacional, no podía aceptar esta visión excesivamente optimista para 1875. La derrota de la revolución había forzado un cambio en las actitudes, y había modificado la opinión de Galdós sobre el viejo idealismo. La virtud, que también está presente en el caso de Pepe Rey, se encuentra con obstáculos insuperables que frenan el impulso redentor.

De Alarcón le separa prácticamente todo: la ideología, la visión de la realidad, y la actitud que adopta ante el mundo moderno. A diferencia del joven liberal Galdós, el autor andaluz es un reaccionario que escribe sus novelas al final de su carrera cuando, desengañado, ha perdido toda fe en los proyectos de redención política y concibe la realidad humana como algo regido por el mal, un sino que tan solo pueden controlar las limitaciones seculares. Surgen entonces sus apelaciones a la bondad de la fe, a la necesidad de la religión y de la autoridad, y a los beneficios de la moral cristiana. Galdós, en cambio, carece del fatalismo alarconiano y considera que los errores en la política son debidos a carencias individuales que han de corregirse en el devenir de la Historia. No obstante, hay algunas semejanzas importantes entre ambos autores. En concreto, ambos coinciden en su deseo de escribir una novela larga, ocupada en los grandes temas del pensamiento, que fuera significativa al mostrar cómo estos temas se relacionaban con la realidad del momento.

Por consiguiente, en 1876 la denominación «Novela española contemporánea» identificaba una nueva forma literaria atenta a los conflictos de la realidad inmediata. Esta realidad estaba formada por dos legados, de los cuales el primero correspondía a la política de comienzos de la Restauración; y, por vez primera también, el autor se refería a la experiencia del periodo revolucionario, no como un hecho a punto de desaparecer (la perspectiva que tiene Villarminio en *La novela de Luis,* por ejemplo), sino como efectivamente cosa del pasado. Nuestra comprensión de este género, a día de hoy, es lamentablemente muy limitada. Esto se debe a que el estudio crítico de este periodo se ha centrado exclusivamente en Galdós, a quien se ha explicado de una manera aislada, puramente analítica, sin la necesaria visión histórica y sin tener en cuenta la obra de sus contemporáneos. Por ello, no se ha entendido que, en estas fechas, el interés por lo contemporáneo respondía a un modelo general, algo que viene corroborado por lo que hacían entonces otros escritores de la misma generación. Este interés común se correspondía, además, con un proyecto literario en gran medida coincidente, pues todos ellos se ejercitaron en el género ya mencionado, cuyo calendario paso a precisar.

Podemos destacar cuatro momentos en el desarrollo del género ideológico (López, *Novela ideológica,* págs. 17-18). El primero, cuando comenzó a pensarse y escribirse, corresponde a la segunda mitad de 1874, y tiene como referente el derrumbe del proyecto revolucionario durante la dictadura de Serrano. Una obra desconocida, de clara inspiración krausista, a que me he referido antes *(La novela de Luis* de S. de Villarminio), es el punto de referencia más temprano, pues comenzó a escribirse en el otoño de 1874. A este momento inicial corresponde también la primera parte de *Gloria,* cuya versión original se escribió en noviembre de 1874 —la versión publicada, que hoy conocemos, fue sometida a una corrección posterior a la publicación de doña *Doña*

Perfecta, y se completó dos años más tarde, en noviembre de 1876[45].

El segundo momento, cuando en realidad triunfa el género, corresponde a la intensa actividad literaria y editorial que se sucede entre julio de 1875 y comienzos de 1877 cuando, en poco más de año y medio, se publicaron las primeras, y más importantes, novelas ideológicas. *El escándalo*, de Pedro A. de Alarcón, no fue la primera muestra del género que se escribió, pero sí fue la primera que se publicó. Estuvo en las librerías de Madrid el 1 de julio de 1875, agotándose en unos días. Produjo una auténtica conmoción en el mundo literario del momento[46]. *La novela de Luis* apareció en febrero de 1876; en el mismo año, *Doña Perfecta* se publicó, primero en la *Revista de España* (marzo-junio 1876), y más tarde en libro en dos versiones sucesivas, como queda dicho; la primera parte de *Gloria* estuvo en las librerías a comienzos de enero de 1877. El referente inicial de todas estas novelas fue el cambio de régimen (enero de 1875), pero hay que añadir a este referente otro posterior, correspondiente a los debates previos a la constitución de 1876, que reemplazaba a la derogada constitución revolucionaria de 1869. Este reemplazo de la Carta Magna suponía la derrota definitiva de la revolución y convertía en urgente la reflexión sobre el presente. Los autores reflexionaban sobre la realidad histórica inmediata, sobre los «hechos contemporáneos», incitados por los debates parlamentarios que finalmente produjeron la nueva constitución de la monarquía restaurada.

El enfrentamiento de ideologías que se produce a partir de 1876 nos lleva a un tercer momento en el desarrollo del género ideológico. Este comienza inmediatamente después

---

[45] «Introducción» a Benito Pérez Galdós, *Gloria*, Madrid, Cátedra, 2011, págs. 61-66.

[46] «Introducción» a P. A. de Alarcón, *El escándalo*, Madrid, Cátedra, 2013, págs. 57-67.

de que, aprobada la constitución, los novelistas quisieron influir en las opiniones. Los escritores conservadores primero y, más tarde, también los liberales, adoptaron posiciones ideológicas que buscaban el enfrentamiento con el rival y, en buena medida, su descalificación. Lo que, desde 1875, había sido un debate de ideas, con apelaciones repetidas a la tolerancia, pasó súbitamente a ser un conflicto de ideologías. Esto ocurrió cuando los conservadores se sintieron traicionados tras la aprobación por el gobierno de Cánovas del texto constitucional de 1876, al comprobar que este no recogía su reclamación fundamental respecto a la unidad religiosa, ni declaraba tampoco, en términos explícitos, que el catolicismo era la religión exclusiva de los españoles.

Tras esta «traición» de Cánovas[47], los reaccionarios quedaron sin capacidad de maniobra: no podían abandonar el Partido Conservador, al que ideológicamente pertenecían

---

[47] Se conoce con el nombre de *Manifiesto de los notables* el relato de la labor legislativa de la comisión constitucional encargada de redactar la constitución de 1876. Dicho *manifiesto* expresa cómo, en la nueva ley, se quiso armonizar la herencia histórica del catolicismo nacional con los deseos de libertad de la sociedad española: «Es vano empeño el de atajar las corrientes de las ideas en cada siglo, y dada la situación actual de los ánimos de las naciones cultas, no es ciertamente la intolerancia legal el procedimiento más adecuado para salvar la unidad católica. El medio mejor y más eficaz de conservar este bien inestimable es quitar a la revolución el arma terrible que sin duda esgrimiría para conmover a la multitud si pudiera alegar con algún viso de razón que el poder civil ejercía coacción sobre las conciencias» (cit. Artola, *Partidos y programas políticos,* Madrid, Aguilar, 1974, vol. 2, págs. 114-115). La confesionalidad del Estado quedaba recogida en la Constitución, garantía de los derechos católicos, pero no excluía las otras religiones, que podrían practicarse libremente en privado: «hemos decidido trasladar a la Constitución lo que estaba ya en nuestras costumbres: elevar a derecho nuestro propio estado social y armonizar [...] las exigencias de los tiempos con las creencias y las tradiciones católicas del pueblo español» (pág. 115). La Constitución de 1876 establecía que «la religión católica, apostólica, romana es la del Estado», pese a lo cual «Nadie será molestado en territorio español por sus opiniones religiosas, ni por el ejercicio de su respectivo culto» (vol. 1, pág. 395).

pero, en él, quedaron reducidos a una minoría sin acceso al poder. Para contrarrestar esta derrota política, que los convertía en insignificantes, aquellos cambiaron de estrategia y se dedicaron a la agitación ideológica. He hablado ya antes de guerra cultural. En efecto, su propósito era influir en las opiniones copando todos los puestos en las instituciones oficiales, entre ellas las Reales Academias de la Lengua y de la Historia. Desde ellas atacaron sin tregua al idealismo heredado de la revolución, y a las teorías novedosas que habían seguido a aquél.

Al ser recibido en la Real Academia de la Lengua como miembro de número, en febrero de 1877, Alarcón pronunció su discurso sobre la moral en el arte, ya mencionado, que es referente central de la respuesta conservadora frente a las nuevas ideas. Este discurso replantea los términos del «idealismo», apropiándose de este término, y convirtiéndolo en punto de referencia de un entendimiento conservador del arte, caracterizado por una fuerte carga emocional y por reivindicar la estética romántica. La versión alarconiana del término hizo fortuna: *El Niño de la Bola* será considerada ejemplo de novela idealista y, a partir de 1881, cuando la discusión de la novela ideológica es ya historia, los críticos todavía se enzarzan en el enfrentamiento entre idealismo frente a descripción o análisis (Pattison, *El Naturalismo español,* págs. 19, 109, 116 *et passim).*

La respuesta liberal a los ataques conservadores de 1877 no se hizo esperar: en marzo de ese año, pocos días después del revuelo causado por el discurso académico de Alarcón, Galdós comenzó a escribir la segunda parte de *Gloria,* que Revilla había reclamado del escritor, y que aquel finalmente publicó en junio. En este contexto, dicha segunda parte tuvo una recepción entusiasta por parte de los críticos liberales, pues estos vieron representada en ella sus aspiraciones, y la entendieron como respuesta literaria a las provocaciones reaccionarias. Que fuera realmente una respuesta específica al discurso de Alarcón, o que respondiera más bien a una posición política y tuviera por tanto un planteamiento más amplio, tiene escaso interés. Lo cierto es que para estas fechas el enfrentamiento ideológico es notable.

Tras la aparición de la segunda parte de la novela galdosiana, el criterio que se usó para juzgar la importancia de las novelas, fue la «verdad» de la tesis que la novela contenía; esto es, su ideología. De modo que, en este tercer estadio del desarrollo del género, la novela ideológica se convierte en un modelo literario destinado a partidarios, que ven representadas en la novela sus propias convicciones[48].

La novela ideológica es, a partir de este momento, polémica por naturaleza e intención, busca el enfrentamiento con el rival, y es provocadora. El tema preferente, o casi exclusivo, de las novelas en estas fechas es el choque de las dos Españas. La mención de este conflicto requiere de una importante aclaración. La división nacional, que se había intensificado a causa de la revolución, fue un tema que tuvo una presencia notable en la novela ideológica. Pero la metáfora de las dos Españas es válida tan solo si se entiende que servía para formular, en términos nacionales, una división que afectaba a la mayor parte de las naciones europeas meridionales, comprometidas —como ocurría en el caso español— en la lucha que enfrentó la modernidad contra el catolicismo reaccionario. Dicho de otro modo, la división nacional en España no era en modo alguno un ejemplo aislado. El referente político inmediato de este conflicto no eran las peleas nacionales, antañonas, entre casticismo y renovación, ni el mundo de los Austrias o la expulsión

[48] Susan Suleiman acierta al señalar que los términos «novela de ideas» y «novela de tesis» se refieren en realidad al mismo objeto. El primero de ellos es positivo; el segundo, en cambio, negativo. Pero los dos tienen por objeto una novela destinada a partidarios, que ven corroboradas, en la argumentación novelesca, sus propias ideas. Novela de ideas es lo que hacen los escritores con quienes estamos de acuerdo; novela de tesis, nuestros rivales. Véase Suleiman, *Authoritarian Fictions,* Nueva York, Columbia, 1983, pág. 22.

de judíos y moriscos, aunque en el caso español se recordaran dichos episodios para ilustrar la historia del conflicto reavivada en el presente. Se trataba, en realidad, de la lucha entre el Antiguo Régimen y el mundo moderno, que se desencadena desde la unidad italiana (1861) a la caída del Segundo Imperio de Luis Napoleón tras la guerra franco-prusiana de 1870; su episodio central ha de ser el Concilio Vaticano I de 1864. Los liberales españoles no hablaban solo de Felipe II, del Cádiz de 1812 y Fernando VII, sino, y de modo muy especial, de los Saboya, de Garibaldi, de Bismarck y, en fin, de los proyectos secularizadores en los países más avanzados de Europa[49].

Retengamos de esto, en fin, que la visión de las dos Españas es una interpretación metafórica, no del todo exacta, que interpretaba la realidad nacional del momento en virtud de un enfrentamiento histórico. En esto, no obstante, la literatura iba por un camino opuesto al de la eficacia buscada en la actividad política. Los espasmos de la activi-

---

[49] La literatura y buen número de ramas de la ciencia, especialmente la biología, fueron vistas en atención a este conflicto. Recuérdese que, en *Doña Perfecta,* don Inocencio acepta el evolucionismo darwiniano, y la posibilidad de que el hombre descendiera efectivamente del mono, tan solo si esto se aplicaba exclusivamente a Bismarck (pág. 216). La enemistad de la Iglesia con el canciller alemán nace cuando éste, tras haberse anexionado parte de Polonia, quiso asegurarse que el Vaticano no interfería en los asuntos que competían al Estado. En 1881, cuando esta polémica decaía, tuvo lugar el llamado Brindis del Retiro, en el que Menéndez y Pelayo, que ultimaba su *Historia de los heterodoxos* por esas fechas, aprovechó para atizar el fuego de la intransigencia y sus ataques contra el secularismo germánico impuesto por Bismarck. Con motivo del centenario de Calderón que se celebraba en un banquete en El Retiro madrileño, Menéndez y Pelayo brindaba públicamente «por la fe católica, apostólica, romana», «por la nación española [...] valladar contra la barbarie germánica y [su] espíritu de disgregación y de herejía», y, en fin, por Calderón, «el poeta de todas las intolerancias e intransigencias católicas; el poeta teólogo; el poeta inquisitorial, a quien nosotros aplaudimos y festejamos, y bendecimos» (en Eva Sánchez Rodríguez, «El Brindis del Retiro» *Universidad Europea de Madrid,* online).

dad cultural, tras decaer el impulso revolucionario y, más concretamente, tras el regreso de los Borbones en enero de 1875, contrastan con la estabilidad creciente que se observa en la vida política. Esta resulta particularmente notable a partir de 1877, un año después de aprobada la nueva constitución de la monarquía restaurada. Este hecho nos obliga a una importante observación sobre la desconexión que existió entre las reflexiones ideológicas, como la representada en la novela aquí editada, y la realidad del país.

Después de 1870, el Antiguo Régimen no fue restaurado a su condición original en ningún país europeo. Ni siquiera en España. La Restauración fue un proyecto ecléctico pese a que no convenció a los liberales, que consideraban que su proyecto quedaba difuminado al convivir con la ignorancia y con muchos privilegios tradicionales. Tampoco convenció a los reaccionarios, que consideraron que Cánovas contemporizaba con la izquierda y, por ello, no acababa de conjurar el peligro de la revolución.

Pero es excesiva la reacción habitual de los críticos literarios que, hasta el día de hoy, siguen denostando la Restauración como un régimen espurio, y que usan la literatura como si fuera, no una interpretación influida por los intereses ideológicos, sino que la interpretan sorprendentemente como testimonio transparente de la resistencia que el país opuso al nuevo régimen. Esto demuestra un desconocimiento notable de la realidad política e histórica a partir de 1875, y supone una malversación de la documentación literaria. La literatura del momento no es en modo alguno un documento objetivo de la realidad social, sino el producto de una importante agitación política e ideológica.

La Restauración es un régimen moderado, o de inspiración conservadora, de creciente estabilidad, gracias al cual los españoles vivieron en paz, y prosperaron, a lo largo de medio siglo; es mucho más de lo que puede decirse de cualquiera de los dos regímenes que le antecedieron o siguieron. Me refiero a las dos Repúblicas, la de 1873 o la de 1931. Esto no obsta para que el régimen creado por Cánovas generara enorme desapego entre los hombres de letras y entre los pensadores, pero hemos de entender por qué. Para los liberales, como ejemplifica *Doña Perfecta*, la literatura de este momento es una evocación nostálgica de un sueño deshecho, y ofrece una visión de la nación como si en ella se hubiera destruido la vida civil y fuera imposible la convivencia entre los ciudadanos. Pero nada hay más lejos de la realidad en un momento en que figuras del progresismo histórico (Sagasta, Segismundo Moret, Montero Ríos) se integraron en el proyecto restaurador. Los conservadores, por otra parte, habían sido derrotados políticamente, como queda dicho, y su reacción posterior fue harto vociferante pues creyeron que, habiendo capitulado el gobierno ante los males del mundo moderno, la patria iba derechita a su irremediable perdición.

Sea como sea, las novelas de autores de ideario conservador o liberal, de Alarcón y Pereda, o de Galdós, ofrecieron una visión apesadumbrada, apocalíptica, de los males presentes y futuros; su horizonte fueron «las intolerancias e intransigencias católicas» de que habló Menéndez y Pelayo en el Brindis del Retiro. No obstante, guiada eficazmente por Cánovas, la política adoptó una actitud ecléctica que dio entereza, por vez primera en nuestro siglo XIX, a la vida parlamentaria al propiciar el desarrollo de grandes partidos políticos. A diferencia de la literatura, la política dejaba de depender de ideales o, lo que es lo mismo, de filosofías o de ideologías, condenadas a ser siempre incompatibles entre sí, para responder al intercambio de ideas con el fin de realizar «lo posible». En suma, estamos ante el pragmatismo de «lo hacedero» de Cánovas[50].

---

[50] Muchos años después, Galdós acabaría aceptando el sistema de la Restauración, pese a la debilidad de su calidad democrática, consciente de la debilidad aun mayor de la sociedad española para regirse por un sistema verdaderamente democrático. Como él mismo diría con pragma-

Cuando los escritores fueron conscientes de que, en la política, la Restauración quedaba institucionalizada a partir de 1877, y se trataba claramente de un régimen destinado a durar, asistimos al cuarto, y último, momento del desarrollo del género ideológico. Ocurre a partir de 1878, cuando el triunfo definitivo del Realismo modificó el interés de los autores que progresivamente se desentendieron del modelo anterior. La agitación que llena los años anteriores, carecía ya de sentido. Esto tiene implicaciones claras en lo literario: la «verdad» de la tesis dejó de ser criterio dominante para ceder paso a las bellezas del estilo y la «verdad» de la representación. Al ocurrir esto, el modelo galdosiano se impone. El Realismo había hecho acto de presencia en la novela a partir de 1876 *(Doña Perfecta),* y esta novedad se adentra definitivamente en España a partir de 1878. En ese año, Pereda repite el modelo galdosiano (y balzaquiano) de dar desarrollo a todos los personajes de la novela en su *Don Gonzalo González de la Gonzalera.* Leopoldo Alas celebra esta novela de Pereda pese a ser su autor un escritor reaccionario, lo cual viene a demostrar que, finalmente, ha cambiado el criterio de evaluación, y la estética prima sobre la ideología en la consideración de las obras. Las últimas novelas ideológicas, debidas a Galdós y Pereda *(La familia de León Roch* y *De tal palo, tal astilla,* además del ya mencionado *Don Gonzalo González de la Gonzalera),* son ya obras realistas. Reaccionando contra las nuevas formas de hacer literatura, Alarcón elige adrede ir por el camino inverso, y echa mano de una estética romántica que resulta arcaica al ser comparada con el nuevo interés. El resultado es *El Niño de la Bola* (1880), una novela genial y fracasada a la vez, que ya marca la decadencia total del género ideológico.

---

tismo, se trataba de un «sentimiento de realidad», la «gran conquista» del XIX (cit. Ghiraldo, en Galdós, *Obras inéditas,* vol. 3, pág. 121).

El protagonista: Pepe Rey

Casalduero destacó la diferencia de calidad que separa a los personajes de Perfecta y Pepe, añadiendo que aquella ensombrece a este (*Vida*, págs. 54-55). La comparación es inadecuada. Perfecta había tenido precedentes en los personajes de los *episodios*. El personaje femenino encarna una forma de ser ya conocida, aunque hay que admitir que, en su retrato, Galdós superó todo lo que había hecho hasta entonces. Frente a ella, Pepe Rey es de una novedad extraordinaria en la medida que encarna una nueva moral. No es, como su tía, un personaje hecho sobre un trasfondo de ideas y prejuicios, sino que es un «hacerse». Llega a Orbajosa con la experiencia de sus estudios, de su trabajo como ingeniero y de su afán por modificar y mejorar la realidad. Encarna con su optimismo el «hombre nuevo», como demuestra que, en el manuscrito, aparezca inicialmente con el nombre de *«Pepe Novo»*. Este hombre nuevo, herencia del idealismo anterior, vive en la ciudad (es un ser urbano) y ha sido modificado (urbanizado) por una cultura transformadora. El ser urbano que llega a un lugar de provincias y sacude la modorra provinciana con su carga de agresividad e ignorancia. Tiene un criterio independiente. No se subordina a la autoridad, sino que en su experiencia se conjugan vivencia y razón. Entendida como potencia liberadora, la razón es usada por el protagonista para ofrecer una reflexión sobre la realidad circundante. El imperio de la razón le llevará a rebelarse contra los errores comunes y contra las opiniones heredadas.

Tradicionalmente, y sin duda en el pasado anterior a la revolución, el vocablo «experiencia» había denominado una forma de saber acumulado con la edad, que se entendía como atributo de la vejez; o un conocimiento como el de don Cayetano, fruto de la erudición y prácticamente inservible para la vivencia moderna porque representaba un saber muerto. Heredera de las nociones del «hombre nuevo» del krausismo, la novela ideológica dio un contenido nuevo al concepto «experiencia», que entendió como la enseñanza que para el ser individual encerraba la reflexión, basada en la razón, sobre los hechos vividos[51]. La experiencia no era ya saber acumulado, por ejemplo, los refranes que desgrana el Tío Lucas camino de Orbajosa, que son una forma de saber compartido atesorada a lo largo del tiempo o, en el peor de los casos, una forma de escarmiento, esto es, una advertencia que previene contra los peligros de la realidad. En su nueva versión la experiencia era un conocimiento que, puesto al servicio de los demás, permitía modificar la realidad y corregir los errores impuestos por la Naturaleza o heredados de la Historia.

El nuevo sentido de la «experiencia» empuja a la acción, y modifica la concepción de la Providencia. La visión tradicional (que todavía usa Pereda en *Sotileza,* por ejemplo) suponía que Dios había puesto a cada uno en el lugar que le correspondía en una sociedad estamental en la que hay ricos y pobres. Ajena por completo a nociones como la lucha de clases, e inconsciente ante la potencial injusticia de este estado de cosas, que justificaba las desigualdades entre los hombres, este orden era sentido como divino, por lo que resultaba de un designio que escapaba al entendimiento humano, y que el hombre tan solo podía acatar. Siguiendo una idea que se origina en San Agustín, se entendía que

---

[51] En su ataque al «hombre nuevo», y probable parodia del Pepe Rey galdosiano, Pereda centra su crítica en este aspecto de la experiencia entendida al nuevo modo: «Ni la experiencia ni la erudición más vasta en el campo de los viejos sistemas le merecen el menor respeto, porque él ha asistido durante dos meses a una cátedra de filosofía krausista en la Universidad de Madrid, y sabe, por boca de uno de los oráculos españoles de esta escuela alemana, que *"cada filósofo debe construir su propia ciencia sin necesidad de abrir un libro"*» (Pereda, «Un sabio», *Tipos trashumantes, OC,* Madrid, Aguilar, 1964, vol. I, pág. 720; subraya Pereda).

el mundo estaba ordenado, y que en él había ricos, y había pobres, en los que aquellos habían de ejercer la caridad, que es el amor al prójimo y el amor a Dios.

El pensamiento moderno, en cambio, consideraba que el objeto de la Providencia era mejorar la sociedad interviniendo activamente para llevar a cabo ese cambio. «Proveer» era el objetivo fundamental de la eficaz acción política; y era la labor de las élites dedicadas al progreso de la realidad y del prójimo. En un alegato en favor de la moral de los nuevos tiempos, Villarminio considera esta causa el objeto de la religión pura:

> [...] defiende la causa de la religión pura, de esa que busca en el hombre la virtud y no la fe en determinado dogma, de esa que trata de elevar su inteligencia por medio de la instrucción, y no de mantenerla en la ignorancia para dominarla mejor. De esa manera servirás la causa de la caridad más trascendental, la que contribuye a elevar el nivel de cultura del hombre; contribuirás al triunfo del verdadero progreso *(Novela de Luis,* pág. 250).

Se trata de la herencia decimonónica del *méliorisme* ilustrado (Voltaire) y su filosofía de la acción, que el krausismo tomó del protestantismo inglés y alemán del XIX; este «mejoramiento» es el antídoto que la acción política opone al pesimismo de la filosofía. Vemos ejemplos de esta filosofía en la novela. No es la caridad la que ha de remediar la situación de los pobres de Orbajosa, sino la acción del hombre empeñada en mejorar la realidad. Y que se consigue cuando, quienes tienen el conocimiento, y la experiencia, y con ello el liderazgo, lo emplean en la redención del destino de los desafortunados[52]. Por ejemplo, el empleo de estos, que

---

[52] Esta idea *melioralista* fue central al idealismo krausista. En *La novela de Luis,* el protagonista dedica sus conocimientos a instruir a las familias económicamente menos privilegiadas, a las que también aconseja sobre agricultura e higiene. El objetivo de la vida del hombre ilustrado

de otro modo se han dedicado exclusivamente a la mendicidad, en trabajos que les permitan ayudarse a sí mismos, y que los dignifiquen. De ello habla Pepe Rey a don Inocencio, en su primera descripción (y primera metedura de pata) de lo que ha visto en Orbajosa. Frente a los afanes redentores del joven, basados en la nueva moral, el cura evoca el remedio de la caridad tradicional. Dice el texto de la novela:

> —¿Y qué le parece al señor don José nuestra querida ciudad de Orbajosa? —preguntó el canónigo, cerrando fuertemente el ojo izquierdo, según su costumbre mientras fumaba.
>
> —Todavía no he podido formar idea de este pueblo —dijo Pepe—. Por lo poco que he visto, me parece que no le vendrían mal a Orbajosa media docena de grandes capitales dispuestos a emplearse aquí, un par de cabezas inteligentes que dirigieran la renovación de este país, y algunos miles de manos activas. Desde la entrada del pueblo hasta la puerta de esta casa he visto más de cien mendigos. La mayor parte son hombres sanos y aun robustos. Es un ejército lastimoso cuya vista oprime el corazón.
>
> —Para eso está la caridad —afirmó don Inocencio *(Doña Perfecta,* pág. 186).

Al ofrecernos estas opiniones encontradas, Galdós es consciente de las diferentes posturas ante la moral que caracterizan el mundo moderno. Pepe comete en este episodio un error, debido a su imprudencia: cegado por sus creencias, asume erróneamente que su entusiasmo por cambiar y mejorar la realidad será compartido universal-

---

era ser agente de la nueva Providencia: «Luis pudo observar complacido cómo, en poco más de dos años, había ya variado el aspecto de la aldea [...] La conciencia de haber contribuido a estas reformas, de haber mejorado la suerte y elevado el nivel de cultura de aquella agrupación de familias, inundaba su alma de esa satisfacción que engendra la práctica del bien» *(La novela de Luis,* pág. 268).

mente por quienes le rodean. En ningún momento tiene presente la sensibilidad, o las creencias, o el fanatismo, de aquellos con quienes habla. O, por seguir con la retórica típica de la filosofía de la época, cree —como los fracasados ideólogos krausistas— que la razón es universal y que su imperio ha de imponerse por encima de las fallas humanas. La realidad vendrá finalmente a sacarlo de su error.

El reverso (y la negación) de este «hombre nuevo», que representa Pepe, puede observarse en la novela reaccionaria del momento, en la que se estigmatizó la razón. Alarcón y Pereda vieron encarnados en el «hombre del siglo» todos los males del mundo moderno, productos todos ellos del descreimiento y de la falta de sentimientos «naturales»[53]. El protagonista de Alarcón considera que la crítica aniquila la fe y las más bellas emociones: «Ahora no habla mi pobre corazón —dice el protagonista de la novela alarconiana—, habla mi crítica» (Alarcón, *OC,* pág. 522). El nuevo criterio moderno, que quería basarlo todo en la razón individual, era, para los autores conservadores, el origen de un vértigo que conducía al desamparo (por ejemplo, Fabián Conde en *El escándalo),* que llevaba a las sociedades al enfrentamiento y la disolución (por ejemplo, *Don Gonzalo González de la Gonzalera)* y, en fin, que concluía con el crimen y la perdición última de los seres desarraigados (por ejemplo, Fernando Peñarrubia en *De tal palo tal astilla).* Tanto Alarcón como Pereda quisieron mostrar el error y la soberbia del individuo cuando éste se desvincula de las creencias seculares de su comunidad (recuérdese, en este sentido, el caso de Manuel Venegas en *El Niño de la Bola),* porque este desarraigo o desvinculación conducen irremediablemente a la perdición final.

---

[53] El ataque contra la razón era también un ataque contra las libertades; lo expresa bien un conocido escritor reaccionario: «El liberalismo es la razón humana sacudiendo soberbia el yugo de la fe» (Aparisi Guijarro, *Obras completas,* vol. 2, pág. 465).

El tema del desarraigo (o su versión positiva, la integración o arraigo en la familia histórica) está en el origen del argumento de *Doña Perfecta:* Pepe Rey llega a Orbajosa para casarse con su prima Rosario. En sus «anatomías» realistas, Balzac había mostrado la ruptura creciente de los matrimonios y, consiguientemente, la disolución de la familia tradicional, que no puede sobrevivir ante el empuje de un mundo moderno en el que no hay valores auténticos, caracterizado el presente por la vanidad y el vicio, y por el rechazo de los sentimientos «naturales» (el amor a los padres, la creación de un hogar y una familia, el amor y la educación de los hijos, el cultivo de la heredad que permite prosperar a las familias a lo largo de la historia). La desintegración de la familia en el mundo urbano, que representa por ejemplo la pensión Vauqueur, donde languidece papá Goriot (o la pensión madrileña que, a imitación de Balzac, creó Galdós en *Rosalía* para presentar el final de Gibralfaro), era evidencia de que las relaciones sustantivas y los lazos que hermanaban a los seres en las comunidades, han dejado paso a unas relaciones puramente formales, con frecuencia mediatizadas tan solo por el interés económico, cuyos vicios serán representados mediante la vanidad, la usura o el gasto excesivo. Algo de esto experimentará Pepe Rey cuando, camino de Orbajosa, ve lo desatendida que está su heredad, y cómo ha sucumbido por ello a la avara voracidad de los labriegos.

La familia tradicional ya solo sobrevive en los ambientes rurales en los que el idilio todavía es posible, idea esta que será nuclear al pensamiento conservador del XIX[54]. Esta

---

[54] Y que, con su clarividencia habitual, hoy tan desatendida por la crítica, Alarcón detalla en diciembre de 1855, década y media antes que Galdós. Alarcón habla del fin de la casa ancestral, que es siempre rural, frente a las casas modernas y a las viviendas de alquiler de las grandes poblaciones urbanas como Madrid: «La Casa, aquella mansión tan sagrada para el patriarca antiguo, para el ciudadano romano, para el señor feudal,

idea es central a *Doña Perfecta* ya que Pepe Rey llega a Orbajosa para casarse con su prima, e integrarse en la familia tradicional y, por consiguiente, para fortalecer esta. Su objetivo es, también, recobrar las propiedades heredadas de su madre e integrarse en la vida del campo huyendo, del modo convencionalmente reconocido por la poesía, del mundanal ruido. Pepe declara a su tía lo mucho que le molestan las convenciones urbanas:

> Nadie aborrece más que yo las falsedades y comedias de lo que llaman alta sociedad. Crean ustedes que hace tiempo deseo darme, como decía no sé quién, un baño de cuerpo entero en la Naturaleza; vivir lejos del bullicio, en la soledad y sosiego del campo. Anhelo la tranquilidad de una vida sin luchas, sin afanes, ni envidioso ni envidiado, como dijo el poeta *(Doña Perfecta,* pág. 185).

En el más puro estilo tradicional, el matrimonio entre los primos responde a un designio de los padres de los novios, y es celebrado por todos, como refiere una vez y otra el Tío Lucas en los diálogos iniciales de la novela. Lo que se alaba de Pepe, en este primer momento, es lo que se espera o se asume de su comportamiento: la identidad con su familia y, con ella, la conformidad de criterio con los suyos que se presume en él. «¡Bien haya quien a los suyos parece!», exclama el Tío Lucas para acentuar esta identidad entre individuo y grupo, entre el personaje que viene a casarse con su prima y el ideario de la comunidad liderada por su tía; y, en otro momento, alaba la figura del protagonista, exclamando «a quien de casta le viene».

El conflicto surge en la novela cuando el protagonista no responde a lo que se espera de él. Echando por tierra las

---

para el árabe; la Casa, arca santa de los penates, templo de la hospitalidad, tronco de la raza, altar de la familia, ha desaparecido completamente en las capitales modernas. La Casa existe todavía en los pueblos de provincia» («La Nochebuena del poeta», *Obras completas,* pág. 1675).

expectativas de los suyos y, por extensión, de los orbajosenses, Pepe se desvincula ideológicamente del grupo al expresar opiniones independientes, que responden a criterios modernos y, por tanto, son del todo contrarias al parecer de una comunidad que ve el mundo moderno con abierta hostilidad. Las miradas desafiantes que le echa Caballuco en los episodios iniciales, anuncian estos recelos que suscita el forastero, esto es, quien viene a contaminar la cohesión de la comunidad en una ciudad arzobispal. Cuando las sospechas iniciales de Caballuco son corroboradas por los demás habitantes de Orbajosa, Rey es rechazado en privado y denostado en público. Su tía lo identifica como parte de la España oficial, «ficticia», que vive en Madrid, y acto seguido impide su matrimonio con Rosario.

Puesto que las creencias religiosas son centrales en la expresión de este conflicto, el enfrentamiento entre el protagonista y su tía se dispara a partir de la visita del joven a la catedral. Las calumnias puestas en circulación por don Inocencio prenden en la opinión de los orbajosenses que consideran que Rey observa en el templo una postura poco respetuosa. Inmediatamente asumen que esta actitud es indicio de libre pensamiento y, por consiguiente, de ateísmo. Del protagonista se dicen las mayores abominaciones, muchas de ellas fabricadas y falsas, como que entró en la catedral sin quitarse el sombrero o, el rumor que comentan las Troyas, que fumó en la iglesia. Las resume don Cayetano en su carta final: Pepe, dice,

> hacía alarde de ideas y opiniones extravagantísimas; burlábase de la religión; entraba en la iglesia fumando y con el sombrero puesto; no respetaba nada, y para él no había en el mundo pudor, ni virtudes, ni alma, ni ideal, ni fe, sino tan solo teodolitos, escuadras, reglas, máquinas, niveles, picos y azadas *(Doña Perfecta,* pág. 398).

El obispo condena al protagonista acusándolo de no prestar la atención debida a los ritos del culto que se desarrollaban durante su visita a la catedral. Lo acusa de interesarse en cambio por el arte y por la monumentalidad artística. Exige que Rey abandone el templo estigmatizándolo delante de la comunidad de los creyentes, y de su tía.

Las respuestas del joven protagonista para defenderse de estos ataques, no hacen más que complicar su ya precaria situación, y mostrar el conflicto definitivo con toda evidencia. Despechado por el inexplicable trato que recibe en casa de su tía, Pepe decide responder con su sarcasmo habitual a unas quejas que, por parte de los orbajosenses, encierran veladas amenazas. Las respuestas del joven Rey no podían ser más desafortunadas y, al mismo tiempo, más alarmantes para quienes le escuchan. Se centran en lo ridículo de las imágenes religiosas que ocupan la piedad de los habitantes de Orbajosa. Estos comentarios exhiben una moral que es también religiosa, pero que, al no coincidir con las formas conservadoras del rito católico tradicional, va a ser tachada de ateísmo. Tras la visita a la catedral, tiene lugar el desafortunado comentario del protagonista respecto a lo grotescas que le parecen las calzas que viste la escultura del Niño Jesús; hábito que, como habrá de descubrir inmediatamente para su confusión y vergüenza, es regalo de su tía, camarera mayor de la imagen, y ha sido confeccionado por la mujer que pretende, esto es, su prima Rosario.

Aunque la referencia no sea obvia para el lector actual, Galdós trata aquí del culto de las imágenes, asunto de extraordinaria vigencia en los debates religiosos posteriores al Concilio Vaticano I. Este tema interesó de modo especial a los novelistas porque, al hablar de él, se ocupaban de las posturas ideológicas y de los proyectos políticos que, en aquel momento, centraban las posiciones de liberales y reaccionarios. Frente a las decisiones secularizadoras que llegaban del poder político, los conservadores celebraron el culto popular a las imágenes porque representaba el vigor de la piedad tradicional y nacional, y por ello servía de antídoto a las decisiones secularizadoras impuestas desde el poder. Los liberales, en cambio, criticaron lo que siempre consideraron una forma de idolatría y, al hacer sus críticas, se burlaron con frecuencia, con una actitud que resultó a la larga torpe y poco sensible con las creencias ajenas, ante el mal gusto barroco y *kitsch* con que la piedad popular había vestido las imágenes. Ante estos ataques de los sectores críticos del cristianismo y de los intelectuales, la Iglesia reaccionó alentando el sentir popular, cuyo fervor se manifestaba en las celebraciones populares y en las demostraciones exteriores del culto.

> La Iglesia católica salió muy pronto en defensa de su monopolio a dirigir las almas, puesto en entredicho por los escritores modernos. Los clérigos se apresuraron a pintar a los intelectuales como potencias demoníacas, de tremenda capacidad para disolver los vínculos tradicionales[55].

Alentados por la Iglesia, los católicos reaccionaron con hostilidad ante unas élites intelectuales que se mostraban insensibles ante devociones tradicionales, y acusaron a quienes sostenían opiniones críticas, de manera especial las clases cultas liberales, de arrogancia e impiedad[56]. Al presentar al arrogante Pepe Rey mostrando su desdén por las

---

[55] Javier Varela, *La novela de España: los intelectuales y el problema español,* Madrid, Taurus, 1999, pág. 22.

[56] Al intelectualismo de las clases educadas, se opondrá la devoción ciega e ignorante como sustento de la verdadera fe. Para representar la devoción pura, Alarcón convierte a su don Trinidad Muley, el cura de *El Niño de la Bola,* en un ignorante clérigo de misa y olla. Giner de los Ríos señalaba que la incultura era el rasgo de identidad del clero español («La cultura del clero español no se encuentra, por regla general, ni con mucho, al nivel de la de otros pueblos más afortunados», *Estudios filosóficos y religiosos,* Madrid, Fco. Góngora, 1876, pág. 334); y la Iglesia aparecía como la gran enemiga del progreso y la cultura modernos: «La vida entera de nuestro siglo parece radicalmente divorciada de la religión católica, en la ciencia como en el arte: no son católicos, sino muy pocos de los grandes poetas; ninguno de sus insignes filósofos [...] Por todas partes se enciende una cruzada formidable contra la Iglesia» (Giner, *Estudios,* pág. 328).

piedades ajenas, Galdós comenta indirectamente sobre este tema, que tanto había preocupado al cristianismo reformado y a las nociones de moralidad que se desarrollan en diversas partes de Europa desde mediados de siglo.

En el tema del culto de las imágenes, el antintelectualismo de las posturas conservadoras choca con el modelo reflexivo, de base racionalista, que los escritores liberales tomaron del pensamiento krausista. El tema interesa a Villarminio quien, desde una perspectiva cristiana liberal cercana al protestantismo, describe las reflexiones del protagonista de su novela ante una procesión de la Semana Santa andaluza:

> Desde que Luis salió de España, era esta la primera vez que asistía de nuevo a aquel espectáculo tan íntimamente enlazado con los recuerdos de su niñez; se hallaba por lo tanto en una disposición de ánimo muy favorable para acogerlo con entusiasmo; y sin embargo, le sucedió todo lo contrario. Había él visto procesiones en Francia, y nunca vio tanta falta de compostura en los asistentes; había visitado las Iglesias de otros países católicos, y nunca vio las imágenes tan ridículamente vestidas. ¿Por qué, exclamaba él en sus adentros, por qué el catolicismo que es tan favorable al arte; que ha inspirado tan bellas melodías, y tan sublimes cuadros y esculturas; que ostenta en otras partes tanta solemnidad; por qué ha de presentarse en mi país rebajado al aspecto grotesco y ridículo que me ofrece esta procesión? Luis, convencido de que la más sencilla observación sería interpretada como herética e irreverente, aunque nada tuviera que ver con el dogma, se guardaba muy bien de manifestar sus pensamientos *(Novela de Luis,* pág. 165).

Desde la perspectiva ideológica opuesta, esto es, desde la posición apologética de la religión tradicional, el tema fue ampliamente tratado por Alarcón en *El Niño de la Bola,* que contiene una respuesta a lo que, para el autor, eran las abominaciones del pensamiento liberal. De hecho, el título mismo de esta novela alude de modo expreso al fervor de las imágenes. En ella dice don Trinidad Muley, el cura alarconiano:

> La fuerza y santidad de ese Niño de palo, y de la cruz que ostenta ese trompo consisten en la moral que simbolizan y en el sacrificio que recuerdan; consisten en que ayudan a desarmar la ira, a templar la concupiscencia; a hacer al hombre, hombre *(Niño de la Bola,* pág. 325).

Y todavía con mayor énfasis, el «vestir de las imágenes» que ridiculiza Pepe Rey en *Doña Perfecta,* es descrito en la novela de Alarcón como una «piadosísima escena». Me refiero al momento en que Manuel Venegas perdona a Soledad y, acto seguido, destina al Niño Jesús las joyas que traía como donas para la que ya no podía ser su esposa:

> Manuel fue contemplando una por una aquellas galas póstumas, aquellas joyas sin destino, aquellos emblemas de su infortunio; y, ejecutando luego la idea que, sin duda, le había movido a tan penosa operación, comenzó a ponerle las alhajas a la sagrada efigie de que era mayordomo y a quien, por ende, estaba obligado a agasajar. Don Trinidad Muley no pudo contener su entusiasmo y su regocijo, y corrió de puntillas a llamar a las ancianas para que contemplasen aquella piadosísima escena *(Niño de la Bola,* pág. 337).

La importancia que adquiere el tema de la devoción a las imágenes, y el tratamiento del fervor religioso de las clases populares, viene confirmado al ser tratado en sus novelas por todos los escritores importantes del momento. Valera lo hace, con gran ironía, en el capítulo introductorio de su novela de 1875, *Las ilusiones del doctor Faustino:* «La imagen del Santo Patrón es de plata y no tendrá más de treinta centímetros de longitud; pero el valer no se mide por varas»; «Confieso que el espíritu crítico de nuestra época descreída ha penetrado también en este lugar, amortiguando el entusiasmo por su Santo Patrono; pero aún recuerdo el frenesí [...] años ha, cuando le sacaban en procesión e iba la fervorosa muchedumbre gritando delante de él: "¡Viva nuestro Santo Patrono, que es tamaño como un pepino y hace más milagros que cinco mil demonios!"»[57].

El conflicto: novela y modernidad

La alusión galdosiana al tema de las imágenes sacras en *Doña Perfecta,* ejemplifica la importancia que en las novelas del género ideológico alcanza la religión, considerada unánimemente como el conflicto más importante en la España del momento. Este tema ha de verse en un sentido amplio, y entenderse, no como un complicado debate sobre la fe de los españoles (aunque en superficie adquiera esta formulación), sino como una forma de debatir la modernidad. El debate sobre la modernidad, ha escrito Benedetto Croce, tomó diversas formas en los distintos países occidentales: en algunos, la lucha por el nuevo orden estuvo vinculada a la liberación nacional; en otros, el tema de debate fueron las luchas sociales.

En España, el argumento principal fueron las luchas religiosas, pues en nuestro país se consideró que la religión era el problema mayor en una nación que no lograba la plena secularización, y donde la Iglesia interfería repetidamente en la política. «La cuestión religiosa —escribe González Serrano— sigue siendo el *alma mater* de todos los problemas que más de cerca remueven los senos perturbados de esta vida europea»; «en toda cuestión social o políti-

---

[57] *Las ilusiones del doctor Faustino,* Sevilla, Álvarez y Cia, 1882, vol. 2, págs. 12-13.

ca de algún alcance, late el problema religioso»[58]. Una perspectiva similar ofrece el diputado reaccionario Gabino Tejado, desde la orientación ideológica opuesta, cuando declara que los debates sobre el papel de la Iglesia en la sociedad son «hoy, no meramente una cuestión política, sino toda la cuestión política»; y al vincular las tendencias secularizadoras con la Revolución Francesa, añade: «Es la forma que el liberalismo obstinado, impenitente y ciego, ha tomado para conservar el espíritu y las obras de los deletéreos principios de 1789»[59].

El tema religioso, y la cuestión paralela del libre pensamiento, están estrechamente vinculados al entendimiento de la moral. El idealismo krausista, que había aceptado el latitudinarismo anglicano en materias de religión (esto es, la noción de que la moral es más importante que el dogma y los ritos, pues todas las religiones contribuyen a la realización del bien; y la noción de que, por encima de la doctrina, prevalecen la bondad y la razón), había destacado que no era preciso ser católico para tener sólidos criterios morales[60]. El asunto interesó vivamente a muchos pensadores y críticos europeos de la época, y puede decirse que en el argumento de *Doña Perfecta* funciona como «paratexto»: de

---

[58] Urbano Gonález Serrano, *Cuestiones contemporáneas,* Madrid, Fernando Fe, 1883, págs. 6-7.

[59] Gabino Tejado, *El Catolicismo liberal,* Madrid, Librería Católica Internacional, 1875, pág. 82. Recuérdese que, en *Doña Perfecta,* Jacintito espeta a Pepe Rey que su actitud religiosa liberal equivale al desprecio por la religión que se vivió durante la Revolución francesa *(Doña Perfecta,* pág. 227).

[60] Cfr.: «Si tomamos una creencia cualquiera, como condición de la moralidad humana, entonces el que no comulgue en ella estará fuera de la ley común»; «La Moral y la Religión son como dos esferas confundida la una con la otra en nuestro país y en nuestra educación [...] De aquí parece confundir al hombre moral con el hombre religioso, cuando la vida diaria nos ofrece ejemplos de hombres puros, rectos y morales [...] sin tener en cuenta para nada los dogmas y enseñanzas de una religión positiva [...] sin dejar por esto de ser religiosos en el fondo de su conciencia» (Barnés, *Ideas,* pág. 35).

Pepe, el narrador nos informa que está regido por un sano criterio moral, pero su tía quiere que renuncie al matrimonio con su hija por considerar que es un ser inmoral, expresamente porque no cree que sea un firme seguidor de las doctrinas de la Iglesia católica. Se lo comenta su prima, y prometida, Rosario: «Mamá me prohíbe verte; pero fuera de lo del ateísmo no habla mal de ti» *(Doña Perfecta,* pág. 285).

El catolicismo tradicional impedía a los fieles casarse con no católicos o con descreídos. Lo recuerda el obispo Lantigua, a su sobrina, en el capítulo XXX de la primera parte de la contemporánea *Gloria,* al censurar que su sobrina haya hecho

> objeto de tu pasión a un hombre que vive fuera de nuestra santa fe, [...] debiste cerrar prontamente tu herida, negándole al alma toda comunicación y roce con el alma de un hereje [...] extraño que tú pudieras hallar verdadero encanto amoroso en quien carece de la principal y más valiosa hermosura, que es la de la fe católica[61].

Y otro tanto dice Perfecta, en su furiosa respuesta a Pepe, al indicar que el matrimonio de su hija con un descreído la condenaría al infierno: «Mi hija se salvará. Pepe, mi hija no puede ser condenada en vida al infierno, porque infierno es la unión contigo» *(Doña Perfecta,* págs. 310-311). Perfecta esgrime este mismo argumento para exigir a su sobrino Pepe que renuncie a casarse con Rosario pues, según ella, no puede ser moral quien carece de la fe nacional. La idea aparece en otros textos del momento, y su referente es el debate sobre la unidad religiosa.

El tema de la unidad religiosa había adquirido una actualidad decisiva en 1876. En abril de 1869, en la que se llegó a conocer como la «Sesión de las Blasfemias»[62], los

---

[61] Galdós, *Gloria,* Madrid, Cátedra, 2011, págs. 329-330.

[62] Cfr.: «las *Cortes Constituyentes* [de 1869] donde se hizo famosa entre otras, la sesión llamada con horrible propiedad, de las blasfemias, en

diputados del congreso revolucionario habían considerado que la religión pertenecía al ámbito de las conciencias, no al de las leyes, y habían aprobado la libertad religiosa y, con ello, la separación de la Iglesia y el Estado, rompiendo el acuerdo con la Iglesia que había existido en España desde el Concordato firmado por Bravo Murillo y el Vaticano en 1851. A la decisión de 1869 se llegó con la oposición expresa de la jerarquía católica. El cardenal Monescillo y Viso, diputado en dicho congreso, habló entonces elocuentemente contra la decisión revolucionaria[63]. En 1869, no obstante, se impuso el criterio renovador, que compartía el idealismo krausista, que había propuesto una convivencia de las personas por encima de las diferencias religiosas[64].

Los reaccionarios de 1876 estaban empeñados en eliminar este relativismo moral heredado de la revolución, y regresar a la situación establecida en el Concordato del 51, que reconocía el catolicismo como la sola religión nacional y que consideraba asimismo que era rasgo de identidad de los españoles. Alarcón, en su discurso repetidamente citado con anterioridad, indica que la única moral es la católica nacional, inspirada «*ab initio* por Dios en el corazón humano» (*Juicios literarios, OC*, pág. 1753). La alternativa era

---

la cual [el] Prelado se levantó a protestar la fe sobre el Misterio de la Smma. Trinidad» (Carta del obispo de Valencia, monseñor Aureo Carrasco, a Marcelino Menéndez Pelayo (11 de abril de 1881), *Biblioteca Virtual Menéndez Pelayo, Obras completas* [edición virtual]).

[63] Antolín Monescillo y Viso, «Discurso sobre la unidad católica pronunciado por D. A. M. y V. en el Congreso Constituyente los días 12 y 13 de abril de 1869», en *Los Diputados pintados por sus hechos*, Madrid, R. Labajos, 1869, vol. I, págs. 370-376.

[64] En *Minuta de un testamento,* Azcárate crea un contexto ideal en el que el protagonista y su esposa tienen ideas religiosas diferentes, pero esta diferencia no afecta a la felicidad ni al amor del matrimonio (*Minuta de un testamento, publicada y anotada por W...*, Madrid, Victoriano Suárez, 1876, pág. 71). El retrato del fanatismo en *La familia de León Roch* será la respuesta a estas idealizaciones, que Galdós debió considerar ejemplos de una filosofía totalmente alejada de la realidad o de la experiencia cotidiana.

inaceptable, pues los conservadores habían heredado de Donoso Cortés la «santa» intransigencia; esto es, la noción de que era indispensable enfrentarse al mal con decisión pues, lo contrario, como había mostrado con harta evidencia el Sexenio revolucionario anterior, suponía claudicar ante los errores que traía la modernidad, esto es, suponía aceptar la disolución del orden tradicional heredado de la historia. Frente a los «espíritus fuertes», herederos del ateísmo ilustrado, los reaccionarios, con Menéndez y Pelayo a la cabeza, reivindicaban la «noble y salvadora intolerancia» de los espíritus nobles (cit. Varela, *Novela de España*, pág. 43). Enfrentados a ellos, los liberales, que habían sido derrotados políticamente en 1875, pedían tolerancia para con las creencias ajenas, siguiendo una estrategia que pretendía salvar parte de su legado ideológico del naufragio político que, para ellos, supuso la Restauración.

Como hemos visto, en virtud de dicha reclamación de tolerancia fue inicialmente leída *Doña Perfecta*. Esta contiene referencias a un conflicto ideológico y religioso de gran intensidad. En su discurso académico de febrero del año siguiente, Alarcón rechazaba el arte por el arte y el idealismo filosófico, de origen krausista, reclamando a cambio un arte normativo basado en una versión reaccionaria del idealismo, fundado este en la moral católica nacional. Se trataba de la versión estética del fundamentalismo religioso. Esta propuesta estaba ya contenida en las declaraciones de Fabián Conde, en *El escándalo*, una novela confesional que identificaba idealismo y religión; y en la que se rechazaba el esteticismo de Fabián, un artista entregado al culto de la belleza independientemente de su valor religioso. La oposición contra este idealismo secular aparece en *Doña Perfecta*, cuando don Inocencio acusa a Pepe Rey de ser poeta despreocupado y, por ello, carente de espiritualidad:

> —¡Artista, artista y nada más que artista! —exclamó el canónigo, moviendo la cabeza con expresión de lástima—.

> Buenas pinturas, buenas estatuas, bonita música... Gala de los sentidos, y el alma que se la lleve el Demonio *(Doña Perfecta,* pág. 224).

El ataque contra el mundo moderno no se ciñe exclusivamente al idealismo anterior, sino que se extiende a lo moderno en todas sus versiones. Tras el fracaso de la *Gloriosa,* comienzan a aparecer en los círculos intelectuales distintas teorías científicas, entre las que destaca el incipiente positivismo que se introduce en el mundo académico español. Don Inocencio, determinado a no dejar títere con cabeza, establece en términos bien claros que este interés científico, ejemplo de un nuevo y más poderoso secularismo, es también una forma proterva de conocimiento y una amenaza para la fe. Así continua su diatriba, ya citada, contra el ingeniero Pepe Rey:

> la ciencia, tal y como la estudian y la propagan los modernos, es la muerte del sentimiento y de las dulces ilusiones. Con ella la vida del espíritu se amengua; todo se reduce a reglas fijas, y los mismos encantos sublimes de la Naturaleza desaparecen. Con la ciencia destrúyese lo maravilloso en las artes, así como la fe en el alma. La ciencia dice que todo es mentira, y todo quiere ponerlo en guarismos y rayas, no solo *maria ac terras,* donde estamos nosotros, sino también *caellumque profundum,* donde está Dios... Los admirables sueños del alma, su arrobamiento místico, la inspiración misma de los poetas, mentira. El corazón es una esponja; el cerebro, una gusanera *(Doña Perfecta,* págs. 193-194).

Retengamos de esto la idea central: que las disputas religiosas y, por extensión, las disputas ideológicas, son el fenómeno como se manifiesta un conflicto más intenso; en concreto, son la forma como, en el caso español, los escritores se acercaron al tema del mundo moderno, el cual, o bien había de perseverar en las piedades tradicionales en un mundo regido por los usos y la autoridad históricos; o bien debía abandonar las supercherías que entorpecían su acceso a la modernidad. En este contexto, *Doña Perfecta* no es simplemente la representación de la España castiza ni, menos aún, evocación del proverbial cainismo supuestamente presente de manera perpetua entre los españoles. Esta visión triunfó entre muchos críticos en los años 60 y 70 del siglo XX, y logró gran predicamento más tarde en el galdosismo internacional. Pero, habiendo cedido los furores tremendistas de entonces, resulta hoy una opinión rudimentaria y poco informada. Aceptarla sin reparos, supone debilitar el alcance de la importante propuesta galdosiana y cerrarnos a entender su creación.

Más acertado es pensar que, junto a las otras muestras del género ideológico, *Doña Perfecta* recibió el impulso de dos conflictos complementarios. El primero de ellos es filosófico, y tiene una dimensión internacional. Corresponde a la aspiración de modernidad que los liberales españoles compartieron con gentes de parecido ideario en los demás países occidentales en los que el espíritu renovador se enfrentó a la reacción de las fuerzas tradicionales. Esta aspiración continuaba el proyecto filosófico del krausismo anterior, y expresaba el idealismo y el afán providencialista que fueron característicos de la visión de la sociedad y del individuo entre los discípulos de Krause en España. El rival más señalado fue la reacción católica, que siguió los dictados del Primer Concilio Vaticano (1864), y los anatemas contenidos en el *Syllabus* y en la encíclica *Quanta Cura* en los que Pío IX condenó todo el movimiento moderno, junto al liberalismo y a todo intento secularizador que pretendiera la separación de Iglesia y Estado. En España la aspiración de modernidad se cifró en el deseo de secularizar y racionalizar la vida con el fin de conseguir la realización del ser individual. Los liberales españoles, como sus correligionarios europeos, consideraron entonces, y siguieron creyendo más tarde, que la Iglesia era el obstáculo tradicional para llevar a cabo los proyectos renovadores.

El segundo conflicto, en cambio, aunque está íntimamente relacionado con el anterior, viene determinado por las peculiaridades de la política nacional. Es, por ello, específicamente español. Corresponde a las vicisitudes que, tras el fracaso de la revolución, encontró el ideario liberal en nuestro país, donde se enfrentó a una importante resistencia —que incluía la represión de las élites intelectuales, como demuestra la persecución de los profesores universitarios en 1876—. Junto al deseo de liberación que se extendía por todo occidente, y que comúnmente conocemos como la difusión de la modernidad, en el caso español la situación se complicaba debido a que el desenlace de la revolución había obligado a sus partidarios a ponerse a la defensiva para hacer frente a los ataques de una reacción que, en 1875, intentaba influir en la vida social y controlar las formas del pensamiento nacional.

Además de complementarios, los dos conflictos mencionados se suceden en el tiempo. La novela ideológica española se inspiró en el primero, del que recibió el impulso filosófico inicial, pero se escribió cuando se estaba desarrollando el segundo. Esto explica el carácter polémico de las novelas y su visión de la sociedad española en términos de un conflicto intestino. En lo político había sido restaurado el orden anterior a la revolución, pero no eran tan sencillo hacer otro tanto en el campo de las ideas a fin de regresar buenamente a las creencias del pasado. Lo indican gentes de ideario opuesto, como Clarín, Pereda y Alarcón: nada es igual en 1875 porque, por medio, estaban los cambios que había instituido la revolución. Críticos y escritores fueron conscientes del conflicto de ideas, no resuelto, que subsistía en la nueva realidad política española, y que se extendía a las conciencias individuales, modificadas éstas, para 1875, por las creencias puestas en circulación durante el Sexenio.

Jalonada por estos dos conflictos, el filosófico y el político, la novela siguió a partir de 1875 dos orientaciones opuestas: una, reaccionaria, que quiso corregir la herencia revolucionaria produciendo una literatura de tendencia normativa cuyo objetivo fue modificar la realidad *(El escándalo, El Niño de la*

Bola), o bien renegar de dicha realidad en un mundo entregado a la modernidad y al abandono de las costumbres tradicionales y, por tanto, echado a perder *(Don Gonzalo González de la Gonzalera, De tal palo, tal astilla)*; y otra que, al mismo tiempo que reclamaba como propia la herencia de la revolución, y daba testimonio de una oportunidad histórica malversada *(La novela de Luis)*, se erigió como resistencia contra las tendencias fundamentalistas de comienzos de la Restauración *(Doña Perfecta, Gloria, La familia de León Roch)*. El carácter sectario del género era el resultado de este enfrentamiento ideológico de fondo, el cual se manifestaba en el arte, pero que, debido a su pertinencia social, tenía una dimensión mayor que la exclusivamente estética.

La literatura de ideas en la Restauración: el fracaso del «hombre nuevo»

> [Pepe Rey] ¡Yo que era la verdad misma! He perdido mi propia hechura *(Doña Perfecta*, cap. XXVIII).

He hablado hasta aquí contra las interpretaciones casticistas que se han hecho de esta novela, y he subrayado la coincidencia con los conflictos que, en otras partes de Europa, se enfrentan a la triunfante modernidad que arrinconaba ya el mundo antiguo. Galdós retrata el mundo posterior al derrumbe del sueño revolucionario en España pero, al hacer esto, detalla un conflicto que es también universal: el de la impotencia y el fracaso de las ideas de redención que habían surgido en el mundo moderno. Tras el Sexenio, España regresaba a sus antiguos cauces, sobresaliendo la diferencia irreconciliable que separaba por un lado a una minoría ilustrada, seguidora de las distintas formas de racionalismo que imperaban en el pensamiento europeo de la segunda mitad del XIX, y que, fiel a dicho ideario, había soñado en 1868 con la realización de una sociedad nueva; y, por otro, la realidad de una nación atrasada, inculta y pobre, dominada por intereses espurios, tradicionalmente reacia a los cambios, unas veces por fanática convicción, las más de las veces por intereses egoístas.

Setenta años después de la publicación de *Doña Perfecta,* Jean Paul Sartre escribió sobre el compromiso del escritor y sobre la necesidad de que este escriba *para* su época *desde* su obra[65]. Esta reflexión, que se hizo explícita después de la Guerra Mundial, contenía una visión «reveladora», que nos puede ayudar a entender el proyecto galdosiano y, en concreto, la voluntad del autor de producir una literatura significativa, que marcara huella. «Escribir —dice Sartre— es pedir al lector que haga pasar a la existencia objetiva, la revelación que [el escritor] ha emprendido por medio del lenguaje» (pág. 1010).

El fracaso de la revolución *Gloriosa,* y del proyecto redentor de la sociedad española que dicha revolución anunciaba, obligaba a los escritores a tratar del presente en sus obras y a comprometerse con la realidad *desde* las mismas. Y el presente, para canalizar este compromiso, sin duda alguna debía contener una meditación sobre los motivos de la derrota de la revolución. Esta reflexión se hizo, como hemos visto, dando entidad al ideal krausista del «hombre nuevo». Que esta figura fuera formulada en un momento de fracaso político, convirtió a los personajes literarios que lo encarnaban en seres de enorme vigor dramático, generalmente enfrentados al ambiente que les rodea, venga dicho ambiente representado por la familia o por la sociedad en que viven. Es el caso de Pepe Rey, Gloria Lantigua, Daniel Morton, León Roch. El enfrentamiento con un ambiente que resulta oneroso, e incapacita al (o, en el caso de Gloria de Lantigua, a la) protagonista para la realización de sus

---

[65] *¿Qué es la literatura?, Obras,* Buenos Aires, Losada, 1972, vol. 2, págs. 985-1002, 1023-1078.

aspiraciones, fue también el esquema usado por los autores para importar el Realismo a la novela nacional.

El género desarrolló el formato del protagonista derrotado y rebelde, inspirado en las lecturas románticas del *Quijote,* que narraba el desengaño del personaje enfrentado en una lucha desigual con un mundo o un ambiente excesivamente poderosos. Consideremos el caso de Pepe Rey. Este, de modo similar a lo que ocurre en el caso del hidalgo manchego, cae derrotado en el desenlace, pero la derrota personal no equivale al fracaso de los ideales; al contrario, dicha derrota implica una afirmación ética y, por lo mismo, contribuye a realzar dichos ideales. Estos seguían teniendo validez pese a su derrota política. El fracaso del protagonista era ofrecido, por ello, como un sacrificio del sujeto, pero no como una evaluación negativa de los principios que defiende, pese a que Pepe Rey sea consciente, al final de la novela, de que él mismo ha sido arrastrado por la barbarie que le rodea. Escribe a su padre: «Ya no soy aquel a quien una educación casi perfecta dio pasmosa regularidad en sus sentimientos; ahora soy un hombre como otro cualquiera» *(Doña Perfecta,* pág. 380).

Pero que los ideales no desmerecieran, no implica que el legado liberal no fuera sometido por los pensadores del momento a una severa revisión; y es aquí donde el autor exige al lector de su tiempo, que reconozca, y haga pasar a la existencia objetiva de la conciencia —como pedía Sartre—, la revelación que le ofrece el autor. Encontramos una importante meditación sobre este aspecto en Galdós, en quien podemos distinguir, como ocurre con muchos de sus contemporáneos de ideario liberal, dos respuestas, que no son en realidad complementarias, sino sucesivas.

La primera respuesta seguía el ideario correspondiente a la renovación de ideas posterior a la revolución de 1854, cambio de pensamiento que lideraron figuras políticas liberales como Castelar, o intelectuales cercanos al krausismo como Giner. Todos ellos buscaron las causas originarias de los males de España en la historia, centrándose en la herencia nacional que entendieron guiada por la ignorancia y el fanatismo. Para ellos, la decadencia española era consecuencia de dicho legado. La intolerancia había aniquilado toda curiosidad intelectual en los nativos y, consiguientemente, el interés de estos por innovaciones de cualquier tipo.

Quienes se enfrentaron a la realidad española posterior a *la Vicalvarada,* no creían que el mal estuviera localizado fuera de la nación (la pérdida del poderío imperial, por ejemplo), sino que apuntaron a la causa de la decadencia dentro de la nación misma. Particular atención mereció la historia de la intransigencia nacional, un discurso que, durante la revolución del 68, ocupó a novelistas como Galdós y al ya mencionado Villarminio. El ejemplo habitual de este error histórico era la expulsión de comunidades históricas, como judíos y moriscos. De ahí, el atractivo y la actualidad de *Gloria* en el momento de su publicación; esta novela fue, a lo largo del siglo XIX, la más celebrada de su autor. Los liberales entendieron estas expulsiones como anuncio de lo que habría de ocurrir a lo largo del siglo XIX con las ideas modernizadoras. Como se dice expresamente en la primera parte de *Gloria,* donde la nación había visto anteriormente el peligro de las ideas «judaizantes», el XIX estigmatizó las novedades «extranjerizantes», condenando todas ellas bajo la enseña de un término recién acuñado a la altura de 1875, el calificativo de «antiespañol». Desde esta perspectiva, *Gloria* y *Doña Perfecta* son complementarias, pues si una nos ofrece la vuelta del pasado histórico, con la llegada de Daniel Morton a Ficóbriga, la otra nos ofrece la forma contemporánea de disidencia con la llegada de Pepe Rey a Orbajosa.

El interés por la intransigencia española ocupa las novelas galdosianas de estas fechas, aunque observamos en ellas una importante modificación. La causa de los males nacionales se cifra inicialmente en la historia colectiva; pero, en un segundo momento, y de modo especial a partir de 1875, en gran medida debido al fracaso del régimen revolucionario, los errores se cifraron en los defectos del individuo. El novelista trabajaba con ideas avanzadas por los pensadores de la revolución. El primero que estableció esta modificación, pasando de lo general a lo individual, fue Francisco Giner de los Ríos, autor de un artículo pionero, aparecido en 1870, en el que vaticinaba el fracaso del proyecto liberal porque éste no respondía a cambios éticos, esto es, a modificaciones en la persona (algo que, por ejemplo, sí había ocurrido en los países del norte de Europa, que hicieron la Reforma en los siglos XVI y XVII).

A finales del XIX, estos cambios tan sólo serían posibles logrando la instrucción del pueblo, objetivo práctico que había de ser anterior a las libertades políticas. Con un ideario cercano a Giner, lo declara Villarminio en su novela:

> antes de brindar con los sazonados frutos de la libertad política a la nación tan mal dispuesta para digerirlos; antes de exaltar las masas con ideas de libertad, que no comprenden, exhortaría yo al ilustre Castelar y con él a las clases conservadoras y a todos los amantes sinceros de España, a emplear el influjo poderoso de que disponen, en favor de la instrucción, seguros de que solo de esta manera cooperarían a los más altos fines del patriotismo y de la filantropía *(Novela de Luis,* pág. 199).

Al analizar los males nacionales, Galdós asumió como suya esta perspectiva innovadora que ponía el énfasis, no en lo general *(i. e.,* la nación), sino en el individuo. Pero antes de entrar en detalles relativos a los pormenores de la reflexión galdosiana, quiero hacer una importante precisión cronológica que resulta indispensable para el desarrollo de mi argumentación.

Como llevo dicho, *Doña Perfecta* se publicó en 1876, seguida de *Gloria,* en dos partes, en enero y junio de 1877. Pero éste no es el orden de escritura de estas obras, por lo que con frecuencia se pierde de vista el progreso del pensamiento galdosiano. El autor terminó la primera parte de *Gloria* en diciembre de 1874, pocos días antes del golpe de Estado que ponía fin a la revolución. Decidió posponer su publicación debido a la represión política que se desató en enero de 1875; ante la indefensión de los escritores frente a la acción gubernamental, y frente a las arbitrariedades de Orovio, Galdós prudentemente decidió archivar su novela en espera de tiempos más propicios. Un año después, a comienzos de 1876, inició la escritura de *Doña Perfecta,* que se publicó a medida que se escribía.

Si destaco que la primera parte de *Gloria* se escribió antes que *Doña Perfecta,* aunque se publicara después, es para alertar sobre la progresión de la propuesta ideológica galdosiana que, de no tenerse en cuenta la secuencia de composición de las novelas, pasa desapercibida. En *Gloria,* completada durante el periodo revolucionario, a finales de 1874, Galdós siguió la reflexión que se había impuesto entre los escritores liberales a partir de *la Vicalvarada.* En esta primera parte de la novela, el autor culpaba a la tradición histórica de intransigencia para con las minorías, adoptando una actitud respecto al individuo que podríamos calificar de rousseauniana. En la decadencia de España el error no era culpa del ser individual sino de los agentes sociales —del fanatismo, de la Iglesia, del poder político— que modificaban a aquél, pervirtiéndolo. En *Gloria,* Galdós indicaba que quienes habían ejercido tradicionalmente el poder, eran responsables de la herencia de intransigencia y fanatismo, y de la consiguiente falta de diálogo en la sociedad española. La renovación de ideas de este periodo lleva a cabo una revisión de la historia española, ofreciendo una evaluación crítica del pasado católico[66], considerando que la Iglesia española y su dogmatismo habían deformado el verda-

---

[66] J. M. Álvarez Junco, *Mater dolorosa. La idea de España en el siglo* XIX, Madrid, Taurus, 2001, págs. 392-405.

dero carácter nacional y habían sido las causas de la decadencia del país. Este era el criterio intelectual que tras la revolución de Vicálvaro, en 1854, se había impuesto entre los liberales en España[67].

Como en el caso de Villarminio, el Galdós de *Gloria* entendía que la intransigencia española era el pecado original y más duradero, heredado de la historia, el cual atravesaba la sociedad contemporánea a todos los niveles. Los dos autores, Villarminio y el Galdós que en 1874 escribe la primera parte de *Gloria,* se habían inspirado en el krausismo precedente; y de esta filosofía procedía también el antídoto que ambos ofrecían para remediar la situación heredada, y lograr con ello la regeneración nacional. Se trataba de abrir España a la vivificadora influencia de las ideas procedentes del exterior, no para cambiar la identidad española, sino para alimentarla con la savia nueva del pensamiento moderno. Este era el sentir de los tiempos: la regeneración nacional tan solo sería posible si la nación se abría a la influencia del exterior, y se comprometía en una labor crítica de su legado histórico[68].

---

[67] La idea responde al impulso secularizador que sigue a *la Vicalvarada.* Castelar escribió entonces el importante tratado *El Cristianismo en los cinco primeros siglos de la Iglesia,* cuyo objetivo era denunciar la intromisión de la Iglesia en cuestiones de Estado, apuntando a esta mezcla como fuente de todo tipo de dogmatismo. Esta tesis fructifica en la revolución posterior, la de 1868, como atestiguan las sesiones previas a la aprobación de la constitución liberal de 1869. En ellas, Castelar tuvo un papel destacadísimo en la defensa de la secularización de la política, y en la separación de Iglesia y Estado, considerando que esta separación era indispensable para obtener el pleno desarrollo espiritual del individuo.

[68] A la pregunta de Juan de Lantigua, sobre cuál sería la receta para curar los males nacionales, responde Daniel Morton: «el aire libre, [...] dejarse llevar y arrastrar por todas las fuerzas que la solicitan; romper su capa de mendigo o mortaja de difunto y exponerse a la saludable intemperie del siglo. España se parece al enfermo de aprensión, todo lleno de emplastos, vendajes, parches, abrigos mil y precauciones necias. Fuera todo eso, y el cuerpo enfermo recobrará su vigor» *(Gloria,* I, cap. 23).

La actividad política del Sexenio vino a demostrar poco después que este idealismo, aunque claramente bienintencionado, estaba desconectado de la realidad nacional y que, ante las imposiciones de los hechos históricos, estos deseos quedaban reducidos a una simple aspiración de buenas intenciones. Hacía evidente también la desconexión del idealismo importado de Alemania, y la realidad española. Como Pepe Rey comprueba inmediatamente a su llegada a Orbajosa, el pueblo español no era tan solo un proyecto teórico de los krausistas, sino una realidad limitada en sus posibilidades debido a una tradición histórica que no podía eliminarse de repente por un voluntarismo utópico. En la visión de la realidad nacional la novela aventajaba a la filosofía porque aquella daba expresión a esta experiencia dramática en la que se vivía la inadecuación del pensamiento. Lo intuye el protagonista cuando, enfrentado a un paisaje hosco y yermo, reconoce que «Todo aquí es ironía», que «La ironía no cesa» *(Doña Perfecta,* pág. 156). La realidad se hallaba vestida con una interpretación, y los hombres, presos en dicha realidad, se hallaban poseídos por unas creencias ancestrales, que sería difícil, o imposible, erradicar.

«La virtud desconoce el error» había dicho Valera dos años antes en su magnífica novela; Pepe Rey, el protagonista de Galdós, descubre que, pese a que su impulso ha sido virtuoso en todo momento, su desconocimiento de la realidad le ha llevado al error y al fracaso. Más tarde, en la segunda parte de la novela, se ha visto arrastrado por la vorágine de barbarie que envuelve a los personajes[70]. En el dramático enfrentamiento con su tía al final de la novela, el protagonista tiene un momento de conciencia cervantina,

---

[70] Como observó Gustavo Correa, la barbarie reina en el ambiente de Orbajosa, y los personajes son «arrastrados a una tormenta de barbarie que los sumerge», que incluso los contamina; «El mismo Pepe Rey, arquetipo del ente racional, penetra en el mundo de la irracionalidad frente a la injusticia» *(Simbolismo religioso,* págs. 43-44).

equivalente a la claridad con que Don Quijote, al despertar curado y siendo Alonso Quijano, se apercibe de los errores cometidos. En su ingenuidad pensó que bastaba con advertir a los orbajosenses del error en que vivían, para que éstos se apresuraran a corregir su conducta y adoptaran jubilosos el camino de la modernidad y de la nueva virtud. Pero, como diría Cánovas con prodigiosa lucidez, y como recordaría Ganivet en otro contexto, un pueblo es también su historia, esto es, la situación heredada. Y esto es lo que descubre Pepe Rey al verse enfrentado a fuerzas firmemente enraizadas en la sociedad española, con las que es preciso contar para llevar a término con éxito cualquier proyecto de cambio. El protagonista había creído ingenuamente, quijotescamente, estar enfrentándose con molinos cuando en realidad se había topado con gigantes.

Esa conciencia cervantina precede a un momento de claridad en que el personaje llega a un conocimiento negativo, dolorosamente sufrido, en el que es consciente de los errores cometidos, y que han servido para forjar la propia experiencia. Esta es la marca de la novela moderna: el personaje que se enfrenta, desengañado, a su propia experiencia, y se apercibe del error. Tarde ya para poder influir en una realidad compleja que nunca ha estado sometida a su control, el protagonista reconoce su equivocación, y la pervivencia de un problema que queda pendiente para el futuro. Dice a su tía: «yo mismo no me conozco. Era razonable y soy un bruto; era respetuoso y soy insolente; era culto y me encuentro salvaje» *(Doña Perfecta,* pág. 312). Y ante la pregunta de quién de los dos —su tía o él, alegorías de la España tradicional y de la nueva— es el culpable verdadero del nuevo orden de cosas, responde:

> Ni usted ni yo lo podemos resolver. Creo que ambos carecemos de razón. En usted violencia e injusticia, en mí injusticia y violencia. Hemos venido a ser tan bárbaro el uno como el otro, y luchamos y nos herimos sin compa-

> sión. Dios lo permite así. Mi sangre caerá sobre la conciencia de usted; la de usted caerá sobre la mía (*Doña Perfecta*, pág. 312).

El valor alegórico de esta novela alcanza en este punto su máxima significación como representación de todos los fracasos. Era sabido que nada podía esperarse de la España tradicional, demasiado ignorante, y demasiado ciega en sus intereses para responder con generosidad o con altura de miras. La esperanza de la revolución había estado siempre cifrada en la parte contraria, en los liberales que, pese a no tener soluciones ciertas respecto al futuro, habían aportado un caudal de ideales. Esta era la verdadera contribución de los revolucionarios del 68, herederos del pensamiento nuevo que había surgido en el 54.

Lo trágico en *Doña Perfecta* es este fracaso de la esperanza, que afecta al «hombre nuevo» encarnado por el protagonista, Pepe Rey, modelo del ser pragmático y activo que debería haber aportado soluciones ante las novedades de la política[71]. Meditando sobre el fracaso revolucionario, Giner había lamentado que, corruptos y miopes ante lo que se estaba jugando en la política y en la historia nacionales, los protagonistas de la revolución no habían estado a la altura de las exigencias del momento:

> Pasó el primer momento del noble y puro entusiasmo, y llegó la hora de condensar reflexivamente el clamor unánime de la nación. ¿Qué hicieron esos hombres nuevos? ¿Qué ha hecho esa juventud? ¡Qué ha hecho! Responden por nosotros el desencanto del espíritu público, el indiferente apartamiento de las clases, la sorda desesperación de

[71] En una interpretación clásica de la novela, Stephen Gilman destacaba su sentido trágico según el modelo aristotélico, que presentaba «the inevitable doom of flawed perfection portrayed in a series of extended narrative acts» (Gilman, «Tragic» 388 [el fracaso inevitable de una perfección con defectos, representada en una serie extendida de actos narrativos]).

> todos los oprimidos, la hostilidad creciente de todos los instintos generosos («La juventud», págs. 103-104).

La revolución liberal había quedado reducida a una sucesión de pronunciamientos; era otra oportunidad histórica desperdiciada. La tarea redentora quedaba en fianza de las generaciones futuras, a las que Giner evocaba todavía, echando mano de su providencialismo krausista al hablar de una nueva «juventud inteligente, activa, enérgica, que quiere vivir, no vegetar, y a quien no arredra la lucha» (pág. 104). Pero, insisto, este era el desenlace futuro, no el corolario de la realidad contemporánea. Y lo urgente entonces, lo indispensable para Galdós, era explicarse la realidad contemporánea, ofrecer ideas y argumentos que dieran cuenta de los errores que habían concluido en la realidad española de 1875.

«Doña Perfecta» y el «Quijote»

Se ha dicho, y es una simpleza, que *Doña Perfecta* es la novela de un autor joven y sin experiencia, todavía sin una idea definitiva de la dirección por la que debería avanzar su propia narrativa, que además se enfrentaba al desafío de una realidad política nueva y adversa.

¿Por qué asumir que la novela galdosiana responde a una idea de novela que vendría más tarde? ¿Qué ganamos con este rígido platonismo tan fuera de lugar? Qué duda cabe que Galdós irá adquiriendo oficio en los años que siguen. Pero su novela se va haciendo con cada título, cada uno de los cuales es una contribución importante a la novela nacional. En concreto, que su técnica se perfeccione, no significa que no tenga una idea clara de la dirección o el curso que quería seguir con su novela en 1876. Evidencia de ello es que, con *Doña Perfecta,* toma partido entre las opciones estéticas más importantes del momento.

En un momento en que la novela española está en germen, Galdós da con esta obra un impulso decisivo al género. Los críticos contemporáneos se debatían, no tanto sobre cuestiones de técnica o de morfología, sino de filosofía estética. El debate consistía en determinar, uno, el valor del naciente Realismo como corriente estética para dar cuenta adecuada de la realidad contemporánea; y, dos, y seguido de lo anterior, establecer si la literatura debía ocuparse de asuntos en apariencia nimios, como proponía el Realismo que entonces llegaba de Francia, o debía seguir el modelo anterior, idealista, que adjudicaba un valor trascendental a la literatura, según el cual esta podía contribuir, e incluso competir en el mundo de las ideas con gran ventaja, con la filosofía y con el pensamiento.

Galdós se enfrentó decididamente a estas dos grandes preguntas. En respuesta a la cuestión del Realismo, en 1876 alteró el modelo *costumbrista* que él mismo había considerado estéticamente insuficiente a la altura de 1870. Desde esta perspectiva, la nueva novela contemporánea sometía las ideas literarias a una importante puesta al día.

Respecto al segundo punto, el de la significación trascendental de la obra de arte en el discurso de las ideas, *Doña Perfecta* repetía el modelo dominante en la novela culta de estos años en la que se produce el choque de dos concepciones del mundo. Galdós ponía el énfasis en un importante ingrediente morfológico para dar cuenta de este enfrentamiento. Me refiero a la lucha que surge entre el ser urbano, llegado a la comunidad rural, y esta comunidad, satisfecha de sí misma, cerrada a las novedades y resistente a los cambios. En esta lucha está cifrado el enfrentamiento entre ciudad y campo, entre modernidad y tradición. Lo que se ha modificado son los valores tradicionalmente usados para valorar este enfrentamiento, «al otorgar a Madrid la supremacía moral frente a [...] Orbajosa» (Dorca, *Volverás,* pág. 101). Rechazado el *costumbrismo,* el autor se vio obligado a denunciar la imagen idílica que dicha corriente había implantado como algo convencional en la sensibilidad de sus contemporáneos.

Puesto que la nueva estética se separa del *costumbrismo* anterior, la novela ideológica carece de precedentes o de conexiones en la novela del momento, ya que la narrativa popular de origen romántico *(i. e.,* el folletín) no es más que una forma literaria que coincide en el tiempo con la que estudiamos aquí. No se trata en modo alguno de dos géneros que estén emparentados.

Los autores del 68 quisieron diferenciarse radicalmente de dicha literatura popular. Querían una novela nueva que conectara con lo mejor que la tradición española podía ofrecerles, sin contaminarse en ningún momento con el folletín contemporáneo. En uno de sus primeros trabajos críticos, el artículo-reseña «Observaciones sobre la novela contemporánea en España», ya mencionado, Galdós reacciona tempranamente contra esta literatura popular. Su posición no es única. Se extiende a otros autores y críticos de su generación, todos los cuales condenaron el folletín y la literatura popular precedente[72]. Coinciden al afirmar que en España no hay novela digna de tal nombre; lo que se califica como tal, es tan solo «un fárrago de obrillas, notables solo por los colorines de sus lujosas cubiertas» (Galdós, «Observaciones sobre la novela contemporánea en España» edición digital, Casa Museo).

Se impone inmediatamente una aclaración, cuya importancia se verá rápidamente: pese a que la generación del 68 tuvo poca estima por el folletín, y Galdós lo describe en los términos que hemos visto, este tipo de obrillas aparece repetidamente en su producción novelesca, pero solo a partir

---

[72] Los ataques a la literatura popular comienzan a aparecer en torno a 1875 en la obra de Manuel de la Revilla, quien acusa a Manuel Fernández y González de haber obstaculizado el desarrollo de la novela nacional, al haber contribuido «a la decadencia de las letras» a las que ha causado «grandes daños» *(Obras,* págs. 130 y 133).

de 1880. El autor integró el folletín romántico como subtexto en novelas como *La desheredada* (1881) o *Tormento* (1883), en las que el género popular es usado para lograr un distanciamiento irónico en la presentación de los personajes. Se repite con ello el modelo cervantino de la parodia de la literatura de caballerías, en este caso en su versión decimonónica. Mediante el uso del folletín, el autor alerta al lector que se encuentra ante una ficción que es preciso leer con distancia crítica. Se exige a dicho lector una evaluación de lo narrado. Sin entrar en detalles innecesarios, que no son pertinentes aquí, piénsese a modo de ejemplo que el nudo de *Fortunata y Jacinta* (la mujer natural representada por una joven de clase baja, que es seducida y abandonada por un señorito golfo, hedonista y desaprensivo) es una historia familiar al folletín, y que los elogios casi ditirámbicos del señorito que hace inicialmente el narrador, Jacinto María Villalonga, han de ser sopesados tras reflexionar sobre las consecuencias que, para los demás, tienen sus acciones. Stephen Gilman escribió páginas memorables para hablar del valor crítico que esto tenía para el lector galdosiano, el cual, durante la Restauración, se había acostumbrado a ver a tales señoritos como encarnación de todos los valores sociales *(Galdós,* pág. 284).

La situación, no obstante, es del todo diferente entre 1875 y 1880. La novela ideológica rechaza el género popular, el cual desaparece por completo de la novela culta. A la altura de 1875, el rechazo de estas formas populares es tan general, que incluso Pedro Antonio de Alarcón, que había escrito un folletín dos décadas antes *(El final de Norma,* publicado en *El Occidente* en 1856), expresamente indica que *El escándalo* ni es un folletín, ni quiere serlo, sino una novela que hay que tomar en serio. Lo dice Fabián Conde, el protagonista, en su relato al Padre Manrique:

> tomo desde algo lejos mi referencia [...] no por afán pueril de sorprender y maravillar a usted con el relato de historias

y seres misteriosos... Semejante entretenimiento fuera indigno de usted y de mí, y más propio de un folletín (*El escándalo,* Libro III, cap. 1).

Como vimos, el autor de Guadix está vinculado a la estética anterior, el Romanticismo, pero en su novela de 1875 no acepta el género popular con el que anteriormente había tenido gran éxito de público, porque, pese a las grandes diferencias ideológicas que lo separan de Galdós, coincide con este en el deseo de escribir una novela culta y significativa. Añadamos a esto que los dos autores quisieron tener pertinencia, «marcar huella» en el vocabulario galdosiano, porque ambos fueron conscientes de que escribían en tiempos de crisis. Este es un rasgo adicional que hay que tener en cuenta a la hora de hablar de la novela ideológica: esta aparece en momentos de crisis y de gran debate social.

Que no aparezca el folletín en las novelas del género ideológico, no responde a un descuido u olvido, ni es fruto de una impericia técnica que ha de resolverse, o tratarse con mayor acierto, en la novela que sigue. Antes de iniciar la tarea de escribir novelas ideológicas, Galdós ya había explorado las posibilidades del folletín usado con intención irónica: el tratamiento de Charito —personaje que aparece en el manuscrito *Rosalía,* de 1872— viene a demostrar que el autor había pensado, cuatro años antes de *Doña Perfecta,* en el potencial artístico de esa estructura distanciadora que probablemente había aprendido de Flaubert y de sus modelos franceses. Pero este procedimiento no se usa en la novela culta que se publica a partir de 1875. No usar el folletín es producto de una decisión meditada y consciente, y hemos de entender esta decisión como una preferencia que Galdós comparte con los demás miembros de su generación, porque todos ellos quieren producir una novela diferente de los géneros populares. Rechazado el folletín, Galdós recurre a una lectura de los clásicos.

Doña Perfecta contiene, como subtexto, una lectura del *Quijote*. Se trata de una visión decididamente antirromántica de la novela de Cervantes, «esbozada partiendo de un paralelo sugestivo que orienta al lector sobre el ser de Pepe Rey» (Ricardo Gullón, *Técnicas,* pág. 41). Como Don Quijote, Pepe Rey sale al mundo (su viaje a Orbajosa es «su primera salida») a perseguir su aventura particular, y corregir una realidad que, desde su visión idealizada, necesita cambiarse *(Técnicas,* págs. 41-45). La imagen del comienzo de la novela, en la que el protagonista y el tío Licurgo cabalgan desde Villahorrenda a Orbajosa, invita esta asociación de los personajes de la novela galdosiana con la pareja cervantina *(Técnicas,* pág. 42). «Un momento después señor y escudero...», se dice en el capítulo primero, en recuerdo evidente del texto clásico. Para que el parecido sea mayor, el tío Licurgo salpica constantemente su conversación con refranes al modo de Sancho en el *Quijote.*

Las semejanzas, y las referencias galdosianas a la novela de Cervantes, pueden multiplicarse sin dificultad, algunas de ellas alteradas con humor, o con la suave ironía galdosiana. Como botón de muestra, piénsese que si, al final de la primera parte, un Don Quijote vencido regresa a su pueblo y a su casa, donde le esperan el Cura y la Sobrina, Pepe llega a Orbajosa, donde le esperan el cura (don Inocencio) y la tía (doña Perfecta). Si cura y sobrina destruyen la biblioteca del hidalgo, considerando que las lecturas han contribuido a dañar su juicio, don Inocencio denostará a Pepe Rey por su exposición a las novedades filosóficas del momento; y doña Perfecta lamentará que el sentido de su sobrino haya sido dañado por su exposición a teorías novedosas («Tú has perdido el juicio [...] Las lecturas de esos libracos en que se dice que tenemos por abuelos a los monos o a las cotorras te han trastornado la cabeza», *Doña Perfecta,* pág. 244).

Pero el parecido termina ahí. Galdós evita la deriva humorística e idealista que contiene la novela cervantina. El momento histórico no estaba para excesos de idealismo. El ideal quijotesco, síntesis armónica de ilusión y guía moral, había dominado el mundo del Sexenio y, por error de sus protagonistas, que habían fallado en su diagnóstico de España, aquel había fracasado estrepitosamente. En un texto contemporáneo, la primera parte de *Gloria,* Galdós habla del *Quijote* y de la realidad social que lo hizo posible, destacando como realidad e ideal no se avenían. Dice Gloria Lantigua, la protagonista de la novela:

> Basta leer [*El Quijote*] para comprender que la sociedad que lo inspiró no podía llegar nunca a encontrar una base firme en que asentar su edificio moral y político. ¿Por qué? Porque Don Quijote y Sancho Panza no llegaron a reconciliarse nunca[73].

Gloria, la protagonista de la novela de 1877, subraya esta incapacidad para reconciliar el ideal y la realidad. Lo hace comentando la sociedad que nos muestra la literatura de los Siglos de Oro, dividida en polaridades irreconciliables, en pícaros y místicos, sin espacio intermedio, como la sociedad contemporánea está dividida en seres urbanos (Pepe) y comunidades rurales (Orbajosa). Dice Gloria:

> Los poetas, los grandes guerreros, los frailes, los teólogos, los hombres de inteligencia cultivada entrevén una sociedad mejor, vislumbran un mundo moral superior a aquel en que viven y se agitan los pedigüeños desnudos, los holgazanes pícaros y demás gente menuda. Luchan unos contra otros. La cosa no va bien; pero no se sabe cómo puede enmendarse. Los unos piden pan, destinos, bienestar material, y no hallando quién se lo dé, roban lo que pueden; los otros piden gloria, amor exaltado, pro-

---

[73] Benito Pérez Galdós, *Gloria,* Madrid, Cátedra, 2011, pág. 194.

> funda fe, religiosidad, caballerosidad, justicia perfecta, bondad perfecta, belleza perfecta, y jamás pueden entenderse (*Gloria*, pág. 194).

Pero ¿no había sido esta división el error estructural en que cayeron los idealistas del 68, que no habían llegado a reconciliarse nunca con la realidad que deseaban corregir? En efecto, este había sido el detonante del conflicto entre las élites urbanas y la sociedad rural, conflicto que se repite entre Pepe y Orbajosa.

Gloria de Lantigua menciona acto seguido el que bien puede ser el gran problema de Pepe Rey. Este es incapaz de entender una realidad que no se pliega a su visión o a sus ideales reformistas. No entiende, como tampoco entendieron los krausistas que inspiraron a la generación precedente, que la realidad no es un simple proyecto nuestro, sino una entidad ajena, dramática y con frecuencia hostil, en la que tanto el personaje como los reformadores que habían creído en la redención nacional en el 68, tenían que vivir y actuar. Pepe puede trazar líneas sobre el papel, y hacerlas realidad en el puente sobre el río Francolí; pero esta adecuación entre teoría y realidad, no se da en el trato social como descubre pronto el protagonista al observar la enorme ironía que todo lo envuelve, y que separa el pensamiento de la realidad. Dice la protagonista de *Gloria:* «si Don Quijote hubiera aprendido con Sancho a ver las cosas con su verdadera figura y color natural, quizás habría podido realizar parte de los pensamientos sublimes que llenaban su grande espíritu» (pág. 194). La protagonista de *Gloria* habla de la adecuación de la idea a la realidad, porque en la existencia, como nos advertía Hegel, el sujeto tiene que vivir en un mundo exterior. De no producirse esta armonización, el resultado es un solipsismo estéril que se desliza sobre la realidad sin dejar huella alguna en ella. Durante el Sexenio, los reformadores idearon un mundo nuevo que reemplazaría al heredado de la historia, sin tener en cuenta que ese mundo heredado, era la realidad en que tenían que vivir, actuar y en que dejar su legado.

La lectura galdosiana del *Quijote* tiene también una dimensión social que conecta con los debates ideológicos de la Restauración. Al ofrecer esta reflexión, el autor reacciona contra las supercherías castizas del quijotismo, y con su visión anticipa un entendimiento crítico del personaje cervantino, y de la tradición nacional, que reaparece en pensadores posteriores, desde Miguel de Unamuno a Fernando Savater[74]. Galdós rechaza el entendimiento autocomplaciente que ve España como tierra del ideal de justicia que, en la interpretación romántica, encarnaba el loco manchego. Según este entendimiento castizo, España es la nación de los ideales, de la heroicidad de los romances y de la gallardía de los personajes de las comedias de capa y espada. Frente a esta noción convencional, responsable de una interpretación torcida del Siglo de Oro, cortada a medida para servir los intereses ideológicos más reaccionarios (como ejemplificaría el mundo oscurantista que evoca el Brindis del Retiro de Menéndez y Pelayo), Galdós nos presenta la comunidad de Orbajosa como una sociedad prosaica e impermeable a todo ideal. La realidad no es materia de ensoñaciones. Ni Caballuco es héroe de caballerías, ni Pepe Rey se encuentra ante una nueva versión de la aventura de los cautivos del *Quijote:* la brutalidad levantisca del primero acaba en el crimen; y la feroz ley de fugas que la Guardia Civil aplica sistemáticamente a los presos, viene a demostrar que nada queda de dicho idealismo antañón pues, junto a la decadencia económica de la nación, que era visible, España sufría una notable dolencia moral[75]. La armónica síntesis

---

[74] Unamuno, «¡Muera Don Quijote!», *Obras Completas,* Nueva York, Las Américas, 1966, vol. 7, págs. 1194-1196; Savater, *Instrucciones para olvidar «El Quijote»,* Madrid, Taurus, 1985.

[75] Varey, pág. 19 comenta este episodio para destacar la cruel realidad nacional, tema ya mencionado en sus trabajos por Casalduero y Correa. El

de ideal y realidad no es ya una solución posible. El juicioso Sancho, que tan buen criterio legal muestra en el gobierno de su ínsula, en la segunda parte del *Quijote,* ha sido reemplazado por el Tío Licurgo, un lugareño ladino y aprovechado, perpetuamente envuelto en pleitos, sabedor de que puede usar la ley (que no la justicia) para arrebatar a Pepe Rey lo mejor de sus tierras.

La geografía por la que se movía la pareja cervantina puede ser la misma por la que transita Pepe con el Tío Lucas; pero los personajes, y la realidad en que viven, han cambiado drásticamente. La idealizada locura del pasado ha sido reemplazada por el egoísmo y la bajeza de miras provinciana; la aventura ha sido reemplazada por el crimen; la hospitalidad de los condes, por la hostilidad que Pepe Rey encuentra en casa de su tía. Si en el pasado pudo haber idealidad, deseo de justicia, aventura con que enriquecer y dar sentido a la vida individual (henchir esta de sentido como querían los krausistas); si, en fin, existía la promesa de un cambio o de una posibilidad de mejoramiento, el escenario contemporáneo, por el contrario, era desconsolador. Pepe Rey y el Tío Lucas demuestran que no hay posible acuerdo entre los deseos redentores del primero, con frecuencia quiméricos en tanto que están desconectados de la realidad social, y el egoísmo del otro, apegado a la realidad material y sin altura de miras; tampoco lo habrá entre el joven ingeniero y su tía; o, en fin, entre el protagonista y los orbajosenses. Pepe Rey se da de bruces con este contras-

---

tema de la decadencia moral de los españoles, había ocupado repetidamente a quienes consideraron que, durante el Sexenio, la suerte del país estuvo en manos de desaprensivos que hicieron naufragar el ideal de la revolución. Villarminio, lamentando la deplorable falta de ejemplaridad de los líderes revolucionarios, se pregunta: «¿Qué se hizo de aquella hidalguía española que nos pintan las comedias de Calderón y de otros escritores antiguos? ¿Existieron aquellos caracteres austeros solamente en la imaginación de los poetas, o tuvieron un fundamento real y verdadero en los españoles de la época? Si lo tuvieron, ¿cómo ha podido degenerar tanto una nación que tan poco ha variado en lo demás?» *(La novela de Luis,* pág. 232).

te que envuelve la realidad en que vive, una realidad dominada por la «terrible ironía» de los nombres y por la tendencia a embellecer algo que, por el contrario, es triste y desolador: «Palabras hermosas, realidad prosaica y miserable».

La ironía supone un desvío mediante el cual nombramos indirectamente el objeto de nuestra reflexión (la realidad), acercándonos a dicha realidad mediante perífrasis o por medio de un giro verbal. Cuando esa ironía es inconsciente, y no nos apercibimos de que ese giro verbal existe, nuestra visión del objeto se ve afectada y quedamos privados de la capacidad de ver la realidad. Al hablar de la terrible ironía de los nombres, Pepe Rey toma conciencia de este hecho: él no lee ingenuamente por primera vez la realidad que aparece ante sus ojos, y por eso es consciente de que la realidad a que se enfrenta no es nueva ni está desnuda, sino que ha sido revestida de un legado que le resulta extraño a él, con sus ojos de recién llegado, pero que entusiasma los ojos obnubilados de su tía y del resto de sus paisanos. Autocomplacidos (cfr.: «no hay en la cristiandad pueblo más ilustre que el nuestro»; «aquí se producen los primeros ajos de toda España», *Doña Perfecta,* pág. 236), estos llenan su vida con el lenguaje vacío de las conversaciones para las que, según se nos advierte desde el comienzo, Pepe Rey carece de paciencia: este

> encontró en las principales salas a varias personas que charlaban y discutían. En un grupo desentrañaban con lógica sutil difíciles problemas de toros; en otro disertaban sobre cuáles eran los mejores burros entre las castas de Orbajosa y Villahorrenda *(Doña Perfecta,* pág. 250).

Esta conciencia de la inadecuación entre la realidad objetiva, lo que es ajeno a nosotros, y nuestro entendimiento de la misma, está en la base del nuevo Realismo, y es una contribución importante que hizo el autor al desarrollo de la novela española posterior.

El valor del *Quijote* como referente de *Doña Perfecta* se extiende a la visión del amor. Pepe Rey tiene un comportamiento que recuerda a su modelo cervantino. El narrador indica que, en un principio, el protagonista oye la propuesta de matrimonio que le ha preparado su padre, y reflexiona sobre ella porque, en realidad, está considerando un trámite legal, la aceptación de un contrato (volverá a hacerlo años después Juanito Santa Cruz ante la propuesta de matrimonio con Jacinta que le presenta su madre). Tan solo más tarde, a medida que se enfrenta a los desafíos que encuentra en Orbajosa, y especialmente al enfrentarse al poder de su tía y su entorno de clérigos y forajidos, comienza a vivir su amor con una pasión y con una fidelidad que le empuja a enfrentarse a los obstáculos que surgen a su paso. Esta devoción lo lleva al terrible desenlace de la novela. En el desarrollo de este sentimento amoroso, y al igual que Don Quijote, también Pepe cree que su Rosario/Dulcinea es la más hermosa, no porque lo sea (pues el narrador, en un dechado de Realismo no muy necesario, expresamente nos indica que no es gran belleza)[76], sino porque el amante la ha convertido en objeto de su amor.

En este punto cabe mencionar el importante descubrimiento que Galdós parece haber hecho en las fechas en que escribe y publica esta novela, o poco antes, pues es algo que también aparece en la primera parte de *Gloria,* cuya primera versión es dos años anterior. Me refiero a su descubrimiento del amor, y en concreto la novedad de tratar el amor de los personajes, como una fuerza que los eleva por encima del común de los mortales, proporcionando a estos una iluminación que da sentido a sus vidas. Sin estar

---

[76] Cfr.: «Tenía Rosario tal expresión de dulzura y modestia, que al verla no se echaban de menos las perfecciones de que carecía. No es esto decir que era fea; mas también es cierto que habría pasado por hiperbólico el que la llamara hermosa, dando a esta palabra su riguroso sentido» *(Doña Perfecta,* págs. 179-180).

revestidos de este sentimiento, esto es, de no haber sido tocados por el amor, estos personajes no destacarían sobre el ambiente que los rodea. El acto de amar los enaltece, y ecos de esto hemos de ver tanto en la Isidora Rufete de *La desheredada* (segunda parte) como en el amor de la mujer natural, Fortunata.

La idea tiene una concepción más romántica en la primera parte de *Gloria:* me refiero al momento en que Gloria Lantigua ve el rostro iluminado de Daniel mientras este reposa tras el naufragio que a poco le cuesta la vida. Gloria ve, nimbado bajo la luz de la lámpara, al ser soñado, encarnación de la anticipación amorosa que se había ido forjando en su imaginación. La idea es romántica, y remite al encuentro de las dos almas (el *Schöne Scheele* del idealismo alemán) que se unen por encima de los contratiempos para luchar juntos contra la adversidad, lucha que consolida y purifica su amor.

La idea aparece también en *Doña Perfecta,* donde tiene un toque más realista en el caso de Pepe, más idealizado probablemente en el caso de su novia. Pepe y su prima Rosario se van a casar, inicialmente siguiendo un plan de los padres. De modo que no tenemos en esta novela el hallazgo o encuentro, que caracteriza el primer momento de Gloria y Daniel (o, muchos años más tarde, el encuentro de Maxi y Fortunata, esta iluminada por la luz de una vela, aquél subiendo la escalera que le lleva hasta ella, en la segunda parte de *Fortunata y Jacinta),* sino el resultado de un pacto social, de un contrato. Pero el amor se convierte en norma de la vida cuando el joven, revelándose contra los innumerables obstáculos creados por su tía y por el ominoso ambiente de Orbajosa, establece el amor como norma de conducta, y la libertad de su amada como labor digna de su sacrificio. Si Dulcinea había sido encantada por unos malhechores malvados, aunque ficticios, la liberación de Rosario es una tarea que enfrenta al joven ingeniero con la realidad que le rodea. Aunque no estemos ya ante el *Schöne*

Scheele, todavía el amor realista se vive en rebeldía siguiendo el modelo romántico. Pepe y Rosario se aman por encima de las dificultades que su amor encuentra en Perfecta y en la comunidad.

Importa destacar un dato adicional sugerido al hablar de Rosario, según el cual el carácter del personaje femenino está formado por materia sin labrar, «energía sin cauce y sin orillas». Se anuncia aquí una constante galdosiana en la representación femenina: la de la Galatea doméstica, dispuesta para ser modificada por un Pigmalión masculino o femenino, pero que habitualmente se resiste a la modificación de su voluntad por una decisión ajena. Se trata del personaje que se rebela contra los planes de los demás, y que impone de un modo u otro su voluntad. Gloria Lantigua *(Gloria),* María Egipcíaca *(La familia de León Roch),* Isidora Rufete *(La desheredada),* Amparo y Refugio Sánchez Emperador *(Tormento),* Rosalía Pipaón *(La de Bringas),* Tristana *(Tristana);* e, incluso, la Jacinta que se rebela contra las órdenes de su suegra Barbarita; o la rebelde Papitos que llena de travesura la cocina de doña Lupe *(Fortunata y Jacinta),* serían ejemplos de esta voluntad que no se doblega. Durante años se habló de la mujer de la novela realista como «ángel del hogar», dando a entender que las heroínas galdosianas responden a un patrón de domesticidad. Nada más lejos de la realidad en muchos casos: algunas de ellas tienen una reserva de energía que las convierte en rebeldes, siendo éste el rasgo que las hace destacar por encima de la normalidad, y que las hace sobresalir de los demás (piénsese en la Fortunata que se resiste a las lecciones de «filosofía práctica» que le da Feijoo). En el caso de Rosario, en esta novela, esa singularidad se hará mediante una exigencia de la sensibilidad que lleva al personaje hasta la locura. También en *Gloria,* novela escrita por las mismas fechas, Galdós explora en Daniel Morton esta liberación mediante la locura de un personaje que no se ajusta a los modelos que la sociedad le impone.

Rosario no se mancha con la sordidez del exterior. Para ella, que es sentimiento espiritualizado, el mal está en el mundo, y la maldad son los demás, esto es, los seres que la manipulan o que quieren aprovecharse de ella. Estamos ante un sentimiento muy cercano al que se observa en la segunda parte de *Gloria*[77], y su importancia no debe pasar desapercibida: Galdós inicia aquí (y otro tanto hará con el Daniel Morton de la segunda parte de *Gloria)* el modelo del personaje que, enfrentado a un mundo exterior agresivo o corrupto, logra la liberación personal mediante la locura. Maxi Rubín y Nazarín serán ejemplos futuros de este modelo de liberación que hace posible abandonar las vilezas del mundo.

Pero el amor también se vive con un impulso romántico, y por eso tiene un desenlace funesto. Pepe Rey amenaza con arrebatar a Rosario de la custodia de Perfecta, y escapar con ella burlando una autoridad que se opone a la realización de su amor. «El amor que me tiene [Rosario] y que corresponde al mío», escribe el protagonista, «¿no me da derecho a abrir, como pueda, las puertas de su casa y sacarla de allí, empleando la ley hasta donde la ley alcance, y usando la fuerza desde el punto en que la ley me desampare?» *(Doña Perfecta,* pág. 380). Esta visión romántica del amor nos lleva a hablar de los desenlaces de la novela. Como se dijo al comienzo, la novela cuenta con dos desenlaces. La versión inicial por entregas, y la primera edición en libro (mayo de 1876) tienen el desenlace original según el cual, tras la muerte de Pepe, Perfecta casa con Jacinto.

---

[77] Respondiendo a la pregunta que le ha hecho Rosario, en la que le pide que confirme que cree en Dios, el protagonista apunta al origen de la maldad que persigue a los personajes. Se trata del mundo de los maldicientes y murmuradores, una idea que señala a don Inocencio, que ha dirigido todo el complot contra Pepe, y a quien los demás han secundado. También en el capítulo V de la segunda parte de *Gloria* el autor se refiere a la murmuración, y a la opinión o voz de la comunidad, como causante del mal que afecta al protagonista.

A partir de la segunda edición (primera edición de La Guirnalda, diciembre de 1876), la novela se ha publicado con un desenlace diferente. Galdós, sin duda, decidió hacer esta modificación debido a las críticas que recibió de los más importantes comentaristas del momento, cuya opinión claramente le importaba.

La primera versión es sin duda excesivamente simple. Muerto el protagonista, y enloquecida su prima y novia, Jacintito casa con doña Perfecta hasta que el día de la matanza, en un accidente doméstico, cae sobre el cuchillo de ensartar y muere. El patetismo y componente melodramático evidente de esta versión no está muy lejos, en realidad, del final de la primera parte de *Gloria,* cuando temiendo que su hija ha tenido contacto íntimo con el judío Daniel Morton, don Juan de Lantigua cae fulminado por un ataque al corazón. El valor alegórico del primer desenlace de 1876 es manifiesto: la España tradicional, representada por Perfecta Rey, no deja libertad a la España rejuvenecida, y acaba con ella.

Más importante que este desenlace es la corrección que Galdós hace para la nueva versión con el desenlace definitivo. Tras la muerte de Pepe, Rosario enloquece y es encerrada en un manicomio; don Inocencio y Perfecta sufren tras comprobar el terrible desenlace a que han llevado sus enredos; y Jacintito marcha a la capital donde busca un destino de prosperidad en el ejercicio de la abogacía. El pesimismo reina en este desenlace en el que los personajes antagonistas, don Inocencio y Perfecta, cargan con la culpa del daño causado.

En la visión del joven abogado Jacinto hay sin duda una actitud de escepticismo similar a la que en las mismas fechas ha de usar para presentar a Juan Verde, el alcalde de Ficóbriga que aparece en la segunda parte de *Gloria*. La diferencia está en que, en la obra futura, Galdós ha de mostrar ese personaje que encarna Jacinto, esto es, el profesional dedicado a su trabajo como fuente de prosperidad, o el ser que se hace a sí mismo, como modelo de la visión positiva de una sociedad en la que la clase media, llena de ambiciones, escala los puestos más importantes de las finanzas, de la política y de la Administración. Ese Jacinto que marcha a la capital para prosperar ante la nueva realidad impuesta por la modernidad, nos ubica ya definitivamente en la estética del Realismo.

Esta edición

Galdós modificó el desenlace original de *Doña Perfecta* al publicar la segunda edición en libro, primera que se publica en la editorial La Guirnalda (véase Jones, págs. 570-573). Además, hizo numerosos cambios menores en el texto en ediciones posteriores. A partir de 1899, el texto se publica «esmeradamente corregido». De las cinco ediciones que siguen, las cuales se publicaron todavía en vida de Galdós, y que pueden considerarse autorizadas sin riesgo de error (no considero fiable la edición de México de 1897, que tiene todo el aspecto de ser edición pirata), la edición de 1902 parece ser la última efectivamente corregida por el autor. Rodolfo Cardona sopesó la idea de que el autor hubiera dictado las correcciones en las ediciones posteriores, tras quedarse ciego. Pero esto, como reconocía también el ilustre galdosista costarricense, es bastente improbable (véase también la tesis doctoral de Ricardo-Gil mencionada en Bibliografía).

Siguiendo el criterio establecido por Cardona, reproduzco aquí el texto de la edición de 1902 (Madrid, Establecimiento y Tipografía de la Viuda e Hijos de Tello, 1902) presentada como «10.ª ed.», aunque es en realidad la duodécima. Se publicó con el motivo habitual de «esmeradamente corregida». Al reproducir su texto, he actualizado la puntuación y he corregido asimismo algunos defectos obvios que aparecían en la edición de Cardona.

Bibliografía

PRINCIPALES EDICIONES DE «DOÑA PERFECTA»

— *Revista de España,* 194-198 (marzo-junio de 1876).
— Madrid, Imp. de J. Noguera, a cargo de M. Martínez, 1876.
— Madrid, Tipografía La Guirnalda, 1876 [1.ª ed. con el desenlace definitivo], con ediciones posteriores, bajo el mismo sello editorial, en 1881, 1883, 1884, 1886, 1891, 1896, 1899 *Obras de Pérez Galdós: Novelas españolas contemporáneas (primera época): «esmeradamente corregida».*
— México, E. Sánchez y Cía., 1897 (probable edición pirata, que, no obstante, aparece recogida en los catálogos internacionales).
— Madrid, Est. Tip. de la Vda. e Hijos de Tello, 1902 («10.ª ed., *esmeradamente corregida»).*
— Madrid, Cosmópoli, 1904.
— Madrid, Perlado, Páez y Compañia, 1905, 1907, 1913, 1919.
— Madrid, Prensa Popular, «La Novela corta», 1917.
— Madrid, Librería y Casa Editorial Hernando, 1922, 1927, 1930, 1951, 1964, 1965, 1966, 1969, 1972, 1975, 1977, 1982, 1985.
— Nueva York, American Book Co. [en español], 1931, 1967.
— Buenos Aires, Editorial Losada, 1942, 1947, 1958.
— México, UNAM, 1958, 1972, 1978.
— México, [Talleres de Edimex], 1958.
— Nueva York, [Dell Pub. Co.] [en español], 1965.

— México, Orión, 1966, 1973.
— México, Editorial Porrúa, 1968, 1971, 1973, 1975, 1977, 1978, 1980, 1981, 1985, 1986, 1991, 1997, 2002, 2003, 2005.
— Madrid, Aguilar, 1970 (incluida en la edición de *Obras completas)* y 14 reediciones posteriores.
— Buenos Aires, Kapelusz, 1972.
— Long Island City (N.Y.), L. A. Publishing Company [en español], 1974.
— Madrid, Anaya, 1974.
— Madrid, Cátedra, 1982, 1983, 1984, 1992, 1993, 1995, 1996, 1997, 2001, 2003, 2005, 2006.
— Madrid, Alianza, 1983, 1985, 1989, 1990, 1996, 1998.
— Madrid, Turner [«Fundación José Antonio de Castro»], 1993, 1994.
— Alcobendas (Madrid), LIBSA, 2000.
— Madrid, Edimat Libros, 2000.
— Madrid, Rueda Ediciones, 2001.
— Madrid, Espasa, 2003.
— Santa Fe (Argentina), El Cid Editor, 2003.
— Barcelona, De Bolsillo, 2004.
— Buenos Aires, Stockcero, 2004.
— Newark (Del.), Linguatext, Cervantes & Co. [European Masterpieces], 2004.
— Madrid, Akal Ediciones, 2006.
— México, Trillas, 2007, 2009.
— Madrid, Fundamentos, 2009.
— Barcelona, Juventud, 2011.
— Barcelona, Penguin Clásicos, 2015.

TEATRO, VÍDEO, VIDEORECORDING, CINE, RECURSOS DE INTERNET [TEXTOS ORIGINALES]

— Madrid, adaptación teatral del autor, estrenada el 28 de enero de 1896, Teatro Español de Madrid, con María Tubau como actriz principal.

— México, versión cinematográfica de Günther Gerzso, dirigida por Alejandro Galindo con Dolores del Río.
— Nueva York, Insight Media [vídeo], 1951.
— [Madrid], Escelicer, 1973.
— [Madrid], versión cinematográfica y dirección de César Fernández Ardavín, con Julia Gutiérrez Caba y José Luis López Vázquez en los papeles estelares, 1977.
— Canadá, Videosueños, 2002.
— Cozumel Films, 2003.
— Project Gutenberg, 2006.
— Madrid, Centro Dramático Nacional con dirección de Ernesto Caballero, 2012.

Traducciones (selección)

Alemán

— Dresde, E. Pierson, 1880, 1903.
— Berlín, Aufbau Verlag, 1963, 1974, [Taschenbuch], 1998.
— Múnich, Winkler, 1989.
— Frankfurt am Main, Fischer-Taschenbuch Verlag, 1992.
— Augsburg, Weltbild, 2004.

Árabe

— Tánger, Litograf, 2013.

Bielorruso

— Minsk, Literatura Narrativa «Dnieper», 1978.

Búlgaro

— Sofía, Narodna Kultura, 1985.

Chino (lenguas chinas)

— Pekín, Shang wu yin shu guan, 1963.
— Pekín, Ren min wen xue chu ban she, 1996.
— [Heilongjiang Heilongjiang People's], 1996.
— Shanghai, Shanghai Yiwen Chubanshe, 2002, 2003.
— Hebei sheng, Huashan Wenyi Chubanshe, 2005.

Croata

— Zagreb, Zora, 1952.

Checo

— Praga, Mladá fronta, 1959.

Danés

— Copenhague, Priors, 1895.

Eslovaco

— Bratislava, Slovenské vyd-vo krásnej literatúry, 1959.

Esperanto

— Moscú, Enseñanza Superior, 1964.

Francés

— París, E. Giraud, 1885.
— París, Les Éditeurs Français Réunis, 1963.

Hebreo

— Tel Aviv, Am Oved, 2013.

Holandés

— Leiden, Brill, 1883.

Húngaro

— Budapest, Európa könyvkiadó, 1958.

Inglés

— Londres [Tinsley and Co.], 1880 [con el título: *Doña Perfecta, a tale of modern Spain]*.
— Nueva York, Harper [Translation Pub. Co.], 1885, 1895, 1896, 1923.
— Whitefish, Kessinger Publishing,1896.
— Nueva York, American Book Company, 1903.
— Nueva York, P. F. Collier & Son, 1910, 1981.
— Boston y Londres, Ginn & Co., 1897, 1919, 1925, 1950.
— Boston, D. C. Heath and Company 1940.
— Woodbury (N.Y.), Barron's Educational Series, 1960.
— Londres, Phoenix House, 1999.
— Wickford (RI), North Books, 2004.
— Teddington, Echo Library, 2006.
— Oxford; Oakville, Oxbow Books, 2009.

Italiano

— Atripalda (Avellino), Mephite, 2011.

Japonés

— Tokio, Gendaikikakushitsu Pub., 2015.

Polaco

— Varsovia, «Ksiazka i Wiedza», 1952.

Rumano

— Bucarest, Leda, 2005.

Ruso

— Moscú, Judozestvennoj literatury, 1956.

Serbio

— Belgrado, Clio, 2007.

Sueco

— Estocolmo, [sp], 1893.
— Estocolmo, 1916.

Bibliografía sobre «Doña Perfecta»

Alarcón, Pedro A. de, *Obras completas,* Madrid, Fax, 1943.
Alas, Leopoldo, «Clarín», *Galdós,* Madrid, Renacimiento, 1912.
— *Galdós, novelista,* Barcelona, PPU, 1991.
— *Obras completas,* Oviedo, Nobel, 2004, 13 vols.

ALFARO, Gustavo, «Religious Symbolism in Galdos' *Doña Perfecta:* Pepe Rey's Passion», *RHM,* 14 (1980), págs. 75-83.

ÁLVAREZ, Raúl, «Ideologización del espacio en *Doña Perfecta* y *Aves sin nido:* la oposición campo-ciudad», *Decimonónica,* 1 (2004), págs. 1-15.

Anales galdosianos, XI (1976), número especial dedicado a *Doña Perfecta.*

APARICI LLANAS, M.ª Pilar, *Las novelas de tesis de Benito Pérez Galdós,* Barcelona, CSIC, 1982.

BEYRIE, Jacques, *Galdós et son mythe,* Lille, Atelier de Reproduction des Thèses de l'Université de Lille III, 1980, 3 vols.

BLAKE, Thomas, «Maternity, Morality, and Metaphor: Galdós's *Doña Perfecta,* Lorca's *The House of Bernarda Alba,* and Andalusian Culture», en Mark J. Bruhn (ed. e introd.), Donald R. Wehrs (ed. y epílogo), *Cognition, Literature, and History,* Nueva York, Routledge, 2014, págs. 115-133.

BLANQUAT, Josette, «De l'histoire au roman: *Doña Perfecta,* approche méthodologique», *Actes du Sixième Congrès National des Hispanistes Français de l'Enseignement Supérieur. Annales Littéraires de l'Université de Besançon,* 126 (1971), págs. 59-71.

BRENDLER, Andrea, «Zur relativierenden Funktion von Nachnamen bei Benito Pérez Galdós, Teil 1: Der Nachname Tinieblas in *Doña Perfecta*», *Zunamen,* 1 (2006), págs. 112-118.

BUARD, Marie, «Les rapports ville-campagne dans *Doña Perfecta*», en Anne-Marie Couland-Maganuco (biog.), *Hommage à Louise Bertrand (1921-1979): Etudes ibériques et latino-américaines,* París, Belles Lettres, 1983, págs. 65-85.

BUCK, Donald, «Geographical Places, Architectural Spaces, and Gender in *Doña Perfecta*», *RLA,* 6 (1994), págs. 417-421.

CARDONA, R., «El manuscrito de *Doña Perfecta:* una descripción preliminar», *AG,* XI (1976), págs. 9-13.

CARDWELL, Richard, «Galdós' *Doña Perfecta:* Art or Argument», *AG,* 7 (1972), págs. 29-47.

CASALDUERO, Joaquín, *Vida y obra de Galdós,* Madrid, Gredos, 1951.

CHAMBERLIN, Vernon, «A Soviet Introduction to *Doña Perfecta* (1964)», *AG,* 10 (1975), pág. 63.

— «*Doña Perfecta:* Galdós' Reply to *Pepita Jiménez*», *AG,* 15 (1980), págs. 11-21.
— «Profaning the Religious: Two Nicknames in *Doña Perfecta*», *AG,* 40-41 (2005-2006), págs. 11-16.
CORREA, Gustavo, *El simbolismo religioso en las novelas de Pérez Galdós,* Madrid, Gredos, 1962.
— *Realidad, ficción y símbolo en las novelas de Pérez Galdós,* Madrid, Gredos, 1967.
DENDLE, Brian J., *The Spanish Novel of Religious Thesis, 1876-1936,* Princeton University Press, 1968.
— «Orbajosa Revisited, or the Complexities of Interpretation», *AG,* 27 (1992-1993), págs. 51-67.
DORCA, Toni, *Volverás a la región: El cronotopo idílico en la novela española del siglo XIX,* Madrid-Frankfurt, Iberoamericana, Vervuert, 2004.
ESTÉBANEZ CALDERÓN, Demetrio, «*Doña Perfecta* de B. P. Galdós, como novela de tesis», *BBMP* (1979), págs. 107-146.
FONTANELLA, Lee, «*Doña Perfecta* as historiographic lesson», *AG,* XI (1976), págs. 59-69.
FOX, Linda, «Power in the Family and Beyond: Doña Perfecta and Bernarda Alba as Manipulators of Their Destinies», *Hispania,* 29 (1985), págs. 57-65.
GABRIELE, John P., «The Etiology of Sin and Evil in *Doña Perfecta*», *Monographic Review,* 18 (2002), págs. 44-58.
GARZA, Efraín, «*Doña Perfecta:* la denegación de la modernidad en Orbajosa», *Espéculo,* 41 (2009), sp.
GILMAN, S., «Novel and Society: *Doña Perfecta*», *AG,* XI (1976), págs. 15-27.
— *Galdós and the Art of the European Novel,* Princeton University Press, 1984.
GINER DE LOS RÍOS, Francisco, *Obras completas,* Madrid, La Lectura, 1916, 13 vols.
GOLD, Hazel, *The Reframing of Realism,* Durham, Duke University Press, 1993.
GONZÁLEZ BLANCO, Andrés, *Historia de la novela en España, desde el Romanticismo a nuestros días,* Madrid, Sáenz de Jubera, 1909.
GONZÁLEZ SANTANA, Rosa, «Orbajosa, el laberinto de las furias», *Philologia Canariensia,* 1 (1995), págs. 105-123.

González Serrano, Urbano, «*Doña Perfecta*», en *Ensayos de crítica y filosofía,* Madrid, Fernando Fe, 1881.
— *Cuestiones contemporáneas,* Madrid, Tip. Hernández, 1883.
Gramley, Judith, «Adapting the Novel into Film. The Case of Galdós' *Doña Perfecta*», *ACLE,* 1 (1995), págs. 29-37.
Gullón, Germán, «Sustituyendo el azogue del espejo», en P. Bly (ed.), *Galdós y la historia,* Ottawa, Dovehouse, 1988, págs. 131-144.
— *La novela del XIX,* Ámsterdam, Rodopi, 1990.
— «La obra como texto vivo: *Doña Perfecta,* de la novela (1876) al drama (1896)», *AG,* 36 (2001), págs. 155-66.
Gullón, Ricardo, «*Doña Perfecta,* invención y mito», *CHA,* 250 (1970), págs. 393-414.
— *Técnicas de Galdós,* Madrid, Taurus, 1970.
Hall, J. B., «Galdós' Use of the Christ Symbol in *Doña Perfecta*», *AG,* 8 (1973), págs. 95-98.
Higuero, Francisco Javier, «El discurso de lo silenciado en *Doña Perfecta*», *Moentarabi,* 22 (1996), págs. 23-40.
Jones, C. A., «Galdós' Second Thoughts on *Doña Perfecta*», *MLR,* 54 (1959), págs. 570-573.
Laraway, David, «Property and Propriety in Galdós's *Doña Perfecta*», *RQ,* 48 (primavera de 2001), págs. 89-99.
López, Ignacio Javier, *Realismo y ficción,* Barcelona, PPU, 1989.
— *La novela ideológica, 1875-1880. La literatura de ideas en la España de la Restauración,* Madrid, Eds. de la Torre, 2014.
López Morillas, Juan, *El krausismo español. Historia de una aventura intelectual,* Madrid, FCE, 1980.
Lowe, Jennifer, «Theme, Imagery and Dramatic Irony in *Doña Perfecta*», *AG,* 4 (1969), págs. 49-53.
Manrique Gómez, María, «*Doña Perfecta* de Galdós: La representación del conflicto identitario de la sociedad española», *Espéculo,* 41 (2009), sp.
Montes Doncel, R. E., «Variaciones de un tema novelesco: *Doña Perfecta* de Galdós y *El intruso* de Blasco Ibáñez», *RHM,* 58 (2005), págs. 39-59.
Montesinos, José F., *Galdós,* Madrid, Castalia, 1980, 3 vols.
Navarro, José, «Estructura textual y perspectiva narrativa en *Doña Perfecta*», *Actas del Tercer Congreso Internacional de Es-*

tudios Galdosianos, Las Palmas, Excmo. Cabildo Insular de Gran Canaria, 1990, vol. II, págs. 113-122.

O'KANE, Eleanor, «A note on the *lengua popular* of *Doña Perfecta*», *AG,* XI (1976), págs. 79-80.

OLEZA, Joan, «La génesis del Realismo y la novela de tesis», en Víctor García de la Concha (dir.) y Leonardo Romero Tobar (ed.), *Historia de la literatura española: El Siglo XIX (2),* Madrid, Espasa, 1988, págs. 410-436.

ORTIZ ARMENGOL, Pedro, *Vida de Galdós,* Barcelona, Crítica, 2000.

PATTISON, Walter, *El Naturalismo español. Historia externa de un movimiento literario,* Madrid, Gredos, 1965.

PENUEL, Arnold, «The problem of ambiguity in Galdós' *Doña Perfecta*», *AG,* XI (1976), págs. 71-81.

— «Narcissism in *Doña Perfecta*», *Hispania,* 62 (1979), págs. 282-288.

PERCIVAL, Anthony, *Galdós and His Critics,* Toronto, University of Toronto Press, 1985.

PÉREZ GALDÓS, Benito, *Obras completas,* Madrid, Aguilar, 1975, 3 vols.

— *Rosalía,* Madrid, Cátedra, 1983.

— *Gloria,* Madrid, Cátedra, 2011.

POPE, Randolph, «Cambio, progreso y transformación. Releyendo *Doña Perfecta* de Galdós», *ALEC,* 38 (2013), págs. 277-292.

RÀFOLS, Wifred de, «Lies, Irony, Satire, and the Parody of Ideology in *Doña Perfecta*», *HR,* 64 (1996), págs. 467-489.

— «The House of *Doña Perfecta*», *AG,* 34 (1999), págs. 41-60.

REVILLA, Manuel de la, *Obras,* Madrid, Imp. Central de V. Saiz, 1883.

— *Críticas,* Burgos, Imp. Arnaiz, 1885, 2 vols.

RIBBANS, Geoffrey, «*Doña Perfecta.* Yet Another Ending», *MLN,* 105 (1990), págs. 203-225.

— y VAREY, John E., *Dos novelas de Galdós: «Doña Perfecta», y «Fortunata y Jacinta»,* Madrid, Castalia, 1988.

RICARDO-GIL, José, *El Manuscrito de «Doña Perfecta», de Benito Pérez Galdós: A Transcription with a Critical Study (Volumes I and II),* Ann Arbor, Dissertation Abstracts International, 1985.

RODGERS, Eamonn, *From Enlightenment to Realism. The Novels of Galdós,* Dublín, sp, 1987.

Rubio González, Lorenzo, «Consideraciones sobre *Doña Perfecta*», en Nicasio Salvador Miguel (ed.), *Letras de la España contemporánea: Homenaje a José Luis Varela*, Alcalá de Henares, Centro de Estudios Cervantinos, 1995, págs. 309-318.

Ruiz, Celestino, «*Doña Perfecta:* Intento de la nueva estética literaria krausista», *Cuadernos Aldedeu*, 4 (1988), págs. 77-84.

Rugg, Marylin D., «The Women of Orbajosa: Patriarchy as the Definitive Ideology in Galdós' *Doña Perfecta*», *Mediterranean Studies*, 16 (2007), págs. 191-223.

Sánchez, Roberto G., «Las Troyas: Un episodio en *Doña Perfecta* que anuncia el posterior Galdós», en Benito Brancaforte *et. al.* (eds.) *Homenaje a Antonio Sánchez Barbudo: Ensayos de literatura española moderna*, Madison, University of Wisconsin, Department of Spanish and Portuguese, 1981, págs. 51-59.

Santana, Mario, «The Conflict of Narratives in Pérez Galdós' *Doña Perfecta*», *MLN*, 113 (1998), págs. 283-304.

Santiago Miras, M. Ángeles, «El determinismo ambiental en *Doña Perfecta*, de Benito Pérez Galdós», *Espéculo*, 22 (2002-2003), s.p.

Selgas, José, «El Realismo», *Revista Hispano-Americana*, 2 (1881), págs. 594-600.

Sierra, Sarah, «The Anthropological Effect: Cultural Hierarchies and Nationalization in Pérez Galdós' *Doña Perfecta*», *Neophilologus*, 95 (2011), págs. 565-577.

— «Moros y cristianos: Performing Ideological Dissent in Benito Pérez Galdós' *Doña Perfecta*», *Hispanófila*, 165 (2012), págs. 31-50.

Sinnigen, John, *Benito Pérez Galdós en el cine mexicano*, México, UNAM, 2008.

— «*Doña Perfecta:* Política, sexo y literatura en dos restauraciones borbónicas», *Confluencia*, 30 (2015), págs. 136-148.

Truel, Juana, «La huella de *Eugenie Grandet* en *Doña Perfecta*», *Sin Nombre*, 7 (1976), págs. 105-115.

Tsurinov, K. V., «Benito Pérez Galdós and his novel *Doña Perfecta*», *AG*, 10 (1975), págs. 64-81.

Turner, Harriet S., «The Shape of Deception in *Doña Perfecta*», *RQ*, 31 (1984), págs. 125-134.

VARELA, Juan, *Discursos académicos*, Madrid, Imp. Alemana [1905], 2 vols.
— *Obras completas*, Madrid, Aguilar, 1958, 3 vols.
— *Continuación de la H.ª General de España de Modesto Lafuente*, Pamplona, Urgoiti, 2004.
VAREY, John, *Pérez Galdós. Doña Perfecta*, Londres, Grant & Cutler, 1992.
VILLARMINIO, S. de, *La novela de Luis*, véase López, Ignacio Javier, *Revolución, Restauración y novela ideológica.*
WEBER, Robert J., «Galdós and Orbajosa», *HR*, 31 (1963), págs. 348-349.
WOODBRIDGE, H., «A selective annotated bibliography of *Doña Perfecta*», *AG*, XI (1976), págs. 91-100.
WRIGHT, Chad C., «La conversación de la gente de Orbajosa», *RLA* (1989), págs. 645-652.
— «Un millón de ojos: visión, vigilancia y encierro en *Doña Perfecta*», en John W. Kronik y Harriet S. Turner (eds.), *Textos y contextos de Galdós*, Madrid, Castalia, 1994, págs. 151-156.
ZAHAREAS, Anthony, «Galdós' *Doña Perfecta:* fiction, history and ideology», *AG*, XI (1976), págs. 39-58.
— «*Doña Perfecta* and Galdós's Aesthetic Solutions to Historical Problems», *AG*, 36 (2001), págs. 319-330.
ZAVALA, Iris M., *Ideología y política en la novela española del siglo XIX*, Salamanca, Anaya, 1971.

Doña Perfecta

DOÑA PERFECTA

NOVELA ORIGINAL

POR

B. PEREZ GALDÓS

MADRID

1876

IMP. DE J. NOGUERA, A CARGO DE M. MARTINEZ

calle de Bordadores, núm. 7

Primera edición de *Doña Perfecta,* publicada en Madrid por Noguera, que era también el impresor de la *Revista de España,* la revista en que apareció por entregas la primera versión de la novela.

I

¡Villahorrenda!... ¡Cinco minutos!...

Cuando el tren mixto descendente[1] núm. 65 (no es preciso nombrar la línea) se detuvo en la pequeña estación situada entre los kilómetros 171 y 172, casi todos los viajeros de segunda y tercera clase se quedaron durmiendo o bostezando dentro de los coches, porque el frío penetrante de la madrugada no convidaba a pasear por el desamparado andén. El único viajero de primera que en el tren venía, bajó apresuradamente, y dirigiéndose a los empleados, preguntoles si aquel era el apeadero de Villahorrenda. (Este nombre, como otros muchos que después se verán, es propiedad del autor).

—En Villahorrenda estamos —repuso el conductor[2], cuya voz se confundía con el cacarear de las gallinas que en

[1] *tren mixto:* el que transporta pasaje y mercancía; *tren descendente:* el que se dirige de Madrid a la costa. El tren «descendente» se aleja de la ciudad y entra en el mundo rural. Tema central de la novela ideológica, género a que pertenece *Doña Perfecta,* es la diferencia que existe entre la ciudad y el campo (véanse los estudios de Álvarez y Buard, citados en la Bibliografía), esto es, entre cultura y modernidad, por un lado, frente a la ignorancia y el atraso que reinaban en el mundo rural. La diferencia no es económica, sino fundamentalmente cultural, política y, en esta novela, moral. Motivo dominante en el argumento de esta novela, y de todo el género, será la visita al lugar rural de un extraño o el regreso de un nativo tras una larga ausencia.

[2] *conductor:* aquí se usa, no en el sentido contemporáneo de quien conduce el tren, sino en el sentido original, que aún se conserva en inglés,

aquel momento eran subidas al furgón—. Se me había olvidado llamarle a usted señor de Rey. Creo que ahí le esperan con las caballerías.

—¡Pero hace aquí un frío de tres mil demonios! —dijo el viajero envolviéndose en su manta—. ¿No hay en el apeadero algún sitio donde descansar y reponerse antes de emprender un viaje a caballo por este país de hielo?

No había concluido de hablar, cuando el conductor, llamado por las apremiantes obligaciones de su oficio, marchose, dejando a nuestro desconocido caballero con la palabra en la boca. Vio este que se acercaba otro empleado con un farol pendiente de la derecha mano, el cual movíase al compás de la marcha, proyectando geométrica serie de ondulaciones luminosas. La luz caía sobre el piso del andén, formando un zigzag semejante al que describe la lluvia de una regadera.

—¿Hay fonda o dormitorio en la estación de Villahorrenda? —preguntó el viajero al del farol.

—Aquí no hay nada —respondió este secamente, corriendo hacia los que cargaban y echándoles tal rociada de votos, juramentos, blasfemias y atroces invocaciones que hasta las gallinas, escandalizadas de tan grosera brutalidad, murmuraron dentro de sus cestas.

—Lo mejor será salir de aquí a toda prisa —dijo el caballero para su capote—. El conductor me anunció que ahí estaban las caballerías.

Esto pensaba, cuando sintió que una sutil y respetuosa mano le tiraba suavemente del abrigo. Volviose y vio una oscura masa de paño pardo sobre sí misma revuelta, y por cuyo principal pliegue asomaba el avellanado rostro astuto de un labriego castellano. Fijose en la desgarbada estatura que recordaba al chopo entre los vegetales; vio los sagaces

---

de encargado de vagón, revisor o cobrador; cuando se publica *Doña Perfecta,* el «conductor» (en el sentido en que se usa el vocablo hoy, esto es, quien opera el tren), era denominado «ingeniero».

ojos que bajo el ala de ancho sombrero de terciopelo raído resplandecían; vio la mano morena y acerada que empuñaba una vara verde, y el ancho pie que, al moverse, hacía sonajear el hierro de la espuela.

—¿Es usted el señor don José de Rey? —preguntó echando mano al sombrero.

—Sí; y usted —repuso el caballero con alegría— será el criado de doña Perfecta que viene a buscarme a este apeadero para conducirme a Orbajosa[3].

—El mismo. Cuando usted guste marchar... La jaca corre como el viento. Me parece que el señor don José ha de ser buen jinete. Verdad es que a quien de casta le viene[4]...

—¿Por dónde se sale? —dijo el viajero con impaciencia—. Vamos, vámonos de aquí, señor... ¿Cómo se llama usted?

—Me llamo Pedro Lucas —respondió el del paño pardo, repitiendo la intención de quitarse el sombrero— pero me llaman el tío Licurgo[5]. ¿En dónde está el equipaje del señorito?

---

[3] *Orbajosa:* primera mención del pueblo que doña Perfecta rige como cacique local. Se ha dicho reiteradamente, y no sin razón, que el pueblo adquiere el valor de un personaje colectivo. Galdós sin duda jugó con la ironía del nombre, por un lado deformación del anterior *Urbs augusta,* esto es, indicación de la grandeza pasada y ya ida; por otro, nombre de la nueva realidad de un país miserable y empobrecido, que destaca en la producción de ajos —palabra que está contenida en el nombre de la ciudad—, esto es, un alimento considerado poco refinado e, incluso, vulgar.

[4] *De casta le viene al galgo tener el rabo largo:* expresión con que se vinculan los méritos o cualidades de alguien con su familia, sus antepasados o sus progenitores, de quienes el sujeto se considera digno heredero. Como algunos de los refranes que el labriego pronuncia a continuación, este hace hincapié en la identidad de Pepe Rey con su familia; la novela, en cambio, se desarrolla poniendo de manifiesto las diferencias entre el joven ciudadano y la tenebrosa realidad rural en que vive su tía.

[5] *Licurgo:* legendario legislador de Esparta. Puesto que el personaje anda todo el día pleiteando con los demás, el sobrenombre tiene un marcado toque chusco, acorde con la benévola ironía galdosiana.

—Allí bajo el reloj lo veo. Son tres bultos. Dos maletas y un mundo[6] de libros para el señor don Cayetano. Tome usted el talón.

Un momento después señor y escudero[7] hallábanse a espaldas de la barraca[8] llamada estación, frente a un caminejo que, partiendo de allí, se perdía en las vecinas lomas desnudas, donde confusamente se distinguía el miserable caserío de Villahorrenda. Tres caballerías debían transportar todo, hombres y mundos. Una jaca de no mala estampa era destinada al caballero. El tío Licurgo oprimiría los lomos de un cuartago[9] venerable, algo desvencijado aunque seguro, y el macho[10] cuyo freno debía regir un joven zagal de piernas listas y fogosa sangre, cargaría el equipaje.

Antes de que la caravana se pusiese en movimiento, partió el tren, que se iba escurriendo por la vía con la parsimoniosa cachaza[11] de un tren mixto. Sus pasos, retumbando cada vez más lejanos, producían ecos profundos bajo tierra. Al entrar en el túnel del kilómetro 172, lanzó el vapor por el silbato, y un aullido estrepitoso resonó en los aires. El túnel, echando por su negra boca un hálito blanquecino, clamoreaba como una trompeta; al oír su enorme voz, despertaban aldeas, villas, ciudades, provincias[12].

---

[6] *baúl mundo:* baúl amplio y de mucho fondo.

[7] Ricardo Gullón destacó de qué modo el *Quijote* sirve de intertexto a esta novela de Galdós (*Técnicas de Galdós,* págs. 41-45). A imitación del hidalgo manchego, Pepe, el protagonista galdosiano, inicia aquí su primera salida; véase, además, nuestra introducción, págs. 114-130.

[8] *barraca:* caseta de construcción elemental y tosca.

[9] *cuartago:* caballo o jaca de estatura pequeña.

[10] *macho:* mulo.

[11] *cachaza:* lentitud, parsimonia.

[12] En el siglo XIX el tren es el emblema de una modernidad que a pasos acelerados arrincona el mundo antiguo, y acaba con los usos y fervores del pasado. No solo acerca poblaciones o lugares antes remotos o aislados. Desde la generación anterior a Galdós, el tren representa el imparable impulso civilizador que despierta las comunidades rurales sumiendo a estas en una actividad económica nueva. Es, también, el motor del

Aquí cantaba un gallo, más allá otro. Principiaba a amanecer.

---

cambio de mentalidades, de la circulación de ideas nuevas que se imponen con la fuerza del progreso (véase, P. A. de Alarcón, «Un viaje a Toledo», *OC*, pág. 1186). En este caso, no obstante, la metáfora es ambigua y anticipa el conflicto venidero: por un lado, el tren se adentra en un túnel, dando idea de que ese impulso moderno se amortigua o es momentáneamente acallado o vencido; por otro, empieza a amanecer en los pueblos del área. Como sagazmente advirtiera Jennifer Lowe («Theme», pág. 52), el apeadero del tren queda lejos de Orbajosa, de modo que la ciudad a que se dirige el protagonista está todavía aislada del aliento modernizador del siglo.

II

Un viaje por el corazón de España[13]

Cuando, empezada la caminata, dejaron a un lado las casuchas de Villahorrenda, el caballero, que era joven y de muy buen ver, habló de este modo:

—Dígame usted, señor Solón...

—Licurgo, para servir a usted.

—Eso es, señor Licurgo. Bien decía yo que era usted un sabio legislador de la antigüedad. Perdone usted la equivocación. Pero vamos al caso. Dígame usted ¿cómo está mi señora tía?

---

[13] *El corazón de España:* según se dijo en la introducción, en la novela ideológica los autores ofrecen retratos «morales», abstractos, de la realidad española. Esta visión no pretende ser reproducción exacta, o fotográfica, de la realidad; esto es, no estamos ante «un espejo tendido sobre el camino», para seguir la conocida fórmula de Stendhal. Los autores ofrecen, en cambio, una interpretación o visión idealizada de la esencia del país, la representación de su «corazón». En el párrafo inicial de *Gloria* el narrador ofrece un caso similar: «Ficóbriga [...] no debe buscarse en la geografía, sino en el mapa moral de España, donde yo la he visto» *(Gloria,* Madrid, Cátedra, 2011, pág. 167 y nota). Se ha dicho, además, que el autor usa la fórmula que aparece en los relatos de viajeros a lugares remotos (por ejemplo, «al corazón de África»; Dendle, «Orbajosa Revisited», pág. 56) lo cual añade relieve a la visión del campo y de las zonas rurales del país como una realidad tan ajena y desconocida como las geografías exóticas de otros continentes.

—Siempre tan guapa —repuso el labriego, adelantando algunos pasos su caballería—. Parece que no pasan años por la señora doña Perfecta. Bien dicen que al bueno Dios le da larga vida[14]. Así viviera mil años ese ángel del Señor. Si las bendiciones que le echan en la tierra fueran plumas, la señora no necesitaría más alas para subir al cielo.

—¿Y mi prima la señorita Rosario?

—¡Bien haya quien a los suyos parece![15]. ¿Qué he de decirle de doña Rosarito, sino que es el vivo retrato de su madre? Buena prenda se lleva usted caballero don José, si es verdad, como dicen, que ha venido para casarse con ella. Tal para cual, y la niña no tiene tampoco por qué quejarse. Poco va de Pedro a Pedro[16].

—¿Y el señor don Cayetano?

—Siempre metidillo en la faena de sus libros. Tiene una biblioteca más grande que la catedral, y también escarba la

---

[14] Expresión que procede de la Biblia donde Dios dice que, al justo, «lo haré disfrutar de una larga vida: / lo haré gozar de mi salvación» (Salmos, 91, 14-16). En 1874 Galdós se había servido de los Salmos bíblicos en la primera parte de *Gloria*. Esta fuente pudo haberla recibido como inspiración al leer *Pepita Jiménez*, pues Juan Valera se sirve igualmente de proverbios bíblicos para desarrollar la psicología de don Luis de Vargas. Esto vendría a corroborar la idea propuesta inicialmente por Seymour Chatman, y formulada por Vernon Chamberlin («Galdós' Reply», págs. 13-20), según la cual Galdós se había inspirado en *Pepita Jiménez* para escribir su novela, pese a que, como quedó establecido en la introducción, *Doña Perfecta* contiene una visión crítica, o visión en negativo, del panfilismo valeriano.

[15] En su forma habitual, el refrán español dice *Quien a los suyos parece, honra merece;* nuevamente, el labriego alude a la identidad de creencias que se asume entre el personaje y los miembros de su familia (véase nota 4).

[16] *Poco va de Pedro a Pedro:* la expresión habitual *(Algo va de Pedro a Pedro* o *Mucho va de Pedro a Pedro)* pone énfasis en la diferencia entre lo que en apariencia es similar, pero resulta disímil o diferente; el personaje galdosiano, en cambio, destaca las bondades comunes entre los primos, Pepe Rey y Rosario Polentinos, reiterando una vez más la importancia de la identidad que se asume entre el protagonista y los miembros de su familia.

tierra para buscar piedras llenas de unos demonches de garabatos que dicen escribieron los moros[17].

—¿En cuánto tiempo llegaremos a Orbajosa?

—A las nueve, si Dios quiere. Poco contenta se va a poner la señora cuando vea a su sobrino... ¿Y la señorita Rosarito que estaba ayer disponiendo el cuarto en que usted ha de vivir...? Como no le han visto nunca, la madre y la hija están que no viven, pensando en cómo será este señor don José. Ya llegó el tiempo de que callen cartas y hablen barbas[18]. La prima verá al primo, y todo será fiesta y gloria. Amanecerá Dios y medraremos[19].

---

[17] Galdós representa en varias ocasiones este saber acumulativo, que el devenir de la historia y la nueva experiencia iban convirtiendo en inútil, y que consiste en acopiar conocimientos eruditos sobre un pasado muerto. Tal es el caso de don Juan de Lantigua, el hierático padre de Gloria, que aparece siempre entregado a la tarea de copiar y glosar los saberes heredados en un trabajo que es a la vez improductivo e incesante. Por su saber inerte, don Cayetano contrasta con el conocimiento innovador, basado en la experiencia, que aporta el protagonista. Erudición frente a opinión. Los escritores fueron conscientes del cambio que se había operado en la experiencia de los ciudadanos del XIX en los años que median entre las dos revoluciones, cuando se difunde el saber entre grandes grupos de población. Esto trajo consigo una relativización de la autoridad, y una visión de la historia como un conocimiento estrafalario e inútil. Piénsese, por ejemplo, en la ridícula presentación de Saturnino Bermúdez y su enciclopedia de Vetusta, en *La Regenta*. Valera anotó la importancia de este cambio en las formas de saber indicando que este se había extendido a grandes capas de la población, pero esta extensión había dado paso a una nueva forma de conocimiento caracterizada por «una falta de respeto a la autoridad» *(Discursos académicos,* vol. 1, págs. 9-10).

[18] *Callen barbas y hablen cartas:* refrán que se usa para indicar que no son necesarias demostraciones suplementarias, siendo preciso contrastar la evidencia que muestran los documentos o la realidad. Nuevamente Galdós, por boca de su personaje Licurgo, modifica el refrán para ajustarlo a la realidad narrativa.

[19] *Amanecerá Dios y medraremos:* este refrán, que se encuentra en textos anteriores de la literatura española (por ejemplo, *Quijote,* II, 14), equivale a otros como *Mañana, Dios dirá* o *Lo que sea, se verá;* esto es, que la resolución de algo queda para el futuro próximo.

—Como mi tía y mi prima no me conocen todavía —dijo sonriendo el caballero—, no es prudente hacer proyectos.

—Verdad es; por eso se dijo que uno piensa el bayo y otro el que lo ensilla[20] —repuso el labriego—. Pero la cara no engaña... ¡Qué alhaja se lleva usted! ¡Y qué buen mozo ella!

El caballero no oyó las últimas palabras del tío Licurgo, porque iba distraído y algo meditabundo. Llegaban a un recodo del camino, cuando el labriego, torciendo la dirección a las caballerías, dijo:

—Ahora tenemos que echar por esta vereda. El puente está roto y no se puede vadear el río sino por el Cerrillo de los Lirios.

—¡El Cerrillo de los Lirios! —dijo el caballero, saliendo de su meditación—. ¡Cómo abundan los nombres poéticos en estos sitios tan feos! Desde que viajo por estas tierras, me sorprende la horrible ironía de los nombres[21]. Tal sitio que se distingue por su árido aspecto y la desolada tristeza del negro paisaje, se llama *Valleameno*. Tal villorrio de adobes que miserablemente se extiende sobre un llano estéril y que de diversos modos pregona su pobreza, tiene la insolencia de nombrarse *Villarrica;* y hay un barranco pedregoso y pol-

---

[20] *uno piensa el bayo y otro el que lo ensilla:* una cosa piensa quien toma las decisiones, otra quienes tienen que acatarlas. Se usa preferentemente para hablar de las decisiones matrimoniales impuestas a los hijos. El sentido da a entender aquí la posible diferencia de parecer entre los designios de los padres, respecto al matrimonio de los primos, y el parecer de los hijos; *bayo:* caballo de pelo claro, blancuzco, tirando a pajizo.

[21] *la horrible ironía de los nombres:* en la introducción se destacó de qué modo esta conciencia que el protagonista tiene de la ironía con que el lenguaje influye en la percepción de la realidad. El idealismo anterior a la revolución había hablado de una realidad dócil, dispuesta a la acción transformadora del hombre. Pero la realidad no está desnuda, sino vestida con un lenguaje que ha sido heredado de la historia, y ha de rebelarse contra los esfuerzos del protagonista. Sobre la ironía en esta novela, véanse los trabajos de Germán Gullón («Azogue»), Harriet Turner y Wilfred de Ràfols citados en la Bibliografía.

voriento, donde ni los cardos encuentran jugo, y que sin embargo se llama *Valdeflores*. ¿Eso que tenemos delante es el *Cerrillo de los Lirios?* Pero ¿dónde están esos lirios, hombre de Dios? Yo no veo más que piedras y yerba descolorida. Llamen a eso el *Cerrillo de la Desolación* y hablarán a derechas. Exceptuando *Villahorrenda,* que parece ha recibido al mismo tiempo el nombre y la hechura, todo aquí es ironía. Palabras hermosas, realidad prosaica y miserable. Los ciegos serían felices en este país, que para la lengua es paraíso y para los ojos infierno.

El señor Licurgo, o no entendió las palabras del caballero Rey, o no hizo caso de ellas. Cuando vadearon el río, que turbio y revuelto corría con impaciente precipitación, como si huyera de sus propias orillas, el labriego extendió el brazo hacia unas tierras que a la siniestra mano en grande y desnuda extensión se veían, y dijo:

—Estos son los *Alamillos de Bustamante*.

—¡Mis tierras! —exclamó con júbilo el caballero, tendiendo la vista por el triste campo que alumbraban las primeras luces de la mañana—. Es la primera vez que veo el patrimonio que heredé de mi madre. La pobre hacía tales ponderaciones de este país, y me contaba tantas maravillas de él, que yo, siendo niño, creía que estar aquí era estar en la gloria. Frutas, flores, caza mayor y menor, montes, lagos, ríos, poéticos arroyos, oteros pastoriles, todo lo había en los *Alamillos de Bustamante,* en esta tierra bendita, la mejor y más hermosa de todas las tierras... ¡Qué demonio! La gente de este país vive con la imaginación. Si en mi niñez, y cuando vivía con las ideas y con el entusiasmo de mi buena madre, me hubieran traído aquí, también me habrían parecido encantadores estos desnudos cerros, estos llanos polvorientos o encharcados, estas vetustas casas de labor, estas norias desvencijadas, cuyos cangilones lagrimean lo bastante para regar media docena de coles, esta desolación miserable y perezosa que estoy mirando.

—Es la mejor tierra del país —dijo el señor Licurgo— y para el garbanzo es de lo que no hay.

—Pues lo celebro, porque desde que las heredé no me han producido un cuarto estas célebres tierras.

El sabio legislador espartano se rascó la oreja y dio un suspiro.

—Pero me han dicho —continuó el caballero— que algunos propietarios colindantes han metido su arado en estos grandes estados míos y poco a poco me los van cercenando. Aquí no hay mojones, ni linderos, ni verdadera propiedad, señor Licurgo.

El labriego después de una pausa, durante la cual parecía ocupar su sutil espíritu en profundas disquisiciones, se expresó de este modo:

—El tío Pasolargo, a quien llamamos el *Filósofo* por su mucha trastienda[22], metió el arado en los *Alamillos* por encima de la ermita, y roe que roe, se ha zampado seis fanegadas[23].

—¡Qué incomparable escuela! —exclamó riendo el caballero—. Apostaré que no ha sido ese el único... filósofo.

—Bien dijo el otro, que quien las sabe, las tañe[24], y si al palomar no le falta cebo, no le faltarán palomas... Pero usted señor don José, puede decir aquello de que el ojo del amo engorda la vaca, y ahora que está aquí vea de recobrar su finca.

---

[22] *tiene mucha trastienda:* coloquialmente se dice del proceder de personas astutas o que usan de excesiva cautela.

[23] *fanegada:* medida cúbica referente a lo que produce una fanega de tierra; la fanega son 64,59 áreas o 6.459 metros cuadrados.

[24] *quien las sabe, las tañe:* refrán que indica que algo se da por descontado al ser conocimiento común; *si al palomar no le falta cebo, no le faltarán palomas:* si alguien ha hecho algo, y esto le ha resultado provechoso, otros le imitarán repitiendo su acción, e incluso superando al primero, con el fin de sacar el mismo o mayor provecho; *el ojo del amo engorda la vaca:* con frecuencia alguien que posee algo, o está empeñado en algún asunto, se engaña al creer lo suyo mejor de lo que en realidad es. Aquí lo usa el tío Licurgo para consolar a Pepe Rey, indicándole que sus propiedades en realidad no eran tan valiosas como él suponía.

—Quizás no sea tan fácil, señor Licurgo —repuso el caballero, a punto que entraban por una senda a cuyos lados se veían hermosos trigos que con su lozanía y temprana madurez recreaban la vista—. Este campo parece mejor cultivado. Veo que no todo es tristeza y miseria en los *Alamillos*.

El labriego puso cara de lástima[25], y afectando cierto desdén hacia los campos elogiados por el viajero, dijo en todo humildísimo:

—Señor, esto es mío.

—Perdone usted —replicó vivamente el caballero— ya querría yo meter mi hoz en los estados de usted. Por lo visto la filosofía aquí es contagiosa.

Bajaron inmediatamente a una cañada que era lecho de pobre y estancado arroyo, y pasado este, entraron en un campo lleno de piedras, sin la más ligera muestra de vegetación.

—Esta tierra es muy mala —dijo el caballero volviendo el rostro para mirar a su guía y compañero, que se había quedado un poco atrás—. Difícilmente podrá usted sacar partido de ella, porque todo es fango y arena.

Licurgo, lleno de mansedumbre[26], contestó:

—Esto... es de usted.

—Veo que aquí todo lo malo es mío —afirmó el caballero, riendo jovialmente.

---

[25] *poner cara de lástima* o *poner cara de mártir:* afectar pesadumbre de manera calculada para inspirar lástima, y lograr que triunfe el negocio de uno.

[26] *lleno de mansedumbre:* expresión que procede del Nuevo Testamento, donde se usa para hablar de la disposición del pecador contrito («No hay mejor forma de relacionarse con Dios, después de cometer un error, que con un corazón lleno de mansedumbre y paz», Efesios, 4, 2-3). Aquí el uso es irónico, pues el arrepentimiento o la humildad del labriego son puro disimulo: pone «cara de mansedumbre», lo mismo que antes ha mirado la riqueza de sus tierras con aparente desdén, a fin de disimular ante el viajero los hechos que este sospecha y no tardará en confirmar: que, en Orbajosa, los labriegos le han ido arrebatando lo mejor de sus tierras.

Cuando esto hablaban tomaron de nuevo el camino real[27]. Ya la luz del día, entrando en alegre irrupción por todas las ventanas y claraboyas del hispano horizonte[28], inundaba de esplendorosa claridad los campos. El inmenso cielo sin nubes parecía agrandarse más y alejarse de la tierra para verla y en su contemplación recrearse desde más alto. La desolada tierra sin árboles, pajiza a trechos, a trechos de color gredoso[29], dividida toda en triángulos y cuadriláteros amarillos o negruzcos, pardos o ligeramente verdegueados, semejaba en cierto modo a la capa del harapiento que se pone al sol. Sobre aquella capa miserable, el cristianismo y el islamismo habían trabado épicas batallas. Gloriosos campos, sí; pero los combates de antaño les habían dejado horribles[30].

—Me parece que hoy picará el sol, señor Licurgo —dijo el caballero desembarazándose un poco del abrigo en que se envolvía—. ¡Qué triste camino! No se ve ni un solo árbol en todo lo que alcanza la vista. Aquí todo es al revés. La ironía no cesa. ¿Por qué, si no hay aquí álamos grandes ni chicos, se ha de llamar esto los *Alamillos?*

El tío Licurgo no contestó a la pregunta, porque con toda su alma atendía a lejanos ruidos que de improviso se oyeron, y con ademán intranquilo detuvo su cabalgadura, mientras exploraba el camino y los cerros lejanos con sombría mirada.

---

[27] *camino real:* el construido por cuenta del Estado, hecho para el tránsito de carruajes, y que comunica las poblaciones importantes.

[28] Frases que copian las que el narrador usa para describir la primera salida de Don Quijote «por las puertas y balcones del manchego horizonte» *(Quijote,* I, 2).

[29] *gredoso:* del color de la greda o arcilla, rojizo.

[30] La novela trata del conflicto civil, contemporáneo, en que está metida la sociedad española en los años que siguen al fracaso de la revolución liberal, durante la Restauración. Galdós se permite, al hilo de este conflicto, una reflexión sobre el irredentismo de la sociedad española a lo largo de la historia, considerando que el presente que vivimos es repetición de enfrentamientos endémicos, recogidos en la historia.

—¿Qué hay? —preguntó el viajero, deteniéndose también.

—¿Trae usted armas, don José?

—Un revólver... ¡Ah!, ya comprendo. ¿Hay ladrones?

—Puede... —repuso el labriego con mucho recelo—. Me parece que sonó un tiro.

—Allá lo veremos..., ¡adelante! —dijo el caballero picando su jaca—. No serán tan temibles.

—¡Calma, señor don José! —exclamó el aldeano deteniéndole—. Esa gente es más mala que Satanás. El otro día asesinaron a dos caballeros que iban a tomar el tren... Dejémonos de fiestas. Gasparón el Fuerte, Pepito Chispillas, Merengue y Ahorcasuegras no me verán la cara en mis días. Echemos por la vereda.

—Adelante, señor Licurgo.

—Atrás, señor don José —replicó el labriego con afligido acento—. Usted no sabe bien qué gente es esa. Ellos fueron los que el mes pasado robaron de la iglesia del Carmen el copón, la corona de la Virgen y dos candeleros; ellos fueron los que hace dos años saquearon el tren que iba para Madrid.

Don José, al oír tan lamentables antecedentes, sintió que aflojaba un poco su intrepidez.

—¿Ve usted aquel cerro grande y empinado que hay allá lejos? Pues allí se esconden esos pícaros en unas cuevas que llaman la *Estancia de los Caballeros*.

—¡De los caballeros!

—Sí señor. Bajan al camino real, cuando la Guardia Civil se descuida, y roban lo que pueden. ¿No ve usted más allá de la vuelta del camino, una cruz, que se puso en memoria de la muerte que dieron al alcalde de Villahorrenda cuando las elecciones?

—Sí, veo la cruz.

—Allí hay una casa vieja, en la cual se esconden para aguardar a los trajineros. A aquel sitio llamamos las *Delicias*.

—¡Las Delicias!...

—Si todos los que han sido muertos y robados al pasar por ahí resucitaran, podría formarse con ellos un ejército.

Cuando esto decían, oyéronse más de cerca los tiros, lo que turbó un poco el esforzado corazón de los viajantes, pero no el del zagalillo, que retozando de alegría pidió al señor Licurgo licencia para adelantarse y ver la batalla que tan cerca se había trabado. Observando la decisión del muchacho, avergonzose don José de haber sentido miedo o, cuando menos, un poco de respeto a los ladrones y exclamó, espoleando la jaca:

—¡Pues allá iremos todos! Quizás podamos prestar auxilio a los infelices viajeros que en tan gran aprieto se ven, y poner las peras a cuarto a los *caballeros*.

Esforzábase Licurgo en convencer al joven de la temeridad de sus propósitos, así como de lo inútil de su generosa idea, porque los robados, robados estaban y quizás muertos, y en situación de no necesitar auxilio de nadie[31]. Insistía el señor, sordo a estas sesudas advertencias; contestaba el aldeano, oponiendo resistencia muy viva, cuando la presencia de unos carromateros que por el camino abajo tranquilamente venían conduciendo una galera[32], puso fin a la cuestión. No debía de ser grande el peligro cuando tan sin cuidado venían aquellos, cantando alegres coplas; y así fue, en efecto, porque los tiros, según dijeron, no eran disparados por los ladrones, sino por la Guardia Civil, que de este modo quería cortar el vuelo[33] a media docena de cacos que ensartados conducía a la cárcel de la villa.

---

[31] Referencia al *Quijote*. Evoca esta situación los momentos en que Sancho, acobardado, trata de frenar el ímpetu del hidalgo cuando este se lanza valeroso, pero inconsciente del peligro, a una nueva aventura.

[32] *galera:* carro para el transporte de personas, de cuatro ruedas y cubierta con un toldo.

[33] *cortar el vuelo:* impedir que alguien escape; pero, como indica el diálogo entre los personajes inmediatamente después, se trata en realidad de asesinar a los presos.

—Ya, ya sé lo que ha sido —dijo Licurgo, señalando leve humareda que a mano derecha del camino y a regular distancia se descubría—. Allí les han escabechado. Esto pasa un día sí y otro no.

El caballero no comprendía.

—Yo le aseguro al señor don José —añadió con energía el legislador lacedemonio[34]— que está muy retebién hecho; porque de nada sirve formar causa a esos pillos. El juez les marea un poco y después les suelta. Si al cabo de seis años de causa alguno va a presidio, a lo mejor se escapa, o le indultan y vuelve a la Estancia de los Caballeros. Lo mejor es esto: ¡fuego!, y adivina quién te dio. Se les lleva a la cárcel, y cuando se pasa por un lugar a propósito... «¡Ah!, perro que te quieres escapar... ¡pum, pum!...»[35]. Ya está hecha la sumaria, requeridos los testigos, celebrada la vista,

---

[34] *lacedemonio:* espartano. La broma sobre el apodo de Licurgo repite la que hiciera al comienzo del diálogo Pepe, cuando se refiere a este como Solón. La voz narrativa adopta el punto de vista del protagonista. Uno y otro muestran un desdén o una superioridad indebida al hablar del habitante de Orbajosa. En el capítulo que sigue nos ha de decir el narrador que Rey hacía uso con frecuencia, y no siempre en el momento más oportuno, de las armas de la burla. La actitud de prepotencia y superioridad que esta burla implica, en la que el protagonista mira a los labriegos como seres cómicos (como «palurdos»), contribuye a desarrollar la visión galdosiana según la cual el público urbano, pese a sus muchos valores, carecía de conocimiento o de una estrategia válida para divulgar su legado y llevar a cabo la labor civilizadora de las zonas rurales.

[35] Se trata de la ominosa Ley de fugas según la cual la autoridad podía disparar contra un preso que tratara de escapar de su custodia. Desde su fundación en 1844, la Guardia Civil fue repetidamente acusada de usar este procedimiento para ejecutar extrajudicialmente a los presos. La práctica se generalizó en el siglo XX, durante el gobierno de Eduardo Dato y, más tarde, durante la dictadura de Primo de Rivera, siendo el general Martínez Anido ministro de Gobernación, cuando se aplicó a militantes anarquistas y socialistas. En *Luces de bohemia,* Valle-Inclán denuncia las atrocidades cometidas por el Gobierno, y por sus agentes, al amparo de esta ley infame.

dada la sentencia... Todo en un minuto. Bien dicen, que si mucho sabe la zorra, más sabe el que la toma[36].

—Pues adelante, y apretemos el paso, que este camino, a más de largo, no tiene nada de ameno.

Al pasar junto a las Delicias vieron a poca distancia del camino a los guardias que minutos antes habían ejecutado la extraña sentencia que el lector sabe. Mucha pena causó al zagalillo que no le permitieran ir a contemplar de cerca los palpitantes cadáveres de los ladrones, que en horroroso grupo se distinguían a lo lejos, y siguieron todos adelante. Pero no habían andado veinte pasos cuando sintieron el galopar de un caballo que tras ellos venía con tanta rapidez que por momentos les alcanzaba. Volviose nuestro viajero y vio un hombre, mejor dicho un centauro, pues no podía concebirse más perfecta armonía entre caballo y jinete, el cual era de complexión recia y sanguínea, ojos grandes, ardientes, cabeza ruda, negros bigotes, mediana edad y el aspecto en general brusco y provocativo, con indicios de fuerza en toda su persona. Montaba un soberbio caballo de pecho carnoso, semejante a los del Partenón, enjaezado según el modo pintoresco del país, y sobre la grupa llevaba una gran valija de cuero, en cuya tapa se veía en letras gordas la palabra *Correo*.

—Hola, buenos días, señor Caballuco —dijo Licurgo, saludando al jinete cuando estuvo cerca—. ¡Cómo le hemos tomado la delantera! Pero usted llegará antes si a ello se pone.

—Descansemos un poco —repuso el señor Caballuco, poniendo su cabalgadura al paso de la de nuestros viajeros, y observando atentamente al principal de los tres—. Puesto que hay tan buena compaña...

—El señor —dijo Licurgo sonriendo— es el sobrino de doña Perfecta.

---

[36] *mucho sabe la zorra, más sabe el que la toma:* por muy astuto que sea el delincuente, mayor es la astucia de la autoridad que lo ha capturado.

—¡Ah!... por muchos años... muy señor mío y mi dueño...

Ambos personajes se saludaron, siendo de notar que Caballuco hizo sus urbanidades con una expresión de altanería y superioridad que revelaba, cuando menos, la conciencia de un gran valer o de una alta posición en la comarca. Cuando el orgulloso jinete se apartó y por breve momento se detuvo hablando con dos guardias civiles que llegaron al camino, el viajero preguntó a su guía:

—¿Quién es este pájaro?[37].

—¿Quién ha de ser? Caballuco.

—Y ¿quién es Caballuco?

—¡Toma!... Pero ¿no le ha oído usted nombrar? —dijo el labriego, asombrado de la ignorancia supina del sobrino de doña Perfecta—. Es un hombre muy bravo, gran jinete, y el primer caballista de todas estas tierras a la redonda. En Orbajosa le queremos mucho; pues él es... dicho sea en verdad... tan bueno como la bendición de Dios... Ahí donde le ve, es un cacique[38] tremendo, y el Gobernador de la provincia se le quita el sombrero.

—Cuando hay elecciones...

—Y el Gobierno de Madrid le escribe oficios con mucha vuecencia en el rétulo[39]... Tira a la barra[40] como un San Cristóbal, y todas las armas las maneja como manejamos nosotros nuestros propios dedos. Cuando había fielato[41] no podían con

---

[37] *pájaro:* dícese del hombre desconocido, de aspecto extraño o astuto, que suscita recelos.

[38] *cacique:* en la España del siglo XIX se usó este vocablo para designar a la persona influyente en los asuntos políticos locales, o en los de una comarca; en la novela, este papel corresponde por antonomasia a doña Perfecta Rey, tía de Pepe.

[39] *rétulo:* título que hace referencia al contenido de un escrito.

[40] *tirar a la barra:* deporte, que consiste en el lanzamiento de una lanza, barra o jabalina de metal; y que se practica en Castilla, Aragón y el País Vasco desde el siglo XII.

[41] *fielato:* impuesto de consumo que existía de antiguo a la entrada de las poblaciones.

él, y todas las noches sonaban tiros en las puertas de la ciudad... Tiene una gente que vale cualquier dinero, porque lo mismo es para un fregado que para un barrido[42]... Favorece a los pobres, y el que venga de fuera y se atreva a tentar el pelo de la ropa a un hijo de Orbajosa, ya puede verse con él... Aquí no vienen casi nunca soldados de los Madriles; cuando han estado, todos los días corría la sangre, porque Caballuco les buscaba camorra por un no y por un sí. Ahora parece que vive en la pobreza y se ha quedado con la conducción del correo; pero está metiendo fuego en el Ayuntamiento para que haya otra vez fielato y rematarlo él. No sé cómo no le ha oído usted nombrar en Madrid, porque es hijo de un famoso Caballuco que estuvo en la facción[43], el cual Caballuco padre era hijo de otro Caballuco abuelo, que también estuvo en la facción de más allá... Y como ahora andan diciendo que vuelve a haber facción[44], porque todo está torcido y revuelto, tememos que Caballuco se nos vaya también a ella, poniendo fin de esta manera a las hazañas de su padre y abuelo, que por gloria nuestra nacieron en esta ciudad.

Sorprendido quedó nuestro viajero al ver la especie de caballería andante que aún subsistía en los lugares que visitaba[45], pero no tuvo ocasión de hacer nuevas preguntas, porque

---

[42] *lo mismo es para un fregado que para un barrido:* vale, o es útil, para todo.

[43] *la facción:* la guerrilla carlista.

[44] La tercera guerra carlista era contemporánea del momento en que Galdós escribió estas páginas. Los primeros levantamientos habían tenido lugar en abril de 1872, con rebeliones en el País Vasco y Navarra, que se extendieron más tarde a Cataluña y el Maestrazgo. La proclamación de la república federal en 1873 alentó la insurrección de las partidas, debido al apoyo político que muchos monárquicos prestaron a la causa del carlismo, alentando este hasta el comienzo de la Restauración. En 1875 el ejército carlista fue derrotado en Cataluña por Martínez Campos tras la toma de Olot y Seo de Urgel; en febrero de 1876, un mes antes de que Galdós comenzara a escribir *Doña Perfecta,* la guerra terminaba tras la toma de Estella por Fernando Primo de Rivera, tío del futuro dictador. Caída Estella, los carlistas se vieron obligados a capitular.

[45] Como se dijo en el estudio introductorio, puede haber semejanzas con la novela de Cervantes, pero estas no pasan de la superficie: ya no hay aventura de los cautivos, sino ley de fugas; ya no hay caballeros andantes,

el mismo que era objeto de ellas se les incorporó, diciendo de mal talante:

—La Guardia Civil ha despachado a tres. Ya le he dicho al cabo que se ande con cuidado. Mañana hablaremos el Gobernador de la provincia y yo...

—¿Va usted a X...?

—No, que el Gobernador viene acá, señor Licurgo; sepa usted que nos van a meter en Orbajosa un par de regimientos.

—Sí —dijo vivamente Pepe Rey, sonriendo—. En Madrid oí decir que había temor de que se levantaran en este país algunas partidillas... Bueno es prevenirse.

—En Madrid no dicen más que desatinos... —manifestó violentamente el centauro, acompañando su afirmación de una retahíla de vocablos de esos que levantan ampolla—. En Madrid no hay más que pillería... ¿A qué nos mandan soldados? ¿Para sacarnos más contribuciones y un par de quintas[46] seguidas? ¡Por vida de...!, que si no hay facción debería haberla. ¿Conque usted —añadió, mirando socarronamente al caballero—, conque usted es el sobrino de doña Perfecta?

Esta salida de tono y el insolente mirar del bravo enfadaron al joven.

—Sí, señor. ¿Se le ofrece a usted algo?

—Soy muy amigo de la señora y la quiero como a las niñas de mis ojos —dijo Caballuco—. Puesto que usted va a Orbajosa, allá nos veremos.

Y sin decir más, picó espuelas a su corcel, el cual partiendo a escape desapareció entre una nube de polvo.

Después de media hora de camino, durante la cual el señor don José no se mostró muy comunicativo, ni el

---

sino forajidos levantiscos. El paisaje puede evocar el que, en el pasado, sirviera de escenario para las aventuras del hidalgo manchego y de su escudero, pero la realidad ya no es la misma. Los valores del pasado se celebran todavía, pero no tienen correspondiente en la decadencia, fundamentalmente moral, del presente.

[46] *quintas:* levas de jóvenes forzados a servir en el ejército.

señor Licurgo tampoco, apareció a los ojos de entrambos apiñado y viejo caserío asentado en una loma, del cual se destacaban algunas negras torres y la ruinosa fábrica[47] de un despedazado castillo en lo más alto. Un amasijo de paredes deformes, de casuchas de tierra pardas y polvorosas como el suelo formaba la base, con algunos fragmentos de almenadas murallas, a cuyo amparo mil chozas humildes alzaban sus miserables frontispicios de adobes, semejantes a caras anémicas y hambrientas que pedían una limosna al pasajero. Pobrísimo río ceñía, como un cinturón de hojalata, el pueblo, refrescando al pasar algunas huertas, única frondosidad que alegraba la vista. Entraba y salía la gente en caballerías o a pie, y el movimiento humano, aunque escaso, daba cierta apariencia vital a aquella gran morada, cuyo aspecto arquitectónico era más bien de ruina y muerte que de prosperidad y vida. Los repugnantes mendigos que se arrastraban a un lado y otro del camino, pidiendo el óbolo del pasajero, ofrecían lastimoso espectáculo. No podían verse existencias que mejor encajaran en las grietas de aquel sepulcro, donde una ciudad estaba no sólo enterrada, sino también podrida. Cuando nuestros viajeros se acercaban, algunas campanas, tocando desacordemente, indicaban con su expresivo son que aquella momia tenía todavía un alma.

Llamábase Orbajosa, ciudad que no en Geografía caldea o copta, sino en la de España figura con 7.324 habitantes, Ayuntamiento, sede episcopal, juzgado, Seminario, depósito de caballos sementales[48], Instituto de segunda enseñanza y otras prerrogativas oficiales.

---

[47] *fábrica:* construcción, o parte de ella, hecha de piedra o ladrillo con argamasa.

[48] *depósito de caballos sementales:* en todas las grandes poblaciones había establecimientos dedicados a la cría caballar para suplir las necesidades militares y de los organismos oficiales. Inicialmente dependien-

—Están tocando a misa mayor en la catedral —dijo el tío Licurgo—. Llegamos antes de lo que pensé[49].

—El aspecto de su patria de usted —dijo el caballero examinando el panorama que delante tenía—, no puede ser más desagradable. La histórica ciudad de Orbajosa[50], cuyo nombre es sin duda corrupción de *Urbs augusta,* parece un gran muladar.

—Es que de aquí no se ven más que los arrabales —afirmó con disgusto el guía—. Cuando entre usted en la calle Real y en la del Condestable, verá fábricas tan hermosas como la de la catedral.

—No quiero hablar mal de Orbajosa antes de conocerla —declaró el caballero—. Lo que he dicho no es tampoco señal de desprecio; que humilde y miserable, lo mismo que hermosa y soberbia, esa ciudad será siempre para mí muy querida, no solo por ser patria de mi madre, sino porque en ella viven personas a quienes amo ya sin conocerlas. Entremos, pues, en la ciudad *augusta.*

Subían ya por una calzada próxima a las primeras calles, e iban tocando las tapias de las huertas.

---

tes del Ministerio de Fomento, pasaron más tarde a estar bajo la jurisdicción del Ministerio de la Guerra; en el vocabulario castrense, se usa preferentemente la denominación de Remonta de Caballería al conjunto de caballos y mulas destinados para uso militar.

[49] El protagonista llega a Orbajosa coincidiendo con el momento en que suena la campana que llama al pueblo a misa mayor *(i. e., misa mayor:* la que se celebra los domingos o festivos con toda solemnidad). La llamada de la campana tiene una función coral, de modo que desde un comienzo el personaje es simbólicamente advertido de la importancia y del poder de la Iglesia y de la religión en la ciudad levítica o, como se dice en el texto repetidas veces, en la «ciudad episcopal». Pepe, atolondrado y poco cuidadoso en sus manifestaciones, expresa comentarios agraces sobre el aspecto que presenta la población en que vive su tía. En el capítulo siguiente el narrador nos da detalles sobre el personaje, y sobre su «falla trágica»; continuando con esta simbólica llamada de atención, que Pepe no percibe, el narrador describe cómo la población vigila al recién llegado a medida que este se acerca a casa de su tía, dando con ello indicios de una premonición que ya anunciara la reacción hostil de Caballuco en su primer encuentro con Pepe.

[50] Ya se ha dicho que todos los nombres locales son imaginarios. *(N. del A.)*

—¿Ve usted aquella gran casa que está al fin de esta gran huerta por cuyo bardal[51] pasamos ahora? —dijo el tío Licurgo, señalando el enorme paredón revocado de la única vivienda que tenía aspecto de habitabilidad cómoda y alegre.

—Ya... ¿Aquella es la vivienda de mi tía?

—Justo y cabal. Lo que vemos es la parte trasera de la casa. El frontis da a la calle del Condestable, y tiene cinco balcones de hierro que parecen cinco castillos. Esta hermosa huerta que hay tras la tapia es la de la señora, y si usted se alza sobre los estribos la verá toda desde aquí.

—Pues estamos ya en casa —dijo el caballero—. ¿No se puede entrar por aquí?

—Hay una puertecilla; pero la señora la mandó tapiar.

Alzose el caballero sobre los estribos y alargando cuanto pudo su cabeza, miró por encima de las bardas.

—Veo la huerta toda —indicó—. Allí, bajo aquellos árboles está una mujer, una chiquilla... una señorita...

—Es la señorita Rosario —repuso Licurgo.

Y al instante se alzó también sobre los estribos para mirar.

—¡Eh!, señorita Rosario —gritó, haciendo con la derecha mano gestos muy significativos—. Ya estamos aquí; aquí le traigo a su primo.

—Nos ha visto —dijo el caballero, estirando el pescuezo hasta el último grado—. Pero si no me engaño, al lado de ella está un clérigo..., un señor sacerdote.

—Es el señor Penitenciario[52] —repuso con naturalidad el labriego.

—Mi prima nos ve... deja solo al clérigo, y echa a correr hacia la casa... Es bonita...

—Como un sol.

—Se ha puesto más encarnada que una cereza. Vamos, vamos, señor Licurgo.

---

[51] *bardal:* muro u obstáculo formado por sarmientos o espinos.

[52] *Penitenciario:* el cura encargado de las confesiones en una iglesia o templo.

III

Pepe Rey

Antes de pasar adelante conviene decir quién era Pepe Rey y qué asuntos le llevaban a Orbajosa.

Cuando el brigadier Rey murió, en 1841, sus dos hijos Juan y Perfecta acababan de casarse, esta con el más rico propietario de Orbajosa, aquel con una joven de la misma ciudad. Llamábase el esposo de Perfecta don Manuel María José de Polentinos, y la mujer de Juan, María Polentinos; pero a pesar de la igualdad de apellido, su parentesco era un poco lejano y de aquellos que no coge un galgo[53]. Juan Rey era insigne jurisconsulto graduado en Sevilla, y ejerció la abogacía en esta misma ciudad durante treinta años, con tanta gloria como provecho. En 1845 era ya viudo y tenía un hijo que empezaba a hacer diabluras; solía tener por entretenimiento el construir con tierra, en el patio de la casa, viaductos, malecones, estanques, presas, acequias, soltando después el agua para que entre aquellas frágiles obras corriese. El padre le dejaba hacer y decía: «tú serás ingeniero»[54].

---

[53] *no le alcanzarán galgos:* expresión con que se pondera la lejanía de un parentesco.

[54] *ingeniero:* el «hombre nuevo» en la España de la Restauración es aquel que transforma la realidad (el ingeniero) o corrige sus males (el médico). Más adelante, don Inocencio lo califica de «hombre del siglo».

Perfecta y Juan dejaron de verse desde que uno y otro se casaron, porque ella se fue a vivir a Madrid con el opulentísimo Polentinos, que tenía tanta hacienda como buena mano[55] para gastarla. El juego y las mujeres cautivaban de tal modo el corazón de Manuel María José, que habría dado en tierra con toda su fortuna si más pronto que él para derrocharla, no estuviera la muerte para llevárselo a él. En una noche de orgía acabaron de súbito los días de aquel ricacho provinciano, tan vorazmente chupado por las sanguijuelas de la corte[56] y por el insaciable vampiro del juego. Su única heredera era una niña de pocos meses. Con la muerte del esposo de Perfecta se acabaron los sustos en la familia; pero empezó el gran conflicto. La casa de Polentinos estaba arruinada; las fincas, en peligro de ser arrebatadas por los prestamistas, todo en desorden, enormes deudas, lamentable administración en Orbajosa, descrédito y ruina en Madrid.

Perfecta llamó a su hermano, el cual, acudiendo en auxilio de la pobre viuda, mostró tanta diligencia y tino, que al poco tiempo la mayor parte de los peligros habían sido conjurados. Principió por obligar a su hermana a residir en Orbajosa, administrando por sí misma sus vastas tierras, mientras él hacía frente en Madrid al formidable empuje de los acreedores. Poco a poco fue descargándose la casa del enorme fardo de sus deudas, porque el bueno de don Juan Rey, que tenía la mejor mano del mundo para tales asuntos, lidió con la curia, hizo contratos con los principales acreedores, estableció plazos para el pago, resultando de este hábil trabajo que el riquísimo patrimonio de Polentinos saliese a flote, y pudiera seguir dando por luengos años esplendor y gloria a la ilustre familia.

La gratitud de Perfecta era tan viva, que al escribir a su hermano desde Orbajosa, donde resolvió residir hasta que creciera su hija, le decía entre otras ternezas: «Has sido más

---

55 *tener buena mano:* habilidad, destreza.

56 *sanguijuelas de la corte:* fig., usureros.

que hermano para mí, y para mi hija más que su propio padre. ¿Cómo te pagaremos ella y yo tan grandes beneficios? ¡Ay!, querido hermano mío, desde que mi hija sepa discurrir y pronunciar un nombre, yo le enseñaré a bendecir el tuyo. Mi agradecimiento durará toda mi vida. Tu hermana indigna siente no encontrar ocasión de mostrarte lo mucho que te ama y de recompensarte de un modo apropiado a la grandeza de tu alma y a la inmensa bondad de tu corazón».

Cuando esto se escribía, Rosarito tenía dos años. Pepe Rey, encerrado en un colegio de Sevilla, hacía rayas en un papel, ocupándose en probar que *la suma de los ángulos interiores de un polígono vale tantas veces dos rectos como lados tiene menos dos*. Estas enfadosas perogrulladas le traían muy atareado. Pasaron años y más años. El muchacho crecía y no cesaba de hacer rayas. Por último, hizo una que se llama *De Tarragona a Montblanch*[57]. Su primer juguete formal fue el puente de 120 metros sobre el río Francolí.

Durante mucho tiempo, doña Perfecta siguió viviendo en Orbajosa. Como su hermano no salió de Sevilla, pasaron no pocos años sin que uno y otro se vieran. Una carta trimestral, tan puntualmente escrita como puntualmente contestada, ponía en comunicación aquellos dos corazones, cuya ternura ni el tiempo ni la distancia podían enfriar. En 1870 cuando don Juan Rey, satisfecho de haber desempeñado bien su misión en la sociedad, se retiró a vivir en su hermosa casa de Puerto Real[58], Pepe, que ya había trabajado algunos años en las obras de varias poderosas compañías constructoras, emprendió un viaje de estudio a Alemania e Inglaterra[59]. La fortuna de su padre (tan grande

---

[57] *Montblanc:* población a 38 km de Tarragona. El río *Francolí* desemboca en el Mediterráneo por el puerto de esta ciudad catalana.

[58] *Puerto Real:* pueblo de la provincia de Cádiz.

[59] El «hombre nuevo» del krausismo viaja para ampliar su saber mediante la experiencia, con un propósito formativo, enriqueciendo aquella con las novedades del pensamiento, a fin de abrir su mente a las corrien-

como puede serlo en España la que solo tiene por origen un honrado bufete), le permitía librarse en breves periodos del yugo del trabajo material. Hombre de elevadas ideas y de inmenso amor a la ciencia, hallaba su más puro goce en la observación y estudio de los prodigios con que el genio del siglo sabe cooperar a la cultura y bienestar físico y perfeccionamiento moral del hombre[60].

Al regresar del viaje, su padre le anunció la revelación de un importante proyecto; y como Pepe creyera que se trataba de un puente, dársena, o cuando menos saneamiento de marismas, sacole de tal error don Juan manifestándole su pensamiento en estos términos:

—Estamos en marzo y la carta trimestral de Perfecta no podía faltar. Querido hijo, léela, y si estás conforme con lo que en ella manifiesta esa santa y ejemplar mujer, mi querida hermana, me darás la mayor felicidad que en mi vejez puedo desear. Si no te gustase el proyecto, deséchalo sin reparo, aunque tu negativa me entristezca; que en él no hay ni sombra de imposición por parte mía. Sería indigno de mí y de ti que esto se realizase por coacción de un padre

---

tes que circulan en el exterior (como propone Daniel Morton en la primera parte de *Gloria)*. El protagonista de *La novela de Luis* hace el mismo viaje formativo, primero en Alemania donde invierte en educarse el capital que sus padres le han dejado por herencia; y, más tarde, por Inglaterra y Francia, con el fin de unir, a los conocimientos teóricos, la experiencia personal.

[60] *genio del siglo:* fórmula con que los hombres del XIX se referían al progreso científico, industrial y técnico correspondiente a la segunda revolución industrial, del que eran protagonistas y, al mismo tiempo, testigos asombrados. Este progreso era, asimismo, la marca de una moral nueva, más íntegra y natural que la anterior, pues el saber y la ciencia se correspondían con el progreso y la virtud. Cfr.: «la alianza del saber y de la virtud salva los pueblos» (Fernando de Castro, «Discurso inaugural», pág. 218); «hay en toda la sociedad europea, particularmente entre los pueblos que van al frente de la civilización, no solo gran progreso material, sino también progreso moral» (Juan Valera, «De la naturaleza y carácter de la novela», *OC*, vol. 2, pág. 195).

terco. Eres libre de aceptar o no, y si hay en tu voluntad la más ligera resistencia, originada en ley del corazón o en otra causa, no quiero que te violentes por mí.

Pepe dejó la carta sobre la mesa, después de pasar la vista por ella, y tranquilamente dijo:

—Mi tía quiere que me case con Rosario.

—Ella contesta aceptando con gozo mi idea —dijo el padre muy conmovido—. Porque la idea fue mía... sí, hace tiempo, hace tiempo que la concebí...; pero no había querido decirte nada, antes de conocer el pensamiento de mi hermana. Como ves, Perfecta acoge con júbilo mi plan; dice que también había pensado en lo mismo, pero que no se atrevía a manifestármelo, por ser tú... ¿no ves lo que dice? «por ser tú un joven de singularísimo mérito, y su hija una joven aldeana, educada sin brillantez ni mundanales atractivos...». Así mismo lo dice... ¡Pobre hermana mía! ¡Qué buena es!... Veo que no te enfadas; veo que no te parece absurdo este proyecto mío, algo parecido a la previsión oficiosa de los padres de antaño que casaban a sus hijos sin consultárselo, y las más veces haciendo uniones disparatadas y prematuras... Dios quiera que esta sea o prometa ser de las más felices. Es verdad que no conoces a mi sobrina; pero tú y yo tenemos noticias de su virtud, de su discreción, de su modestia y noble sencillez. Para que nada le falte hasta es bonita... Mi opinión —añadió festivamente— es que te pongas en camino y pises el suelo de esa recóndita ciudad episcopal, de esa *Urbs augusta,* y allí, en presencia de mi hermana y de su graciosa Rosarito, resuelvas si esta ha de ser algo más que mi sobrina.

Pepe volvió a tomar la carta y la leyó cuidadosamente. Su semblante no expresaba alegría ni pesadumbre. Parecía estar examinando un proyecto de empalme de dos vías férreas[61].

---

[61] La indiferencia inicial de Pepe ante la propuesta de matrimonio que ha negociado su padre, contrasta con el sentimiento que ha de desarrollar más adelante cuando conciba el amor como superación de los obstáculos, y como un fervor hacia la amada que le anima a liberar a esta de la opresión que sufre. En la introducción ya hemos visto la posible influencia de Juan Valera en la

—Por cierto —decía don Juan—, que en esa remota Orbajosa, donde, entre paréntesis, tienes fincas que puedes examinar ahora, se pasa la vida con la tranquilidad y dulzura de un idilio. ¡Qué patriarcales costumbres! ¡Qué nobleza en aquella sencillez! ¡Qué rústica paz virgiliana! Si, en vez de ser matemático, fueras latinista, repetirías al entrar allí el *ergo tua rura manebunt*[62]. ¡Qué admirable lugar para dedicarse a la contemplación de nuestra propia alma y prepararse a las buenas obras! Allí todo es bondad, honradez; allí no se conocen la mentira y la farsa como en nuestras grandes ciudades; allí renacen las santas inclinaciones que el bullicio de la moderna vida ahoga; allí despierta la dormida fe, y se siente vivo impulso indefinible dentro del pecho, al modo de pueril impaciencia que en el fondo de nuestra alma grita: «quiero vivir»[63].

Pocos días después de esta conferencia, Pepe salió de Puerto Real. Había rehusado meses antes una comisión del Gobierno para examinar, bajo el punto de vista minero, la

---

génesis de esta novela de Galdós (véase, también, *supra* nota 14). Es preciso observar, en este punto, que el matrimonio entre primos, concertado por los padres, es asimismo el tema de *Las ilusiones del doctor Faustino,* novela que Valera publicó, en 1875, en la *Revista de España,* la misma publicación en que pocos meses más tarde comenzaría a publicarse *Doña Perfecta.* La relación entre una novela y otra es importante: Galdós reacciona contra la literatura de la generación anterior, desechando el *costumbrismo,* como ya vimos, el cual no sirve para representar lo que Galdós mismo definió como la «realidad de hoy»; y rechaza asimismo el idealismo de Valera, ofreciendo una visión pesimista acorde con los sentimientos que se generalizan entre los miembros de su generación tras el fracaso de la revolución liberal.

[62] «*Fortunate senex, ergo tua rura manebunt et tibi magna satis*» [Que en la vejez, hombre afortunado, estas tierras sigan siendo tuyas y te llenen de satisfacción] (Virgilio, *Bucólicas,* I, vv. 40-42).

[63] *Beatus ille:* como se dijo en la introducción, en esta novela no se desarrolla el motivo tradicional del *Beatus ille,* esto es, la alabanza de la vida en el campo frente al tumulto de la ciudad. Pese a lo que estas palabras iniciales pueden indicar, el aspecto positivo está en la ciudad, que trae su afán civilizador a la barbarie que reina en el campo (véase en la Bibliografía los trabajos de Gustavo Correa y Toni Dorca).

cuenca del río Nahara en el valle de Orbajosa; pero los proyectos a que dio lugar la conferencia referida, le hicieron decir: «Conviene aprovechar el tiempo. Sabe Dios lo que durará ese noviazgo y el aburrimiento que traerá consigo». Dirigiose a Madrid, solicitó la comisión de explorar la cuenca del Nahara, se la dieron sin dificultad, a pesar de no pertenecer oficialmente al cuerpo de minas; púsose luego en marcha, y después de trasbordar un par de veces, el tren mixto número 65 le llevó, como se ha visto, a los amorosos brazos del tío Licurgo.

Frisaba la edad de este excelente joven en los treinta y cuatro años. Era de complexión fuerte y un tanto hercúlea, con rara perfección formado, y tan arrogante, que si llevara uniforme militar ofrecería el más guerrero aspecto y talle que puede imaginarse. Rubios el cabello y la barba, no tenía en su rostro la flemática imperturbabilidad de los sajones, sino por el contrario, una viveza tal que sus ojos parecían negros sin serlo. Su persona bien podía pasar por un hermoso y acabado símbolo, y si fuera estatua, el escultor habría grabado en el pedestal estas palabras: *inteligencia, fuerza*. Si no en caracteres visibles, llevábalas él expresadas vagamente en la luz de su mirar, en el poderoso atractivo que era don propio de su persona, y en las simpatías a que su trato cariñosamente convidaba.

No era de los más habladores; solo los entendimientos de ideas inseguras y de movedizo criterio propenden a la verbosidad. El profundo sentido moral de aquel insigne joven le hacía muy sobrio de palabras en las disputas que constantemente traban sobre diversos asuntos los hombres del día; pero en la conversación urbana sabía mostrar una elocuencia picante y discreta, emanada siempre del buen sentido y de la apreciación mesurada y justa de las cosas del mundo. No admitía falsedades y mistificaciones, ni esos retruécanos del pensamiento con que se divierten algunas inteligencias impregnadas del gongorismo; y para volver por los fueros de la realidad, Pepe Rey solía emplear a veces, no siempre con comedimiento, las armas de la burla. Esto casi era un defecto a los ojos de gran número de personas que le estimaban, porque aparecía un poco irrespetuoso en presencia de multitud de hechos comunes en el mundo y admitidos por todos[64]. Fuerza es decirlo, aunque su prestigio se amengüe: Rey no conocía la dulce tolerancia del condescendiente siglo que ha inventado singulares velos de lenguaje y de hechos para cubrir lo que a los vulgares ojos pudiera ser desagradable.

Así, y no de otra manera, por más que digan calumniadoras lenguas, era el hombre a quien el tío Licurgo introdujo en Orbajosa en la hora y punto en que la campana de la catedral tocaba a misa mayor. Luego que uno y otro, atisbando por encima de los bardales, vieron a la niña y al Penitenciario, y la veloz corrida de aquella hacia la casa, picaron sus caballerías para entrar en la calle Real, donde gran número de vagos se detenían para mirar al viajero, como extraño huésped intruso de la patriarcal ciudad. Torciendo luego a la derecha, en dirección a la catedral, cuya corpulenta fábrica dominaba todo el pueblo, tomaron la calle del Condestable, en la cual, por ser estrecha y empedrada, retumbaban con estridente sonsonete las herraduras, alarmando al vecindario que por las ventanas y balcones se mostraba para satisfacer su curiosidad. Abríanse con singular chasquido las celosías, y caras diversas, casi todas de hembra, asomaban arriba y abajo. Cuando Pepe Rey llegó al arquitectónico umbral de la casa de Polentinos, ya se habían hecho multitud de comentarios diversos sobre su figura.

[64] Siguiendo un planteamiento que popularizó Stephen Gilman, podemos decir que esta es la «falla trágica» del héroe, el error o la debilidad que ha de causarle todo tipo de problemas durante su estancia en casa de su tía (véase Gilman, «Classical References»).

IV

La llegada del primo

El señor Penitenciario, cuando Rosarito se separó bruscamente de él, miró a los bardales, y viendo las cabezas del tío Licurgo y de su compañero de viaje, dijo para sí:

—Vamos, ya está ahí ese prodigio[65].

Quedose un rato meditabundo, sosteniendo el manteo con ambas manos cruzadas sobre el abdomen, fija la vista en el suelo, los anteojos de oro deslizándose suavemente hacia la punta de la nariz, saliente y húmedo el labio inferior, y un poco fruncidas las blanquinegras cejas. Era un santo varón, piadoso y de no común saber, de intachables

---

[65] Es obvio que don Inocencio está predispuesto de antemano contra Pepe Rey, a quien atacará como «hombre del siglo»; pero el ataque no es debido a que el cura no apruebe las ideas del joven, que en este punto todavía desconoce, sino a que el enlace entre los primos amenaza la aspiración de los Tinieblas, tío y sobrina, de ver a Jacintito emparentar con lo mejor de la sociedad de Orbajosa. Sobre las intenciones del cura hay que recordar que Galdós escribe, en el epílogo, que esta novela viene a mostrar cómo son las personas que se creen mejores que los demás, pero no lo son. Don Inocencio será presentado por el mismo Rey como agente de la murmuración contra él. Ante los orbajosenses, el cura aparece como el paladín de los valores tradicionales; Galdós deja bien claro que estos valores esconden los mayores egoísmos.

costumbres clericales, algo más de sexagenario, de afable trato, fino y comedido, gran repartidor de consejos y advertencias a hombres y mujeres. Desde luengos años era maestro de latinidad y retórica en el Instituto, cuya noble profesión diole gran caudal de citas horacianas y de floridos tropos, que empleaba con gracia y oportunidad. Nada más conviene añadir acerca de este personaje, sino que cuando sintió el trote largo de las cabalgaduras que corrían hacia la calle del Condestable, se arregló el manteo, enderezó el sombrero, que no estaba del todo bien ajustado en la venerable cabeza, y marchando hacia la casa, murmuró:

—Vamos a conocer a ese prodigio.

En tanto, Pepe bajaba de la jaca y en el mismo portal le recibía en sus amantes brazos doña Perfecta, anegado en lágrimas el rostro y sin poder pronunciar sino palabras breves y balbucientes, expresión sincera de su cariño.

—¡Pepe... pero qué grande estás!... ¡Y con barbas! Me parece que fue ayer cuando te ponía sobre mis rodillas... Ya estás hecho un hombre, todo un hombre... ¡Cómo pasan los años!... ¡Jesús! Aquí tienes a mi hija Rosario.

Diciendo esto, habían llegado a la sala baja, ordinariamente destinada a recibir, y doña Perfecta presentole a su hija.

Era Rosarito una muchacha de apariencia delicada y débil, que anunciaba inclinaciones a lo que los portugueses llaman *saudades*[66]. En su rostro fino y puro se observaba la pastosidad nacarada que la mayor parte de los poetas atribuyen a sus heroínas, y sin cuyo barniz sentimental parece que ninguna Enriqueta y ninguna Julia pueden ser interesantes. Tenía Rosario tal expresión de dulzura y modestia, que al verla no se echaban de menos las perfecciones de que carecía. No es esto decir que era fea; mas también es cierto que habría pasado por hiperbólico el que la llamara hermo-

---

[66] *saudade:* nostalgia, melancolía.

sa, dando a esta palabra su riguroso sentido. La hermosura real de la niña de doña Perfecta consistía en una especie de transparencia, prescindiendo del nácar, del alabastro, del marfil y demás materias usadas en la composición descriptiva de los rostros humanos; una transparencia, digo, por la cual todas las honduras de su alma se veían claramente; honduras no cavernosas y horribles como las del mar, sino como las de un manso y claro río. Pero allí faltaba materia para que la persona fuese completa: faltaba cauce, faltaban orillas. El vasto caudal de su espíritu se desbordaba, amenazando devorar las estrechas riberas[67]. Al ser saludada por su primo, se puso como la grana y solo pronunció algunas palabras torpes.

—Estarás desmayado —dijo doña Perfecta a su sobrino—. Ahora mismo te daremos de almorzar.

—Con permiso de usted —repuso el viajero—, voy a quitarme el polvo del camino.

—Muy bien pensado. Rosario, lleva a tu primo al cuarto que le hemos dispuesto. Despáchate pronto, sobrino. Voy a dar mis órdenes.

Rosario llevó a su primo a una hermosa habitación situada en el piso bajo. Desde que puso el pie dentro de ella, Pepe reconoció en todos los detalles de la vivienda la mano diligente y cariñosa de una mujer. Todo estaba puesto con arte singular, y el aseo y frescura de cuanto allí había, convidaban a reposar en tan hermoso nido. El huésped reparó minuciosidades que le hicieron reír.

—Aquí tienes la campanilla —dijo Rosarito, tomando el cordón de ella, cuya borla caía sobre la cabecera del lecho—.

[67] El retrato de Rosario sigue los esquemas románticos (la heroína melancólica devorada por la «saudade»), modificado este esquema con una serie de rasgos realistas en lo que se refiere a la descripción física. Estos rasgos se resumen en la idea central de que la prima del protagonista no es una belleza de las habituales en la literatura, sino una criatura normal.

No tienes más que alargar la mano. La mesa de escribir está puesta de modo que recibas la luz por la izquierda... Mira, en esta cesta echarás los papeles rotos... ¿Fumas?

—Tengo esa desgracia —repuso Pepe, sonriendo.

—Pues aquí puedes echar las puntas de cigarro —dijo ella, tocando con la punta del pie un mueble de latón dorado lleno de arena—. No hay cosa más fea que ver el suelo lleno de colillas de cigarro... Mira el lavabo... Para la ropa tienes un ropero y una cómoda... Creo que la relojera está mal aquí y se te debe poner junto a la cama... Si te molesta la luz no tienes más que correr el transparente tirando de la cuerda... ¿Ves?... *risch*...

Pepe estaba encantado.

Rosarito abrió una ventana.

—Mira —dijo—, esta ventana da a la huerta. Por aquí entra el sol de tarde. Aquí tenemos colgada la jaula de un canario, que canta como un loco. Si te molesta la quitaremos.

Luego abrió otra ventana del testero opuesto.

—Esta otra ventana —añadió— da a la calle. Mira, de aquí se ve la catedral, que es muy hermosa y está llena de preciosidades. Vienen muchos ingleses a verla. No abras las dos ventanas a un tiempo, porque las corrientes de aire son muy malas.

—Querida prima —dijo Pepe con el alma inundada de inexplicable gozo—. En todo lo que está delante de mis ojos veo una mano de ángel que no puede ser sino la tuya. ¡Qué hermoso cuarto es este! Me parece que he vivido en él toda mi vida. Está convidando a la paz.

Rosarito no contestó nada a estas cariñosas expresiones, y sonriendo salió.

—No tardes —dijo desde la puerta— el comedor está también abajo... en el centro de esta galería[68].

---

[68] *galería:* corredor descubierto o con vidrieras, que da luz a las piezas interiores de la casa.

Entró el tío Licurgo con el equipaje. Pepe le recompensó con una largueza a que el labriego no estaba acostumbrado, y este, después de dar las gracias con humildad, llevose la mano a la cabeza como quien ni se pone ni se quita el sombrero, y en tono embarazoso, mascando las palabras, como quien no dice ni deja de decir las cosas, se expresó de este modo:

—¿Cuándo será la mejor hora para hablar al señor don José de un... de un asuntillo?

—¿De un asuntillo? Ahora mismo —repuso Pepe, abriendo su baúl.

—No es oportunidad —dijo el labriego—. Descanse el señor don José, que tiempo tenemos. Más días hay que longanizas[69], como dijo el otro; y un día viene tras otro día... Que usted descanse, señor don José... Cuando quiera dar un paseo... la jaca no es mala... Conque buenos días, señor don José. Que viva usted mil años... ¡Ah!, se me olvidaba —añadió, volviendo a entrar después de algunos segundos de ausencia—. Si quiere usted algo para el señor juez municipal... Ahora voy allá a hablarle de nuestro asuntillo...

—Dele usted expresiones —dijo festivamente, no encontrando mejor fórmula para sacudirse de encima al legislador espartano.

—Pues quede con Dios el señor don José.

—Abur.

El ingeniero no había sacado su ropa, cuando aparecieron por tercera vez en la puerta los sagaces ojuelos y la marrullera fisonomía del tío Licurgo.

—Perdone el señor don José —dijo, mostrando en afectada risa sus blanquísimos dientes—. Pero... quería decirle que si usted desea que esto se arregle por amigables componedores[70]... Aunque, como dijo el otro, pon

---

[69] *más días hay que longanizas:* refrán que indica que queda tiempo de sobra en el futuro.

[70] *amigable componedor:* en el lenguaje jurídico, persona a la que las partes de un litigio confían la solución equitativa del conflicto; árbitros

lo tuyo en consejo y unos dirán que es blanco y otros que es negro[71]...

—Hombre, ¿quiere usted irse de aquí?

—Dígolo porque a mí me carga la justicia. No quiero nada con justicia. Del lobo un pelo y ese de la frente[72]. Conque... con Dios, señor don José. Dios le conserve sus días para favorecer a los pobres...

—Adiós, hombre, adiós.

Pepe echó la llave a la puerta, y dijo para sí:

—La gente de este pueblo parece muy pleitista[73].

---

nombrados expresamente por las partes para decidir en equidad un litigio.

[71] *Pon lo tuyo en concejo* (o *consejo), y unos dirán que es blanco, otros que es negro:* si te fías de las opiniones ajenas, hallarás gran dificultad para convencer o agradar a todo el mundo debido a la diversidad de las opiniones de la gente.

[72] *Del lobo un pelo y ese* (o *eso) de la frente:* más vale conseguir poco, o algo, de una situación complicada, que arriesgarlo todo y quedarse sin nada.

[73] Siguiendo con la lectura de *El Quijote* que he propuesto en la introducción, podría pensarse que en la visión de «Licurgo» hay reminiscencias del Sancho Panza que reparte justicia en la ínsula en la segunda parte de la novela cervantina. Pero no es así; la semejanza es solo superficial. Sancho ejerce la justicia con tino y de forma desinteresada, con un acercamiento «realista» y de sentido común a los conflictos que se le presenten para que los juzgue. El «realismo» práctico de «Licurgo» no es más que audacia interesada, que consiste en sonsacar al recién llegado y aprovecharse de él en beneficio propio. Nada queda, en fin, en el egoísmo contemporáneo, de la España ideal que se quería ver en la literatura.

V

¿Habrá desavenencia?

Poco después Pepe se presentaba en el comedor.

—Si almuerzas fuerte —le dijo doña Perfecta con cariñoso acento— se te quitará la gana de comer. Aquí comemos a la una. Las modas del campo no te gustarán.

—Me encantan, señora tía.

—Pues di lo que prefieres: ¿almorzar fuerte ahora o tomar una cosita ligera para que resistas hasta la hora de comer?

—Escojo la cosa ligera para tener el gusto de comer con ustedes; y si en Villahorrenda hubiera encontrado algún alimento, nada tomaría a esta hora.

—Por supuesto, no necesito decirte que nos trates con toda franqueza. Aquí puedes mandar como si estuvieras en tu casa.

—Gracias, tía.

—¡Pero cómo te pareces a tu padre! —añadió la señora, contemplando con verdadero arrobamiento al joven mientras este comía—. Me parece que estoy mirando a mi querido hermano Juan. Se sentaba como te sientas tú, y comía lo mismo que tú. En el modo de mirar, sobre todo, sois como dos gotas de agua.

Pepe la emprendió con el frugal desayuno. Las expresiones, así como la actitud y las miradas de su tía y prima, le infundían tal confianza, que se creía ya en su propia casa.

—¿Sabes lo que me decía Rosario esta mañana? —indicó doña Perfecta, fija la vista en su sobrino—. Pues me decía que tú, como hombre hecho a las pompas y etiquetas de la corte y a las modas del extranjero, no podrás soportar esta sencillez un poco rústica en que vivimos y esta falta de buen tono, pues aquí todo es a la pata la llana[74].

—¡Qué error! —repuso Pepe, mirando a su prima—. Nadie aborrece más que yo las falsedades y comedias de lo que llaman alta sociedad. Crean ustedes que hace tiempo deseo darme, como decía no sé quién, un baño de cuerpo entero en la Naturaleza; vivir lejos del bullicio, en la soledad y sosiego del campo. Anhelo la tranquilidad de una vida sin luchas, sin afanes, ni envidioso ni envidiado, como dijo el poeta[75]. Durante mucho tiempo, mis estudios primero y mis trabajos después, me han impedido el descanso que necesito y que reclaman mi espíritu y mi cuerpo; pero desde que entré en esta casa, querida tía, querida prima, me he sentido rodeado de la atmósfera de paz que deseo. No hay que hablarme, pues, de sociedades altas ni bajas, ni de mundos grandes ni chicos, porque de buen grado los cambio todos por este rincón.

Esto decía cuando los cristales de la puerta que comunicaba el comedor con la huerta se oscurecieron por la superposición de una larga opacidad negra. Los vidrios de unas gafas despidieron, heridos por la luz del sol, fugitivo rayo; rechinó el picaporte, abriose la puerta y el señor Penitenciario penetró con gravedad en la estancia. Saludó y se inclinó, quitándose la teja[76] hasta tocar con el ala de ella al suelo.

---

[74] *a la pata la llana:* sin afectación.

[75] Fray Luis de León, Oda XXIII, «Al salir de la cárcel»: «Aquí la envidia y mentira / me tuvieron encerrado. / Dichoso el humilde estado / del sabio que se retira / de aqueste mundo malvado, / y con pobre mesa y casa, / en el campo deleitoso / con solo Dios se compasa, / y a solas su vida pasa, / ni envidiado ni envidioso».

[76] *teja:* sombrero usado por los eclesiásticos, que tiene levantadas las dos mitades laterales de su ala en forma de teja.

—Es el señor Penitenciario de esta santa catedral —dijo doña Perfecta—, persona a quien estimamos mucho y de quien espero serás amigo. Siéntese usted, señor don Inocencio.

Pepe estrechó la mano del venerable canónigo, y ambos se sentaron.

—Pepe, si acostumbras fumar después de comer no dejes de hacerlo —manifestó benévolamente doña Perfecta—, ni el señor Penitenciario tampoco.

A la sazón el buen don Inocencio sacaba de debajo de la sotana una gran petaca de cuero, marcada con irrecusables señales de antiquísimo uso, y la abrió, desenvainando de ella dos largos pitillos, uno de los cuales ofreció a nuestro amigo. De un cartoncejo que irónicamente llaman los españoles *wagón,* sacó Rosario un fósforo, y bien pronto ingeniero y presbítero echaban su humo el uno sobre el otro.

—¿Y qué le parece al señor don José nuestra querida ciudad de Orbajosa? —preguntó el canónigo, cerrando fuertemente el ojo izquierdo, según su costumbre mientras fumaba.

—Todavía no he podido formar idea de este pueblo —dijo Pepe—. Por lo poco que he visto, me parece que no le vendrían mal a Orbajosa media docena de grandes capitales dispuestos a emplearse aquí, un par de cabezas inteligentes que dirigieran la renovación de este país, y algunos miles de manos activas. Desde la entrada del pueblo hasta la puerta de esta casa he visto más de cien mendigos. La mayor parte son hombres sanos y aun robustos. Es un ejército lastimoso cuya vista oprime el corazón.

—Para eso está la caridad —afirmó don Inocencio—. Por lo demás, Orbajosa no es un pueblo miserable. Ya sabe usted que aquí se producen los primeros ajos de toda España. Pasan de veinte las familias ricas que viven entre nosotros[77].

---

[77] Como se dijo en la introducción, se enfrentan aquí dos concepciones de la Providencia. El joven da expresión a la idea moderna según la cual las élites han de intervenir en la sociedad para dirigir a la masa a fin de que esta, aprovechándose del progreso material, mejore sus condicio-

—Verdad es —indicó doña Perfecta— que los últimos años han sido detestables a causa de la seca; pero aun así las paneras no están vacías, y se han llevado últimamente al mercado muchos miles de ristras de ajos.

—En tantos años que llevo de residencia en Orbajosa —dijo el clérigo, frunciendo el ceño— he visto llegar aquí innumerables personajes de la Corte, traídos unos por la gresca electoral, otros por visitar algún abandonado terruño o ver las antigüedades de la catedral, y todos entran hablándonos de arados ingleses, de trilladoras mecánicas, de saltos de aguas, de bancos y qué sé yo cuántas majaderías. El estribillo es que esto es muy malo y que podía ser mejor. Váyanse con mil demonios, que aquí estamos muy bien sin que los señores de la Corte nos visiten, y mucho mejor sin oír ese continuo clamoreo de nuestra pobreza y de las grandezas y maravillas de otras partes. Más sabe el loco en su casa que el cuerdo en la ajena, ¿no es verdad, señor don José? Por supuesto, no se crea ni remotamente que lo digo por usted. De ninguna manera. Pues no faltaba más. Ya sé que tenemos delante a uno de los jóvenes más eminentes de la España moderna, a un hombre que sería capaz de transformar en riquísimas comarcas nuestras áridas estepas... Ni me incomodo porque usted me cante la vieja canción de los arados ingleses y la arboricultura y

---

nes de vida y, mediante el trabajo, acreciente su virtud y, con ello, su progreso moral. El cura, en cambio, apela a la idea tradicional, conservadora, según la cual Dios proveerá y, mediante la caridad, quienes tienen de sobra pueden socorrer a quienes carecen de todo, como manda el Evangelio. Cfr.: «Como procedimiento de aliviar la pobreza, la caridad cristiana era tan mala como inútil, como podía verse en los Estados Pontificios, en los que abundaba. Pero era popular, no solo entre los ricos tradicionalistas, que la fomentaban como salvaguarda contra el peligro de la igualdad de derechos [...], sino también entre los tradicionalistas pobres, profundamente convencidos de que tenían derecho a las migajas de la mesa del rico» (Eric Hobsbawm, *La era de la revolución,* Barcelona, Crítica, 2003, pág. 206).

la selvicultura... Nada de eso; a hombres de tanto, de tantísimo talento, se les puede dispensar el desprecio que muestran hacia nuestra humildad. Nada, amigo mío, nada, señor don José, está usted autorizado para todo, para todo, incluso para decirnos que somos poco menos que cafres.

Esta filípica, terminada con marcado tono de ironía, y harto impertinente toda ella, no agradó al joven; pero se abstuvo de manifestar el más ligero disgusto y siguió la conversación, procurando en lo posible huir de los puntos en que el susceptible patriotismo del señor canónigo hallase fácil motivo de discordia. Este se levantó en el momento en que la señora hablaba con su sobrino de asuntos de familia y dio algunos pasos por la estancia.

Era esta vasta y clara, cubierta de antiguo papel, cuyas flores y ramos, aunque descoloridos, conservaban su primitivo dibujo, gracias al aseo que reinaba en todas y cada una de las partes de la vivienda. El reloj, de cuya caja colgaban al descubierto, al parecer, las inmóviles pesas y el voluble péndulo, diciendo perpetuamente que *no*[78], ocupaba con su abigarrada muestra el lugar preeminente entre los sólidos muebles del comedor, completando el ornato de las paredes una serie de láminas francesas que representaban las hazañas del conquistador de Méjico, con prolijas expli-

---

[78] Un ejemplo de la suave ironía galdosiana al representar el reloj perpetuamente diciendo «no», como si se negara al progreso y a la modernidad que amenaza desde el exterior. Don Inocencio ha dejado claro poco antes, que «aquí estamos muy bien sin que los señores de la Corte nos visiten, y mucho mejor sin oír ese continuo clamoreo de nuestra pobreza y de las grandezas y maravillas de otras partes». Todo en la casa de Perfecta parece oponerse al paso del tiempo (Casalduero, *Vida*, pág. 53). Sigue a esto una compleja descripción del loro, con su empaque caricaturesco, que anticipa las palabras —e, implícitamente, la estrategia— de don Inocencio, en las que se encierra su desdén por Pepe Rey, el recién llegado «charlatán» al que hará tropezar constantemente a base de tirarle de la lengua, porque de «charlatanes está lleno el mundo de los hombres y el de los pájaros».

caciones al pie, en las cuales se hablaba de un *Ferdinand Cortez* y de una *Donna Marine* tan inverosímiles como las figuras dibujadas por el ignorante artista. Entre las dos puertas vidrieras que comunicaban con la huerta había un aparato de latón, que no es preciso describir desde que se diga que servía de sustentáculo a un loro, el cual se mantenía allí con la seriedad y circunspección propias de estos animalejos, observándolo todo. La fisonomía irónica y dura de los loros, su casaca verde, su gorrete encarnado, sus botas amarillas y, por último, las roncas palabras burlescas que pronuncian les dan un aspecto extraño entre serio y ridículo. Tienen no sé qué rígido empaque de diplomáticos. A veces parecen bufones, y siempre se asemejan a ciertos finchados sujetos, que por querer parecer muy superiores, tiran a la caricatura.

Era el Penitenciario muy amigo del loro. Cuando dejó a la señora y a Rosario en coloquio con el viajero, llegose a él, y dejándose morder con la mayor complacencia el dedo índice, le dijo:

—Tunante, bribón, ¿por qué no hablas? Poco valdrías si no fueras charlatán. De charlatanes está lleno el mundo de los hombres y el de los pájaros.

Luego cogió con su propia venerable mano algunos garbanzos del cercano cazuelillo y se los dio a comer. El animal empezó a llamar a la criada pidiéndole chocolate, y sus palabras distrajeron a las dos damas y al caballero de una conversación que no debía de ser muy importante.

VI

Donde se ve que puede surgir la desavenencia cuando menos se espera

De súbito se presentó el señor don Cayetano Polentinos, hermano político[79] de doña Perfecta, el cual entró con los brazos abiertos, gritando:

—Venga acá, señor don José de mi alma.

Y se abrazaron cordialmente. Don Cayetano y Pepe se conocían, porque el distinguido erudito y bibliófilo solía hacer excursiones a Madrid cuando se anunciaba almoneda[80] de libros procedentes de la testamentaría de algún *buquinista*[81]. Era don Cayetano alto y flaco, de edad mediana, si bien el continuo estudio o los padecimientos le habían desmejorado mucho; expresábase con una corrección alambicada que le sentaba a las mil maravillas, y era cariñoso y amable, a veces con exageración. Respecto de su vasto saber, ¿qué puede decirse sino que era un verdadero prodigio? En Madrid su nombre no se pronunciaba sin respeto, y si don Cayetano residiera en la capital, no se esca-

---

[79] *hermano político:* cuñado.

[80] *almoneda:* subasta pública o venta a bajo precio.

[81] *buquinista* (fr. *bouquiniste),* vendedor de libros usados, antiguos y de ocasión.

para sin pertenecer, a pesar de su modestia, a todas las academias existentes y por existir. Pero él gustaba del tranquilo aislamiento, y el lugar que en el alma de otros tiene la vanidad, teníalo en el suyo la pasión bibliómana, el amor al estudio solitario, sin otra ulterior mira y aliciente que los propios libros y el estudio mismo.

Había formado en Orbajosa una de las más ricas bibliotecas que en toda la redondez de España se encuentran, y dentro de ella pasaba largas horas del día y de la noche, compilando, clasificando, tomando apuntes y entresacando diversas suertes de noticias preciosísimas, o realizando quizás algún inaudito y jamás soñado trabajo, digno de tan gran cabeza. Sus costumbres eran patriarcales; comía poco, bebía menos, y sus únicas calaveradas consistían en alguna merienda en los Alamillos en días muy sonados, y paseos diarios a un lugar llamado Mundogrande, donde a menudo eran desenterradas del fango de veinte siglos medallas romanas y pedazos de arquitrabe, extraños plintos de desconocida arquitectura y tal cual ánfora o cubicularia[82] de inestimable precio.

Vivían don Cayetano y doña Perfecta en una armonía tal, que la paz del Paraíso no se le igualara. Jamás riñeron. Es verdad que él no se mezclaba para nada en los asuntos de la casa, ni ella en los de la biblioteca más que para hacerla barrer y limpiar todos los sábados, respetando con religiosa admiración los libros y papeles que sobre la mesa y en diversos parajes estaban de servicio.

Después de las preguntas y respuestas propias del caso, don Cayetano dijo:

—Ya he visto la caja. Siento mucho que no me trajeras la edición de 1527. Tendré que hacer yo mismo un viaje a Madrid... ¿Vas a estar aquí mucho tiempo? Mientras más,

---

[82] *cubicularia:* la palabra parece referirse a un objeto, aunque el vocablo en español nombra a algo o alguien (por ejemplo, un sirviente) relacionado con el dormitorio.

mejor, querido Pepe. ¡Cuánto me alegro de tenerte aquí! Entre los dos vamos a arreglar parte de mi biblioteca y a hacer un índice de escritores de la Jineta[83]. No siempre se encuentra a mano un hombre de tanto talento como tú... Verás mi biblioteca... Podrás darte en ella buenos atracones de lectura... Todo lo que quieras... Verás maravillas, verdaderas maravillas, tesoros inapreciables, rarezas que sólo yo poseo, solo yo... Pero, en fin, me parece que ya es hora de comer, ¿no es verdad, José? ¿No es verdad, Perfecta? ¿No es verdad, Rosarito? ¿No es verdad, señor don Inocencio?... Hoy es usted dos veces Penitenciario: dígolo porque ¿nos acompañará usted a hacer penitencia?[84].

El canónigo se inclinó, y sonriendo mostraba simpáticamente su aquiescencia. La comida fue cordial, y en todos los manjares se advertía la abundancia desproporcionada de los banquetes de pueblo, realizada a costa de la variedad. Había para atracarse doble número de personas que las allí reunidas. La conversación recayó en asuntos diversos.

—Es preciso que visite usted cuanto antes nuestra catedral —dijo el canónigo—. ¡Como esta hay pocas, señor don José!... Verdad que usted, que tantas maravillas ha visto en el extranjero, no encontrará nada notable en nuestra vieja iglesia... Nosotros, los pobres patanes de Orbajosa, la encontramos divina. El maestro López de Berganza, racionero[85] de ella, la llamaba en el siglo XVI *pulchra augustiana*... Sin embargo, para hombres de tanto saber como usted, quizás no tenga ningún mérito, y cualquier mercado de hierro será más bello.

---

[83] *Jineta:* relativo a la monta, adiestramiento y doma de caballos.

[84] *hacer penitencia:* expresión de modestia con que se invita a alguno (en el presente texto, a comer) excusando de antemano la escasez o poca distinción de la oferta.

[85] *racionero:* empleado menor de una catedral, que recibe sustento (o ración) de esta.

Cada vez disgustaba más a Pepe Rey el lenguaje irónico del sagaz canónigo; pero resuelto a contener y disimular su enfado, no contestó sino con expresiones vagas. Doña Perfecta tomó en seguida la palabra, y jovialmente se expresó así:

—Cuidado, Pepito; te advierto que si hablas mal de nuestra santa iglesia perderemos las amistades. Tú sabes mucho y eres un hombre eminente que de todo entiendes; pero si has de descubrir que esa gran fábrica no es la octava maravilla, guárdate en buen hora tu sabiduría y no nos saques de bobos...

—Lejos de creer que este edificio no es bello —repuso Pepe—, lo poco que de su exterior he visto me ha parecido de imponente hermosura. De modo, señora tía, que no hay para qué asustarse; ni yo soy sabio ni mucho menos.

—Poco a poco —dijo el canónigo, extendiendo la mano y dando paz a la boca por breve rato para que, hablando, descansase del mascar—. Alto allá: no venga usted aquí haciéndose el modesto, señor don José; que hartos estamos de saber lo muchísimo que usted vale, la gran fama de que goza y el papel importantísimo que desempeñará donde quiera que se presente. No se ven hombres así todos los días. Pero ya que de este modo ensalzo los méritos de usted.

Detúvose para seguir comiendo, y luego que la sin hueso quedó libre, continuó así:

—Ya que de este modo ensalzo los méritos de usted, permítaseme expresar otra opinión con la franqueza que es propia de mi carácter. Sí, señor don José, sí, señor don Cayetano; sí señora y niña mías: la ciencia, tal como la estudian y la propagan los modernos, es la muerte del sentimiento y de las dulces ilusiones. Con ella la vida del espíritu se amengua; todo se reduce a reglas fijas, y los mismos encantos sublimes de la Naturaleza desaparecen. Con la ciencia destrúyese lo maravilloso en las artes, así como la fe en el alma. La ciencia dice que todo es mentira, y todo quiere ponerlo en guarismos y rayas, no solo *maria ac terras*, donde estamos nosotros, sino también *caelumque profundum*, donde está Dios... Los admirables sueños del alma, su arrobamiento místico, la inspiración misma de los poetas, mentira. El corazón es una esponja, el cerebro una gusanera[86].

Todos rompieron a reír, mientras él daba paso a un trago de vino.

—Vamos, ¿me negará el señor don José —añadió el sacerdote—, que la ciencia, tal como se enseña y se propaga hoy, va derecha a hacer del mundo y del género humano una gran máquina?

—Eso según y conforme —dijo don Cayetano—. Todas las cosas tienen su pro y su contra.

—Tome usted más ensalada, señor Penitenciario —dijo doña Perfecta—. Está cargadita de mostaza, como a usted le gusta.

Pepe Rey no gustaba de entablar vanas disputas, ni era pedante, ni alardeaba de erudito, mucho menos ante mujeres y en reuniones de confianza; pero la importuna verbosidad agresiva del canónigo necesitaba, según él, un correctivo. Para dárselo le pareció mal sistema exponer ideas, que concordando con las del canónigo, halagasen a este, y decidió manifestar las opiniones que más contrariaran y más acerbamente mortificasen al mordaz Penitenciario.

---

[86] El ataque contra el «espíritu del siglo» se hace evocando las devociones religiosas y, con ellas, los sentimientos y afectos «naturales». Frente a la frialdad de la razón, carente de alma porque todo lo confía al imperio del entendimiento humano, los reaccionarios reclamaron el espacio de la fe como el ámbito donde no podía llegar el entendimiento, donde había que entrar con la humildad del que acepta la revelación divina. El origen de esta retórica reaccionaria, enfrentada al legado de la Ilustración, se encuentra en el *Genio del cristianismo,* obra apologética de la religión católica publicada por el vizconde de Chateaubriand en 1802, en la que el autor reaccionaba contra las «luces» de la filosofía del siglo anterior. *El escándalo,* la novela que Alarcón había publicado con extraordinario éxito de público en 1875, daba expresión a este sentimentalismo religioso que era, en lo político, una forma de reaccionar contra los tiempos modernos.

—Quieres divertirte conmigo —dijo para sí—. Verás qué mal rato te voy a dar.

Y luego añadió en voz alta:

—Cierto es todo lo que el señor Penitenciario ha dicho en tono de broma. Pero no es culpa nuestra que la ciencia esté derribando a martillazos un día y otro tanto ídolo vano, la superstición, el sofisma, las mil mentiras de lo pasado, bellas las unas, ridículas las otras, pues de todo hay en la viña del Señor. El mundo de las ilusiones, que es como si dijéramos un segundo mundo, se viene abajo con estrépito. El misticismo en religión, la rutina en la ciencia, el amaneramiento en las artes, caen como cayeron los dioses paganos, entre burlas. Adiós, sueños torpes, el género humano despierta y sus ojos ven la claridad. El sentimentalismo vano, el misticismo, la fiebre, la alucinación, el delirio desaparecen, y el que antes era enfermo, hoy está sano y se goza con placer indecible en la justa apreciación de las cosas. La fantasía, la terrible loca, que era el ama de la casa, pasa a ser criada... Dirija usted la vista a todos lados, señor Penitenciario, y verá el admirable conjunto de realidad que ha sustituido a la fábula. El cielo no es una bóveda, las estrellas no son farolillos, la luna no es una cazadora traviesa, sino un pedrusco opaco; el sol no es un cochero emperejilado y vagabundo sino un incendio fijo. Las sirtes no son ninfas sino dos escollos; las sirenas son focas; en el orden de las personas, Mercurio es Manzanedo; Marte es un viejo barbilampiño, el conde de Moltke; Néstor puede ser un señor de gabán que se llama monsieur Thiers; Orfeo es Verdi; Vulcano es Krupp; Apolo es cualquier poeta. ¿Quiere usted más? Pues Júpiter, un dios digno de ir a presidio si viviera aún, no descarga el rayo, sino que el rayo cae cuando a la electricidad le da la gana. No hay Parnaso, no hay Olimpo, no hay laguna Estigia, ni otros Campos Elíseos que los de París. No hay ya más bajadas al infierno que las de la geología, y este viajero, siempre que vuelve, dice que no hay condenados en el centro de la tierra. No hay más subidas al cielo que las de la astronomía, y esta, a su regreso, asegura no haber visto los seis o siete pisos de que hablan el Dante y los místicos y soñadores de la Edad Media. No encuentra sino astros y distancias, líneas, enormidades de espacio y nada más. Ya no hay falsos cómputos de la edad del mundo, porque la paleontología y la prehistoria han contado los dientes de esta calavera en que vivimos y averiguado su verdadera edad. La fábula, llámese paganismo o idealismo cristiano, ya no existe, y la imaginación está de cuerpo presente. Todos los milagros posibles se reducen a los que yo hago en mi gabinete cuando se me antoja con una pila de Bunsen, un hilo inductor y una aguja imantada. Ya no hay más multiplicaciones de panes y peces que las que hace la industria con sus moldes y máquinas, y las de la imprenta, que imita a la Naturaleza, sacando de un solo tipo millones de ejemplares. En suma, señor canónigo del alma, se han corrido las órdenes para dejar cesantes a todos los absurdos, falsedades, ilusiones, ensueños, sensiblerías y preocupaciones que ofuscan el entendimiento del hombre. Celebremos el suceso[87].

Cuando concluyó de hablar, en los labios del canónigo retozaba una sonrisilla, y sus ojos habían tomado animación extraordinaria[88]. Don Cayetano se ocupaba en dar

---

[87] Al melancolismo reaccionario del clérigo responde el protagonista con esta exaltada oda al progreso y a las novedades que, tanto en el saber como en la técnica, han aportado la ciencia y la industria. Los nuevos tiempos han visto nacer una realidad nueva, más perfecta, que se erige sobre los errores y las ensoñaciones del pasado, corrigiendo estos. Todo ha cambiado, ya nada es igual. Las bellas ficciones de la mitología o de la literatura, y las piedades de la religión son hoy explicables por procedimientos científicos o, en otros casos, la ciencia ha demostrado su falsedad y las ha descartado. El cambio ha traído una claridad que alumbra la razón humana; la técnica, fruto del esfuerzo humano, es la nueva Naturaleza.

[88] El objetivo del clérigo no es refutar las ideas de Pepe, sino hacer que este, torpe y lenguaraz, aparezca ante su tía, y suegra en ciernes, como un ser poco respetuoso con las creencias cristianas. Don Inocencio es el as-

diversas formas, ora romboidales, ora prismáticas, a una bolita de pan. Pero doña Perfecta estaba pálida y fijaba sus ojos en el canónigo con insistencia observadora. Rosarito contemplaba con estupor a su primo. Este se inclinó hacia ella y, al oído, le dijo disimuladamente en voz muy baja:

—No me hagas caso, primita. Digo estos disparates para sulfurar al señor canónigo.

---

tuto manipulador de Perfecta; las palabras de Pepe alarman a esta, despertando en ella el ser fanático que lleva dentro, intransigente con las opiniones ajenas cuando estas no se someten a las creencias comunes.

VII

La desavenencia crece

—Puede que creas —indicó doña Perfecta con ligero acento de vanidad—, que el señor don Inocencio se va a quedar callado sin contestarte a todos y cada uno de esos puntos[89].

—¡Oh, no! —exclamó el canónigo, arqueando las cejas—. No mediré yo mis escasas fuerzas con adalid tan valiente y al mismo tiempo tan bien armado. El señor don José lo sabe todo, es decir, tiene a su disposición todo el arsenal de las ciencias exactas. Bien sé que la doctrina que sustenta es falsa; pero yo no tengo talento ni elocuencia para combatirla. Emplearía yo las armas del sentimiento; emplearía argumentos teológicos, sacados de la revelación, de la fe, de la palabra divina; pero, ¡ay!, el señor don José, que es un sabio eminente, se reiría de la teología, de la fe, de la revelación, de los santos profetas, del Evangelio... Un pobre clérigo ignorante, un desdichado que no sabe matemáticas, ni filosofía alemana en que hay aquello de *yo* y *no yo;* un pobre dómine que no sabe más que la ciencia de

---

[89] El objetivo de la discusión no es en modo alguno esclarecer la verdad sino, y este diálogo repite las actitudes de la novela ideológica, se trata de afirmar la propia opinión, la «verdad» de uno. Frente a la opinión del forastero Pepe, Perfecta anuncia que don Inocencio ha de formular la verdad local, «nuestra» verdad.

Dios y algo de poetas latinos, no puede entrar en combate con estos bravos corifeos.

Pepe Rey prorrumpió en francas risas.

—Veo que el señor don Inocencio —indicó— ha tomado por lo serio estas majaderías que he dicho... Vaya, señor canónigo, vuélvanse cañas las lanzas, y todo se acabó. Seguro estoy de que mis verdaderas ideas y las de usted no están en desacuerdo. Usted es un varón piadoso e instruido. Aquí el ignorante soy yo. Si he querido bromear, dispénsenme todos: yo soy así.

—Gracias —repuso el presbítero visiblemente contrariado—. ¿Ahora salimos con esa? Bien sé yo, bien sabemos todos que las ideas que usted ha sustentado son las suyas. No podía ser de otra manera. Usted es el hombre del siglo[90]. No puede negarse que su entendimiento es prodigioso, a todas luces prodigioso. Mientras usted hablaba, yo, lo confieso ingenuamente, al mismo tiempo que en mi interior deploraba error tan grande, no podía menos de admirar lo sublime de la expresión, la prodigiosa facundia, el método sorprendente de su raciocinio, la fuerza de los argumentos... ¡Qué cabeza, señora doña Perfecta, qué cabeza la de este joven sobrino de usted! Cuando estuve en Madrid y me llevaron al Ateneo, confieso que me quedé absorto al ver el asombroso ingenio que Dios ha dado a los ateos y protestantes.

—Señor don Inocencio —dijo doña Perfecta, mirando alternativamente a su sobrino y a su amigo— creo que usted, al juzgar a este chico, traspasa los límites de la benevolencia... No te enfades, Pepe, ni hagas caso de lo que digo, porque yo ni soy sabia, ni filósofa, ni teóloga; pero me parece que el señor don Inocencio acaba de dar una prueba de su gran modestia y caridad cristiana, negándose a apabullarte, como podía hacerlo si hubiese querido...

---

[90] *hombre del siglo,* véase nota 65.

—¡Señora, por Dios! —murmuró el eclesiástico.

—Él es así —añadió la señora—. Siempre haciéndose la mosquita muerta... Y sabe más que los cuatro doctores[91]. ¡Ay, señor don Inocencio, qué bien le sienta a usted el nombre que tiene! Pero no se nos venga acá con humildades importunas. Si mi sobrino no tiene pretensiones... Si él sabe lo que le han enseñado y nada más... Si ha aprendido el error, ¿qué más puede desear sino que usted le ilustre y le saque del infierno de sus mentirosas doctrinas?

—Justamente, no deseo otra cosa, sino que el señor Penitenciario me saque... —murmuró Pepe, comprendiendo que sin quererlo se había metido en un laberinto.

—Yo soy un pobre clérigo que no sabe más que la ciencia antigua —repuso don Inocencio—. Reconozco el inmenso valer científico mundano del señor don José, y ante tan brillante oráculo, callo y me postro.

Diciendo esto, el canónigo cruzaba ambas manos sobre el pecho, inclinando la cabeza. Pepe Rey estaba un si es no es turbado a causa del giro que su tía quiso dar a una vana disputa festiva, en la que tomó parte tan solo por acalorar un poco la conversación. Creyó prudente poner punto en tan peligroso tratado, y con este fin dirigió una pregunta al señor don Cayetano, cuando este, despertando del vaporoso letargo que tras los postres le sobrevino, ofrecía a los comensales los indispensables palillos clavados en un pavo de porcelana que hacía la rueda.

—Ayer he descubierto una mano empuñando el asa de un ánfora, en la cual hay varios signos hieráticos. Te la enseñaré —dijo don Cayetano, gozoso de plantear un tema de su predilección.

---

[91] La Iglesia medieval nombró ocho doctores (o maestros) de la fe, cuyos escritos definen el dogma originario. Cuatro de ellos eran occidentales —san Gregorio Magno, san Ambrosio, san Agustín y san Jerónimo— y cuatro del Oriente: san Atanasio, san Juan Crisóstomo, san Basilio Magno y san Gregorio Nacianceno.

—Supongo que el señor de Rey será también muy experto en cosas de arqueología —indicó el canónigo, que siempre implacable, corría tras la víctima, siguiéndola hasta su más escondido refugio.

—Por supuesto —dijo doña Perfecta—. ¿De qué no entenderán estos despabilados niños del día? Todas las ciencias las llevan en las puntas de los dedos. Las universidades y las academias les instruyen de todo en un periquete, dándoles patentes de sabiduría[92].

—¡Oh!, eso es injusto —repuso el canónigo, observando la penosa impresión que manifestaba el semblante del ingeniero.

---

[92] Perfecta desdeña el nuevo saber en un momento en que el conocimiento experimenta gran transformación debido al impacto complementario de dos hechos. Por un lado, el éxito indisputable de las políticas de escolarización que, a partir de 1857 (cuando se aprueba la Ley de Claudio Moyano), aumentaron considerablemente la población alfabetizada. En el siglo XIX se produce, en todo Occidente, y por primera vez en la historia, el acceso masivo de las clases populares a la cultura escrita. Por otro, el nacimiento de una forma de cultura basada en la opinión, y difundida principalmente a través de la prensa, que hacía caso omiso de la erudición y del saber del pasado. Consciente de que este cambio afectaba a unas prácticas anteriormente legitimadas por el poder y por la tradición, Valera describió la situación resultante indicando que «la política, la filosofía, todas las ciencias y artes que hoy en España se cultivan, adolecen por lo común del mismo achaque. Hay una falta de respeto a la autoridad» *(Discursos,* págs. 9-10). Pero durante el Sexenio, en 1871, contagiado por el optimismo revolucionario, Valera también celebraba que «en medio de tanto desorden y de la agitación de una vida pública activa, se difunde el saber como no podía difundirse antes; llegan las ideas y los pensamientos de los doctos hasta las clases más ignorantes, y se despiertan la curiosidad y el ingenio y la inteligencia de todos» («Lo castizo», *OC,* vol. 2, pág. 431). Perfecta desdeña esta difusión porque atenta contra la autoridad legitimada por la historia. Otro tanto hace Pereda al ridiculizar al hombre nuevo del krausismo: «Ni la experiencia ni la erudición más vasta en el campo de los viejos sistemas le merecen el menor respeto, porque él ha asistido durante dos meses a una cátedra de filosofía krausista en la Universidad de Madrid» («Un sabio», *Tipos trashumantes, OC,* Madrid, Aguilar, 1964, vol. 1, pág. 720).

—Mi tía tiene razón —afirmó Pepe—. Hoy aprendemos un poco de todo, y salimos de las escuelas con rudimentos de diferentes estudios.

—Decía —añadió el canónigo— que será usted un gran arqueólogo.

—No sé una palabra de esa ciencia —repuso el joven—. Las ruinas son ruinas, y nunca me ha gustado empolvarme en ellas.

Don Cayetano hizo una mueca muy expresiva.

—No es esto condenar la arqueología —dijo vivamente el sobrino de doña Perfecta, advirtiendo con dolor que no pronunciaba una palabra sin herir a alguien—. Bien sé que del polvo sale la historia. Esos estudios son preciosos y utilísimos.

—Usted —observó el Penitenciario, metiéndose el palillo en la última muela— se inclinará más a los estudios de controversia. Ahora se me ocurre una excelente idea, señor don José: usted debiera ser abogado.

—La abogacía es una profesión que aborrezco —replicó Pepe Rey—. Conozco abogados muy respetables, entre ellos a mi padre, que es el mejor de los hombres. A pesar de tan buen ejemplo, en mi vida me hubiera sometido a ejercer una profesión que consiste en defender lo mismo en pro que en contra de las cuestiones. No conozco error, ni preocupación, ni ceguera más grande que el empeño de las familias en inclinar a la mejor parte de la juventud a la abogacía. La primera y más terrible plaga de España es la turbamulta de jóvenes letrados, para cuya existencia es necesaria una fabulosa cantidad de pleitos. Las cuestiones se multiplican en proporción de la demanda. Aun así, muchísimos se quedan sin trabajo, y como un señor jurisconsulto no puede tomar el arado ni sentarse al telar, de aquí proviene ese brillante escuadrón de holgazanes llenos de pretensiones, que fomentan la empleomanía, perturban la política, agitan la opinión y engendran las revoluciones. De alguna parte han de comer. Mayor desgracia sería que hubiera pleitos para todos.

—Pepe, por Dios, mira lo que hablas —dijo doña Perfecta, con marcado tono de severidad—. Pero dispénsele usted, señor don Inocencio... porque él ignora que usted tiene un sobrinito el cual, aunque recién salido de la Universidad, es un portento en la abogacía.

—Yo hablo en términos generales —manifestó Pepe con firmeza—. Siendo, como soy, hijo de un abogado ilustre, no puedo desconocer que algunas personas ejercen esta noble profesión con verdadera gloria.

—No... si mi sobrino es un chiquillo todavía —dijo el canónigo afectando humildad—. Muy lejos de mi ánimo afirmar que es un prodigio de saber, como el señor de Rey. Con el tiempo quién sabe... Su talento no es brillante ni seductor. Por supuesto, las ideas de Jacintito son sólidas, su criterio sano; lo que sabe lo sabe a machamartillo. No conoce sofisterías ni palabras huecas...

Pepe Rey parecía cada vez más inquieto. La idea de que sin quererlo, estaba en contradicción con las ideas de los amigos de su tía, le mortificaba, y resolvió callar por temor a que él y don Inocencio concluyeran tirándose los platos a la cabeza. Felizmente el esquilón de la catedral, llamando a los canónigos a la importante tarea del coro, le sacó de situación tan penosa. Levantose el venerable varón y se despidió de todos, mostrándose con Pepe tan lisonjero, tan amable, cual si la amistad más íntima desde largo tiempo les uniera. El canónigo, después de ofrecerse para servirle en todo, le prometió presentarle a su sobrino, a fin de que este le acompañase a ver la población, y le dijo expresiones muy cariñosas, dignándose agraciarle al salir con una palmadita en el hombro. Pepe Rey aceptando con gozo aquellas fórmulas de concordia, vio, sin embargo, el cielo abierto cuando el sacerdote salió del comedor y de la casa.

VIII

A toda prisa

Poco después había cambiado la escena. Don Cayetano, encontrando descanso a sus sublimes tareas en un dulce sueño que de él se amparó, dormía blandamente en un sillón del comedor. Doña Perfecta andaba por la casa tras sus quehaceres. Rosarito, sentándose junto a una de las vidrieras que a la huerta se abrían, miró a su primo, diciéndole con la muda oratoria de los ojos:

—Primo, siéntate aquí junto a mí, y dime todo eso que tienes que decirme.

Pepe, aunque matemático, lo comprendió.

—Querida prima —dijo—, ¡cuánto te habrás aburrido hoy con nuestras disputas! Bien sabe Dios que por mi gusto no habría pedanteado como viste; pero el señor canónigo tiene la culpa... ¿Sabes que me parece singular ese señor sacerdote?...

—¡Es una persona excelente! —repuso Rosarito, demostrando el gozo que sentía por verse en disposición de dar a su primo todos los datos y noticias que necesitase.

—¡Oh!, sí, una excelente persona. ¡Bien se conoce!

—Cuando le sigas tratando, conocerás...

—Que no tiene precio. En fin, basta que sea amigo de tu mamá y tuyo para que también lo sea mío —afirmó el joven—. ¿Y viene mucho acá?

—Toditos los días. ¡Qué bueno y qué amable es! ¡Y cómo me quiere!

—Vamos, ya me va gustando ese señor.

—Viene también por las noches a jugar al tresillo —añadió la joven—, porque a prima noche se reúnen aquí algunas personas: el juez de primera instancia, el promotor fiscal, el deán, el secretario del obispo, el alcalde, el recaudador de contribuciones, el sobrino de don Inocencio...

—¡Ah! Jacintito, el abogado.

—Ese. Es un pobre chico, más bueno que el pan. Su tío le adora. Desde que vino de la Universidad, con su borla de doctor... porque es doctor de un par de facultades, y sacó nota de sobresaliente... ¿qué crees tú? ¡Vaya!... pues desde que vino, su tío le trae aquí con mucha frecuencia. Mamá también le quiere mucho... Es estudioso y formalito. Se retira temprano con su tío; no va nunca al Casino por las noches, no juega ni derrocha, y trabaja en el bufete de don Lorenzo Ruiz, que es el primer abogado de Orbajosa. Dicen que Jacinto será un gran defensor de pleitos.

—Su tío no exageraba al elogiarle —dijo Pepe—. Siento mucho haber dicho aquellas tonterías sobre los abogados... Querida prima, ¿no es verdad que estuve inconveniente?

—Calla, si a mí me parece que tienes mucha razón.

—¿Pero de veras, no estuve un poco...?

—Nada, nada.

—¡Qué peso me quitas de encima! La verdad es que me encontré, sin saber cómo, en una contradicción constante y penosa con ese venerable sacerdote. Lo siento de veras.

—Lo que yo creo —dijo Rosarito, clavando en él sus ojos llenos de expresión cariñosa— es que tú no eres para nosotros.

—¿Qué significa eso?

—No sé si me explico bien, primo. Quiero decir, que no es fácil te acostumbres a la conversación ni a las ideas de la gente de Orbajosa. Se me figura..., es una suposición.

—¡Oh!, no; yo creo que te equivocas.

—Tú vienes de otra parte, de otro mundo, donde las personas son muy listas, muy sabias, y tienen unas maneras finas y un modo de hablar ingenioso, y una figura... Puede ser que no me explique bien. Quiero decir que estás habituado a vivir entre una sociedad escogida; sabes mucho... Aquí no hay lo que tú necesitas; aquí no hay gente sabia, ni grandes finuras. Todo es sencillez, Pepe. Se me figura que te aburrirás, que te aburrirás mucho y al fin tendrás que marcharte.

La tristeza, que era normal en el semblante de Rosarito, se mostró con tintas y rasgos tan notorios, que Pepe Rey sintió una emoción profunda.

—Estás en un error, querida prima. Ni yo traigo aquí la idea que supones, ni mi carácter ni mi entendimiento están en disonancia con los caracteres y las ideas de aquí. Pero supongamos por un momento que lo estuvieran.

—Vamos a suponerlo...

—En ese caso tengo la firme convicción de que entre tú y yo, entre nosotros dos, querida Rosario, se establecerá una armonía perfecta. Sobre esto no puedo engañarme. El corazón me dice que no me engaño.

Rosarito se ruborizó; pero esforzándose en hacer huir su sonrojo con sonrisas y miradas dirigidas aquí y allí, dijo:

—No vengas ahora con artificios. Si lo dices porque yo he de encontrar siempre bien todo lo que piensas, tienes razón.

—Rosario —exclamó el joven—. Desde que te vi, mi alma se sintió llena de una alegría muy viva..., he sentido al mismo tiempo un pesar: el de no haber venido antes a Orbajosa.

—Eso sí que no he de creerlo —dijo ella, afectando jovialidad para encubrir medianamente su emoción—. ¿Tan pronto?... No vengas ahora con palabrotas... Mira, Pepe, yo soy una lugareña, yo no sé hablar más que cosas vulgares; yo no sé francés; yo no me visto con elegancia; yo apenas sé tocar el piano; yo...

—¡Oh, Rosario! —exclamó con ardor el caballero—. Dudaba que fueses perfecta; ahora ya sé que lo eres.

Entró de súbito la madre. Rosarito, que nada tenía que contestar a las últimas palabras de su primo, conoció, sin embargo, la necesidad de decir algo, y mirando a su madre, habló así:

—¡Ah!, se me había olvidado poner la comida al loro.

—No te ocupes de eso ahora. ¿Para qué os estáis ahí? Lleva a tu primo a dar un paseo por la huerta.

La señora se sonreía con bondad maternal, señalando a su sobrino la frondosa arboleda que tras los cristales aparecía.

—Vamos allá —dijo Pepe levantándose.

Rosarito se lanzó como un pájaro puesto en libertad hacia la vidriera.

—Pepe, que sabe tanto y ha de entender de árboles —afirmó doña Perfecta—, te enseñará cómo se hacen los injertos. A ver qué opina él de esos peralitos que se van a trasplantar.

—Ven, ven —dijo Rosarito desde fuera.

Llamaba a su primo con impaciencia. Ambos desaparecieron entre el follaje. Doña Perfecta les vio alejarse, y después se ocupó del loro. Mientras le renovaba la comida, dijo en voz muy baja, con ademán pensativo:

—¡Qué despegado es! Ni siquiera le ha hecho una caricia al pobre animalito.

Luego en voz alta añadió, creyendo en la posibilidad de ser oída por su cuñado:

—Cayetano, ¿qué te parece el sobrino?... ¡Cayetano!

Sordo gruñido indicó que el anticuario volvía al conocimiento de este miserable mundo.

—Cayetano...

—Eso es... es... —murmuró con torpe voz el sabio—; ese caballerito sostendrá como todos la opinión errónea de que las estatuas de Mundogrande proceden de la primera inmigración fenicia. Yo le convenceré...

—Pero Cayetano...

—Pero Perfecta... ¡Bah! ¿También ahora sostendrás que he dormido?

—No, hombre, ¡qué he de sostener yo tal disparate!... Pero ¿no me dices qué te parece ese chico?

Don Cayetano se puso la palma de la mano ante la boca para bostezar más a gusto, y después entabló una larga conversación con la señora. Los que nos han transmitido las noticias necesarias a la composición de esta historia, pasan por alto aquel diálogo, sin duda porque fue demasiado secreto. En cuanto a lo que hablaron el ingeniero y Rosarito en la huerta aquella tarde, parece evidente que no es digno de mención.

En la tarde del siguiente día ocurrieron, sí, cosas que no deben pasarse en silencio, por ser de la mayor gravedad. Hallábanse solos ambos primos a hora bastante avanzada de la tarde, después de haber discurrido por distintos parajes de la huerta, atentos el uno al otro y sin tener alma ni sentidos más que para verse y oírse.

—Pepe —decía Rosario—, todo lo que me has dicho es una fantasía, una cantinela de esas que tan bien sabéis hacer los hombres de chispa[93]. Tú piensas que como soy lugareña creo cuanto me dicen.

—Si me conocieras, como yo creo conocerte a ti, sabrías que jamás digo sino lo que siento. Pero dejémonos de sutilezas tontas y de argucias de amantes, que no conducen sino a falsear los sentimientos. Yo no hablaré contigo más lenguaje que el de la verdad. ¿Eres acaso una señorita a quien he conocido en el paseo o en la tertulia y con la cual pienso pasar un rato divertido? No. Eres mi prima. Eres algo más... Rosario, pongamos de una vez las cosas en su verdadero lugar. Fuera rodeos. Yo he venido aquí a casarme contigo.

Rosario sintió que su rostro se abrasaba y que el corazón no le cabía en el pecho.

---

[93] *chispa:* gracia, agudeza o viveza de ingenio.

—Mira, querida prima —añadió el joven—, te juro que si no me hubieras gustado, ya estaría lejos de aquí. Aunque la cortesía y la delicadeza me habrían obligado a hacer esfuerzos, no me hubiera sido fácil disimular mi desengaño. Yo soy así.

—Primo, casi acabas de llegar —dijo lacónicamente Rosarito, esforzándose en reír.

—Acabo de llegar y ya sé todo lo que tenía que saber; sé que te quiero, que eres la mujer que desde hace tiempo me está anunciando el corazón, diciéndome noche y día... «ya viene, ya está cerca; que te quemas».

Esta frase sirvió de pretexto a Rosario para soltar la risa que en sus labios retozaba. Su espíritu se desvanecía alborozado en una atmósfera de júbilo.

—Tú te empeñas en que no vales nada —continuó Pepe—, y eres una maravilla. Tienes la cualidad admirable de estar a todas horas proyectando sobre cuanto te rodea la divina luz de tu alma. Desde que se te ve, desde que se te mira, los nobles sentimientos y la pureza de tu corazón se manifiestan. Viéndote se ve una vida celeste que por descuido de Dios está en la tierra; eres un ángel y yo te quiero como un tonto.

Al decir esto parecía haber desempeñado una grave misión. Rosarito viose de súbito dominada por tan viva sensibilidad, que la escasa energía de su cuerpo no pudo corresponder a la excitación de su espíritu, y, desfalleciendo, dejose caer sobre un sillar que hacía las veces de asiento en aquellos amenos lugares. Pepe se inclinó hacia ella. Notó que cerraba los ojos, apoyando la frente en la palma de la mano. Poco después la hija de doña Perfecta Polentinos, dirigía a su primo, entre dulces lágrimas, una mirada tierna, seguida de estas palabras:

—Te quiero desde antes de conocerte.

Apoyadas sus manos en las del joven, se levantó y sus cuerpos desaparecieron entre las frondosas ramas de un paseo de adelfas. Caía la tarde, y una dulce sombra se extendía por la parte baja de la huerta, mientras el último rayo del sol poniente coronaba de resplandores las cimas de los árboles. La ruidosa república de pajarillos armaba espantosa algarabía en las ramas superiores. Era la hora en que, después de corretear por la alegre inmensidad de los cielos, iban todos a acostarse, y se disputaban unos a otros la rama que escogían por alcoba. Su charla parecía a veces recriminación y disputa, a veces burla y gracejo. Con su parlero trinar se decían aquellos tunantes las mayores insolencias, dándose de picotazos y agitando las alas, así como los oradores agitan los brazos cuando quieren hacer creer las mentiras que pronuncian. Pero también sonaban por allí palabras de amor; que a ello convidaban la apacible hora y el hermoso lugar. Un oído experto hubiera podido distinguir las siguientes:

—Desde antes de conocerte te quería, y si no hubieras venido me habría muerto de pena. Mamá me daba a leer las cartas de tu padre, y como en ellas hacía tantas alabanzas de ti, yo decía: «Este debiera ser mi marido». Durante mucho tiempo, tu padre no habló de que tú y yo nos casáramos, lo cual me parecía un descuido muy grande. Yo no sabía qué pensar de semejante negligencia... Mi tío Cayetano, siempre que te nombraba decía: «Como ese hay pocos en el mundo. La mujer que le pesque, ya se puede tener por dichosa...». Por fin tu papá dijo lo que no podía menos de decir... Sí, no podía menos de decirlo: yo lo esperaba todos los días...

Poco después de estas palabras, la misma voz añadió con zozobra:

—Alguien viene tras de nosotros.

Saliendo de entre las adelfas, Pepe vio a dos personas que se acercaban, y tocando las hojas de un tierno arbolito que allí cerca había, dijo en alta voz a su compañera:

—No es conveniente aplicar la primera poda a los árboles jóvenes como este, hasta su completo arraigo. Los árboles recién plantados no tienen vigor para soportar dicha operación. Tú bien sabes que las raíces no pueden formarse sino por el influjo de las hojas, así es que si le quitas las hojas...

—¡Ah! señor don José —exclamó el Penitenciario con franca risa, acercándose a los dos jóvenes y haciéndoles una reverencia—. ¿Está usted dando lecciones de horticultura? *Insere nunc Melibœe piros, pone ordine vites*[94], que dijo el gran cantor de los trabajos del campo. Injerta los perales, caro Melibeo, arregla las parras... ¿Conque cómo estamos de salud, señor don José?

El ingeniero y el canónigo se dieron las manos. Luego este volviose, y señalando a un jovenzuelo que tras él venía, dijo sonriendo:

—Tengo el gusto de presentar a usted a mi querido Jacintillo... una buena pieza... un tarambana, señor don José[95].

---

[94] «Insere nunc, Meliboee, piros, pone ordine vites» (Virgilio, *Bucólicas* [Égloga I, v. 73]).

[95] Terminaba aquí la primera entrega, con la introducción de Jacinto, el sobrino de don Inocencio y posible rival de Pepe en el amor de Rosario. Siguiendo los modelos de autoridad tradicionales, el doctor en leyes es constantemente presentado como un joven inexperto, que en realidad no sabe nada pues no tiene edad para saber. Frente a él, Pepe representa el saber que proporcionan el estudio y la experiencia. Esta consideración ordena la estrategia de ataque del astuto clérigo. A Pepe lo ensalza en un principio (Pepe es el hombre del siglo, el gran ingeniero, el artista, etc.) para rebajarlo más tarde; Jacinto, en cambio, es el chiquillo y el «tarambana», pese a que inmediatamente es celebrado y ensalzado.

IX

La desavenencia sigue creciendo y amenaza convertirse en discordia[96]

Junto a la negra sotana se destacó un sonrosado y fresco rostro. Jacintito saludó a nuestro joven, no sin cierto embarazo.

Era uno de esos chiquillos precoces a quienes la indulgente Universidad lanza antes de tiempo a las arduas luchas del mundo, haciéndoles creer que son hombres porque son doctores. Tenía Jacintito semblante agraciado y carilleno, con mejillas de rosa como una muchacha, y era rechoncho de cuerpo, de estatura pequeña, tirando un poco a pequeñísima, y sin más pelo de barba que el suave bozo que lo anunciaba. Su edad excedía poco de los veinte años. Habíase educado desde la niñez bajo la dirección de su excelente y discreto tío, con lo cual dicho se está que el tierno arbolito no se torció al crecer. Una moral severa le mantenía constantemente derecho, y en el cumplimiento de sus deberes escolásticos apenas flaqueaba. Concluidos los estu-

[96] Comenzaba aquí la segunda entrega. La mención de la «desavenencia» recordaba el conflicto, y como este se hace progresivamente más grave, siendo cada vez más precaria la situación del protagonista. El conflicto es el objeto de los capítulos de la segunda entrega.

dios universitarios con aprovechamiento asombroso, pues no hubo clase en que no ganase las más eminentes notas, empezó a trabajar, prometiendo con su aplicación y buen tino para la abogacía perpetuar en el foro el lozano verdor de los laureles del aula.

A veces era travieso como un niño, a veces hombre formal. En verdad, en verdad, que si a Jacintito no le gustaran un poco, y aun un mucho, las lindas muchachas, su buen tío le creería perfecto. No dejaba de sermonearle a todas horas, apresurándose a cortarle los vuelos audaces; pero ni aun esta inclinación mundana del jovenzuelo lograba enfriar el amor que nuestro buen canónigo tenía al encantador retoño de su cara sobrina María Remedios. En tratándose del abogadillo, todo cedía. Hasta las graves y rutinarias prácticas del buen sacerdote se alteraban siempre que se tratase de algún asunto referente a su precoz pupilo. Aquel método riguroso y fijo como un sistema planetario solía perder su equilibrio cuando Jacintito estaba enfermo o tenía que hacer un viaje. ¡Inútil celibato el de los clérigos! Si el Concilio de Trento les prohíbe tener hijos, Dios, no el Demonio[97], les da sobrinos para que conozcan los dulces afanes de la paternidad.

Examinadas imparcialmente las cualidades de aquel aprovechado niño, era imposible desconocer su mérito. Su carácter era por lo común inclinado a la honradez, y las acciones nobles despertaban franca admiración en su alma. Respecto a sus dotes intelectuales y a su saber social, tenía todo lo necesario para ser con el tiempo una notabilidad de estas que tanto abundan en España; podía ser lo que a to-

---

[97] Copio la puntuación habitual en todas las ediciones aunque el sentido queda poco claro, pues falta una coma necesaria. En este pasaje el narrador quiere decir que no es Dios (o sea, el Bien), sino el Demonio (urdidor del Mal) quien otorga sobrinos a los clérigos para hacer causar en estos las preocupaciones de la paternidad. De modo que la puntuación debería ser: «... Dios, no, el Demonio...».

das horas nos complacemos en llamar hiperbólicamente un *distinguido patricio,* o *un eminente hombre público,* especies que, por su mucha abundancia, apenas son apreciadas en su justo valor. En aquella tierna edad, en que el grado universitario sirve de soldadura entre la puericia y la virilidad, pocos jóvenes, mayormente si han sido mimados por sus maestros, están libres de una pedantería fastidiosa que, si les da gran prestigio al lado de sus mamás, es muy risible entre hombres hechos y formales. Jacintito tenía este defecto, disculpable no solo por sus pocos años, sino porque su buen tío fomentaba aquella vanidad pueril con imprudentes aplausos.

Luego que los cuatro se reunieron, continuaron paseando. Jacinto callaba. El canónigo, volviendo al interrumpido tema de los *piros* que se habían de injertar y de las *vites* que se debían poner en orden, dijo:

—Ya sé que don José es un insigne agrónomo.

—Nada de eso; no sé una palabra —repuso el joven, viendo con mucho disgusto aquella manía de suponerle instruido en todas las ciencias.

—¡Oh!, sí; un gran agrónomo —añadió el Penitenciario—; pero en asuntos de agronomía no me citen tratados novísimos. Para mí toda esa ciencia, señor de Rey, está condensada en lo que yo llamo la *Biblia del campo,* en las *Geórgicas* del inmortal latino. Todo es admirable, desde aquella gran sentencia *Nec vero terræ ferre omnes omnia possunt*[98], es decir, que no todas las tierras sirven para todos los árboles, señor don José, hasta el minucioso tratado de las abejas, en que el poeta explana lo concerniente a estos doctos animalillos, y define al zángano diciendo:

Ille horridus alter desidia,
lactamque trahens inglorius alvum,

[98] Virgilio, *Geórgicas,* II, v. 109.

de figura horrible y perezosa, arrastrando el innoble vientre pesado, señor don José...

—Hace usted bien en traducírmelo —dijo Pepe riendo—, porque entiendo muy poco el latín.

—¡Oh!, los hombres del día, ¿para qué habían de entretenerse en estudiar antiguallas? —añadió el canónigo con ironía—. Además, en latín solo han escrito los calzonazos como Virgilio, Cicerón y Tito Livio. Yo, sin embargo, estoy por lo contrario, y sea testigo mi sobrino, a quien he enseñado la sublime lengua. El tunante sabe más que yo. Lo malo es que con las lecturas modernas lo va olvidando, y el mejor día se encontrará que es un ignorante, sin sospecharlo. Porque, señor don José, a mi sobrino le ha dado por entretenerse con libros novísimos y teorías extravagantes, y todo es Flammarion[99] arriba y abajo, y nada más sino que las estrellas están llenas de gente. Vamos, se me figura que ustedes dos van a hacer buenas migas. Jacinto, ruégale a este caballero que te enseñe las matemáticas sublimes, que te instruya en lo concerniente a los filósofos alemanes, y ya eres un hombre.

El buen clérigo se reía de sus propias ocurrencias, mientras Jacinto, gozoso de ver la conversación en terreno tan de su gusto, se excusó con Pepe Rey, y de buenas a primeras le descargó esta pregunta:

—Dígame el señor don José, ¿qué piensa usted del Darwinismo?

Sonrió el ingeniero al oír pedantería tan fuera de sazón, y de buena gana excitara al joven a seguir por aquella senda de infantil vanidad; pero creyendo más prudente no intimar mucho con el sobrino ni con el tío, contestó sencillamente:

—No puedo pensar nada de las doctrinas de Darwin, porque apenas las conozco. Los trabajos de mi profesión no me han permitido dedicarme a esos estudios.

---

[99] Nicolas Camille Flammarion, astrónomo y autor francés.

—Ya —dijo el canónigo riendo—. Todo se reduce a que descendemos de los monos... Si lo dijera solo por ciertas personas que yo conozco, tendría razón.

—La teoría de la selección natural —añadió enfáticamente Jacinto—, parece que tiene muchos partidarios en Alemania.

—No lo dudo —dijo el clérigo—. En Alemania no debe sentirse que esa teoría sea verdadera, por lo que toca a Bismarck[100].

Doña Perfecta y el señor don Cayetano aparecieron frente a los cuatro.

—¡Qué hermosa está la tarde! —dijo la señora—. ¿Qué tal, sobrino, te aburres mucho?

—Nada de eso —repuso el joven.

—No me lo niegues[101]. De eso veníamos hablando Cayetano y yo. Tú estás aburrido, y te empeñas en disimularlo. No todos los jóvenes de estos tiempos tienen la abnegación de pasar su juventud, como Jacinto, en un pueblo

---

100 *Bismarck:* como se dijo en la introducción, los ataques del clero contra Bismarck resultan de la lucha que el canciller alemán sostuvo contra la Iglesia católica alemana. Tras anexionarse parte de Polonia, la Alemania unificada tenía una gran población católica fiel a Roma. Para contrarrestar la influencia del Papa, Bismarck prohibió a los clérigos, amenazándoles con largas condenas de cárcel, hablar de política desde las iglesias o en las celebraciones religiosas (el *Kanzelparagraph* que imponía la ley secular alemana). Y en política internacional, el canciller alemán promocionó el secularismo en su área de influencia, incluyendo Saboya que, unió Italia a costa de los Estados Pontificios. En 1870 Alemania derrotó a la Francia de Luis Napoleón, hasta la fecha el más grande valedor del Papa en Europa.

101 Hay repetidamente en la novela una actitud que, bajo la apariencia de una cortesía hacia el invitado (por ejemplo, preocuparse porque este no se aburra en el pueblo), se propone en realidad echar a este de Orbajosa lo antes posible, alegando que no puede apetecerle estar en lugar tan provinciano. Lo que tratan de hacer los lugareños, con Perfecta a la cabeza, es librarse de Pepe, y que el compromiso de matrimonio acordado por Perfecta y su hermano se anule.

donde no hay Teatro Real, ni Bufos[102], ni bailarinas, ni filósofos, ni Ateneos, ni papeluchos, ni Congresos, ni otras diversiones y pasatiempos.

—Yo estoy aquí muy bien —repuso Pepe—. Ahora le estaba diciendo a Rosario que esta ciudad y esta casa me son tan agradables, que me gustaría vivir y morir aquí.

Rosario se puso muy encendida y los demás callaron. Sentáronse todos en una glorieta, apresurándose el sobrino del señor canónigo a ocupar el lugar a la izquierda de la señorita.

—Mira, sobrino, tengo que advertirte una cosa —dijo doña Perfecta, con aquella risueña expresión de bondad que emanaba de su alma, como de la flor el aroma—. Pero no vayas a creer que te reprendo, ni que te doy lecciones: tú no eres niño, y fácilmente comprenderás mis ideas.

—Ríñame usted, querida tía, que sin duda lo mereceré —replicó Pepe, que ya empezaba a acostumbrarse a las bondades de la hermana de su padre.

—No, no es más que una advertencia. Estos señores verán como tengo razón[103].

Rosarito oía con toda su alma.

—Pues no es más —añadió la señora—, sino que, cuando vuelvas a visitar nuestra hermosa catedral, procures estar en ella con un poco más de recogimiento.

—Pues, ¿qué he hecho yo?

---

[102] *Bufos:* espectáculo cómico y grotesco de actualidad en el momento, probablemente influido por Les Bouffes de París. Aunque actualmente Les Bouffes nombra un teatro prestigioso, en el XIX su espectáculo era de muy distinta naturaleza. En *La novela de Luis* es mencionado como un espectáculo frívolo.

[103] La corrección de Pepe es pública, hecha en presencia «de estos señores», siguiendo un proceso de estigmatizar al protagonista ante la comunidad. De ahí que se haya interpretado, correctamente, que Pepe en realidad se enfrenta al pueblo, el cual sirve casi como un personaje colectivo capitaneado por el cacique local, o sea, doña Perfecta (véase Gustavo Correa, *Simbolismo religioso).*

—No extraño que tú mismo no conozcas tu falta —indicó la señora con aparente jovialidad—. Es natural; acostumbrado a entrar con la mayor desenvoltura en los ateneos, clubs, academias y congresos, crees que de la misma manera se puede entrar en un templo donde está la Divina Majestad.

—Pero señora, dispénseme usted —dijo Pepe, con gravedad—. Yo he entrado en la catedral con la mayor compostura.

—Si no te riño, hombre, si no te riño. No lo tomes así, porque tendré que callarme. Señores, disculpen Vds. a mi sobrino. No es de extrañar un descuidillo, una distracción... ¿Cuántos años hace que no pones los pies en lugar sagrado?

—Señora, yo juro a usted. Pero en fin, mis ideas religiosas podrán ser lo que se quiera; pero acostumbro guardar compostura dentro de la iglesia.

—Lo que yo aseguro... vamos si te has de ofender no sigo... Lo que aseguro es que muchas personas lo advirtieron esta mañana. Notáronlo los señores de González, doña Robustiana, Serafinita, en fin... con decirte que llamaste la atención del señor Obispo... Su Ilustrísima me dio las quejas esta tarde en casa de mis primas. Díjome que no te mandó plantar en la calle porque le dijeron que eras sobrino mío.

Rosario contemplaba con angustia el rostro de su primo, procurando adivinar sus contestaciones antes que las diera.

—Sin duda me han tomado por otro.

—No... no... fuiste tú... Pero no vayas a ofenderte que aquí estamos entre amigos y personas de confianza. Fuiste tú, yo misma te vi.

—¡Usted!

—Justamente. ¿Negarás que te pusiste a examinar las pinturas, pasando por un grupo de fieles que estaban oyendo misa? Te juro que me distraje de tal modo con tus idas y venidas, que... Vamos... es preciso que no lo vuelvas a hacer. Luego entraste en la capilla de San Gregorio; alzaron en el altar mayor y ni siquiera te volviste para hacer una demostración de religiosidad. Después atravesaste de largo a largo la iglesia, te acercaste al sepulcro del Adelantado, pusiste las manos sobre el altar; pasaste en seguida otra vez por entre el grupo de los fieles, llamando la atención. Todas las muchachas te miraban y tú parecías satisfecho de perturbar tan lindamente la devoción y ejemplaridad de aquella buena gente.

—¡Dios mío! ¡Cuántas abominaciones! —exclamó Pepe, entre enojado y risueño—. Soy un monstruo y ni siquiera lo sospechaba[104].

—No, bien sé que eres un buen muchacho —dijo doña Perfecta, observando el semblante afectadamente serio e inmutable del canónigo, que parecía tener por cara una máscara de cartón—. Pero, hijo, de pensar las cosas a manifestarlas así con cierto desparpajo hay una distancia que el hombre prudente y comedido no debe salvar nunca.

---

104 La reacción de Pepe Rey es consecuente con la posición de los liberales que entendían que, en materia de religión, algunas exigencias del culto público eran innecesarias y excesivas. Para los demás, incluida su tía, la actitud del protagonista es irrespetuosa, e indicio de herejía o ateísmo; pero él considera que no hay pecado alguno y que la reacción de los demás es irritante y simplista, lo cual le hace responder «entre enojado y risueño». Para entender el sentido último de este episodio, en el que es preciso guardar en público una reverencia extrema a las cosas religiosas, recuérdese la narración que, en las *Cartas de España,* ofrece José María Blanco White del episodio del Viático en Cádiz: «el *sonido de la campanilla* de mano anunciando la llegada de la hostia consagrada obliga al transeúnte a retroceder o a arrodillarse en el fango hasta que el sacerdote, que lleva la hostia para ser ofrecida a un moribundo, esté en el punto más alejado del lugar donde comenzó a escucharse el campanilleo. [...] Un día en Cádiz, al acercarse el *Viático,* Blanco procura apartarse. Un gallego, al ver su indiferencia, le advierte amenazadoramente [...] Blanco White intenta retroceder, pero el gallego [...] lo empuja al suelo y expresa a voz en cuello esta temible acusación: "Este hombre es un herético"» (Rubén Benítez, *«Vargas,* novela española de Blanco White», *Anales de la Literatura Española,* 11, 1995, pág. 94).

Bien sé que tus ideas son... no te enfades; si te enfadas me callo... Digo que una cosa es tener ideas religiosas y otra manifestarlas... Me guardaré muy bien de vituperarte porque creas que no nos crio Dios a su imagen y semejanza sino que descendemos de los micos; ni porque niegues la existencia del alma, asegurando que esta es una droga como los papelillos de magnesia o de ruibarbo que se venden en la botica...

—Señora, por Dios... —exclamó Pepe con disgusto—. Veo que tengo muy mala reputación en Orbajosa.

Los demás seguían guardando silencio.

—Pues decía que no te vituperaré por esas ideas... Además de que no tengo derecho a ello, si me pusiera a disputar contigo, tú, con tu talentazo descomunal me confundirías mil veces...; no, nada de eso. Lo que digo es que estos pobres y menguados habitantes de Orbajosa son piadosos y buenos cristianos, si bien ninguno de ellos sabe filosofía alemana; por lo tanto no debes despreciar públicamente sus creencias.

—Querida tía —dijo el ingeniero con gravedad—. Ni yo he despreciado las creencias de nadie, ni tengo las ideas que usted me atribuye. Quizás haya estado un poco irrespetuoso en la iglesia; soy algo distraído. Mi entendimiento y mi atención estaban fijos en la obra arquitectónica, y francamente no advertí...; pero no era esto motivo para que el señor obispo intentase echarme a la calle, y usted me supusiera capaz de atribuir a un papelillo de la botica las funciones del alma. Puedo tolerar eso como broma, nada más que como broma.

Pepe Rey sentía en su espíritu excitación tan viva, que a pesar de su mucha prudencia y mesura no pudo disimularla.

—Vamos, veo que te has enfadado —dijo doña Perfecta, bajando los ojos y cruzando las manos—. ¡Todo sea por Dios! Si hubiera sabido que lo tomabas así, no te habría dicho nada. Pepe, te ruego que me perdones.

Al oír esto y al ver la actitud sumisa de su bondadosa tía[105], Pepe se sintió avergonzado de la dureza de sus anteriores palabras, y procuró serenarse. Sacole de su embarazosa situación el venerable Penitenciario, que, sonriendo con su habitual benevolencia, habló de este modo:

—Señora doña Perfecta, es preciso tener tolerancia con los artistas... ¡Oh!, yo he conocido muchos. Estos señores, como vean delante de sí una estatua, una armadura mohosa, un cuadro podrido o una pared vieja, se olvidan de todo. El señor don José es artista, y ha visitado nuestra catedral, como la visitan los ingleses, los cuales de buena gana se llevarían a sus museos hasta la última baldosa de ella... Que estaban los fieles rezando; que el sacerdote alzó la Sagrada Hostia; que llegó el instante de la mayor piedad y recogimiento; pues bien... ¿qué le importa nada de esto a un artista? Es verdad que yo no sé lo que vale el arte, cuando se le disgrega de los sentimientos que expresa...; pero en fin, hoy es costumbre adorar la forma, no la idea. Líbreme Dios de meterme a discutir este tema con el señor don José, que sabe tanto, y argumentando con la primorosa sutileza de los modernos, confundiría al punto mi espíritu, en el cual no hay más que fe.

—El empeño de Vds. de considerarme como el hombre más sabio de la tierra, me mortifica bastante —dijo Pepe, recobrando la dureza de su acento—. Ténganme por tonto; que prefiero la fama de necio a poseer esa ciencia de Satanás que aquí me atribuyen.

Rosarito se echó a reír, y Jacinto creyó llegado el momento más oportuno para hacer ostentación de su erudita personalidad.

---

105 Perfecta pasa constantemente de la rigidez acusatoria a la apariencia de sumisión, de la agresión verbal a la sonrisa o a la humildad que se pide a los cristianos. Todo esto es consecuente con el colofón de la novela, en el que se menciona la aparente bondad de quienes se creen mejores que los demás, pero no lo son.

—El panteísmo o panenteísmo están condenados por la Iglesia, así como las doctrinas de Schopenhauer y del moderno Hartmann[106].

—Señores y señora —manifestó gravemente el canónigo—, los hombres que consagran culto tan fervoroso al arte, aunque solo sea atendiendo a la forma, merecen el mayor respeto. Más vale ser artista y deleitarse ante la belleza, aunque sólo esté representada en las ninfas desnudas, que ser indiferente y descreído en todo. En espíritu que se consagra a la contemplación de la belleza no entrará completamente el mal. *Est Deus in nobis... Deus,* entiéndase bien. Siga, pues, el señor don José admirando los prodigios de nuestra iglesia; que por mi parte le perdonaré de buen grado las irreverencias, salva la opinión del señor prelado.

—Gracias, señor don Inocencio —dijo Pepe, sintiendo en sí punzante y revoltoso el sentimiento de hostilidad hacia el astuto canónigo, y no pudiendo dominar el deseo de mortificarle—. Por lo demás, no crean ustedes que absorbían mi atención las bellezas artísticas de que suponen lleno el templo. Esas bellezas, fuera de la imponente arquitectura de una parte del edificio y de los tres sepulcros que hay en las capillas del ábside y de algunas tallas del coro, yo no las veo en ninguna parte. Lo que ocupaba mi entendimiento era el considerar la deplorable decadencia de las artes religiosas[107], y no me causaban asombro, sino cólera, las

---

[106] *Panenteísmo,* adjetivo que se aplicó al krausismo. Karl Edward von Hartmann, autor de la *Filosofía del inconsciente,* y Arthur Schopenhauer, que escribió *El mundo como voluntad y representación,* son dos filósofos que comparten el pesimismo filosófico que triunfa en Alemania a mediados de siglo. Ambos influyeron en algunos autores de la generación krausista (por ejemplo, Urbano González Serrano), pero su importancia es aplicable a la España posterior, siendo notable en algunos miembros de la Generación del 98.

[107] La decadencia de las artes religiosas en el siglo XIX es tema frecuente en la literatura y la crítica de la segunda mitad del XIX. Valera lo menciona en el discurso de contestación con motivo de la recepción de

innumerables monstruosidades artísticas de que está llena la catedral.

El estupor de los circunstantes fue extraordinario.

—No puedo resistir —añadió Pepe— aquellas imágenes charoladas y bermellonadas, tan semejantes, perdóneme Dios la comparación, a las muñecas con que juegan las niñas grandecitas. ¿Qué puedo decir de los vestidos de teatro con que las cubren? Vi un San José con manto, cuya facha no quiero calificar por respeto al Santo Patriarca y a la Iglesia que le adora. En los altares se acumulan imágenes del más deplorable gusto artístico, y la multitud de coronas, ramos, estrellas, lunas y demás adornos de metal o papel dorado forman un aspecto de quincallería que ofende el sentimiento religioso y hace desmayar nuestro espíritu. Lejos de elevarse a la contemplación religiosa, se abate, y la idea de lo cómico le perturba. Las grandes obras del arte, dando formas sensibles a las ideas, a los dogmas, a la fe, a la exaltación mística, realizan misión muy noble. Los mamarrachos y las aberraciones del gusto, las obras grotescas con que una piedad mal entendida llena las iglesias, también cumplen su objeto; pero este es bastante triste: fomentan la superstición, enfrían el entusiasmo, obligan a los ojos del creyente a apartarse de los altares, y con los ojos se apartan las almas que no tienen fe muy profunda ni muy segura.

—La doctrina de los iconoclastas —dijo Jacintito—, también parece que está muy extendida en Alemania.

Núñez de Arce en la Real Academia: «Casi nadie lee en el día nuestros libros de devoción. Si los hojea algún aficionado a las letras, suele prescindir de las ideas y solo se para en lo sonoro de las frases» («Del influjo de la Inquisición y del fanatismo religioso en la decadencia de la literatura española», *Discursos académicos,* Madrid, Imprenta Alemana, [s.d.], vol. I, pág. 286). También lo señala el crítico conservador Luis Alfonso: «Todos, absolutamente todos, los intentos efectuados en lo que va de siglo para producir cuadros religiosos, han fracasado» (Luis Alfonso cit. por José Álvarez Lopera, «La crisis de la pintura religiosa en la España del siglo XIX», *Revista virtual de la Fundación Universitaria Española,* vol. I, 1 [1988] s.v.).

—Yo no soy iconoclasta, aunque prefiero la destrucción de todas las imágenes, a estas chocarrerías de que me ocupo —continuó el joven—. Al ver esto, es lícito defender que el culto debe recobrar la sencillez augusta de los antiguos tiempos; pero no: no se renuncie al auxilio admirable que las artes todas, empezando por la poesía y acabando por la música, prestan a las relaciones entre el hombre y Dios. Vivan las artes, despliéguese la mayor pompa en los ritos religiosos. Yo soy partidario de la pompa...

—¡Artista, artista y nada más que artista! —exclamó el canónigo, moviendo la cabeza con expresión de lástima—. Buenas pinturas, buenas estatuas, bonita música... Gala de los sentidos, y el alma que se la lleve el Demonio.

—Y a propósito de música —dijo Pepe Rey, sin advertir el deplorable efecto que sus palabras producían en la madre y la hija—, figúrense ustedes qué dispuesto estaría mi espíritu a la contemplación religiosa al visitar la catedral, cuando de buenas a primeras, y al llegar al ofertorio en la misa mayor, el señor organista tocó un pasaje de *La Traviata*[108].

—En eso tiene razón el señor de Rey —dijo el abogadillo enfáticamente—. El señor organista tocó el otro día el brindis y el *wals* de la misma ópera y después un rondó de *La Gran Duquesa*.

—Pero cuando se me cayeron las alas del corazón —continuó el ingeniero implacablemente— fue cuando vi una imagen de la Virgen que parece estar en gran veneración, según la mucha gente que ante ella había y la multitud de velas que la alumbraban. La han vestido con ahuecado ropón de terciopelo bordado de oro, de tan extraña forma que supera a las modas más extravagantes del día. Desaparece su cara entre un follaje espeso, compuesto de mil suer-

---

108 *La Traviata* es una ópera de Verdi, de 1853, sobre la prostituta redimida por amor, basada en la novela de Dumas, hijo, *La dame aux Camélias*. *La Gran Duquesa,* que se menciona después, es una ópera de Offenbach.

tes de encajes rizados con tenacillas, y la corona de media vara de alto, rodeada de rayos de oro, es un disforme catafalco que le han armado sobre la cabeza. De la misma tela y con los mismos bordados son los pantalones del Niño Jesús... No quiero seguir, porque la descripción de cómo están la madre y el hijo me llevaría quizás a cometer alguna irreverencia. No diré más, sino que me fue imposible tener la risa y que por breve rato contemplé la profanada imagen, exclamando: «¡Madre y Señora mía, cómo te han puesto!».

Concluidas estas palabras, Pepe observó a sus oyentes, y aunque la sombra crepuscular no permitía distinguir bien los semblantes, creyó ver en alguno de ellos señales de amarga consternación.

—Pues, señor don José —exclamó vivamente el canónigo, riendo y con expresión de triunfo—, esa imagen que a la filosofía y panteísmo de usted parece tan ridícula, es Nuestra Señora del Socorro, patrona y abogada de Orbajosa, cuyos habitantes la veneran de tal modo que serían capaces de arrastrar por las calles al que hablase mal de ella. Las crónicas y la historia, señor mío, están llenas de los milagros que ha hecho, y aún hoy día vemos constantemente pruebas irrecusables de su protección. Ha de saber usted también que su señora tía doña Perfecta, es camarera de la Santísima Virgen del Socorro, y que ese vestido que a usted le parece tan grotesco... pues... digo que ese vestido, tan grotesco a los impíos ojos de usted, salió de esta casa, y que los pantalones del Niño obra son juntamente de la maravillosa aguja y de la acendrada piedad de su prima de usted, Rosarito, que nos está oyendo.

Pepe Rey se quedó bastante desconcertado. En el mismo instante levantose bruscamente doña Perfecta, y sin decir una palabra se dirigió hacia la casa, seguida por el señor Penitenciario. Levantáronse también los restantes. Disponíase el aturdido joven a pedir perdón a su prima por la irreverencia, cuando observó que Rosarito lloraba. Clavando en su primo una mirada de amistosa y dulce reprensión, exclamó:

—¡Pero qué cosas tienes!

Oyose la voz de doña Perfecta que con alterado acento, gritaba:

—¡Rosario, Rosario!

Esta corrió hacia la casa.

X

La existencia de la discordia es evidente

Pepe Rey se encontraba turbado y confuso, furioso contra los demás y contra sí mismo, procurando indagar la causa de aquella pugna, entablada a pesar suyo entre su pensamiento y el pensamiento de los amigos de su tía. Caviloso y triste, augurando discordias, permaneció breve rato sentado en el banco de la glorieta, con la barba apoyada en el pecho, el ceño fruncido, cruzadas las manos. Se creía solo.

De repente sintió una alegre voz que modulaba entre dientes el estribillo de una canción de zarzuela. Miró y vio a don Jacinto en el rincón opuesto de la glorieta.

—¡Ah! señor de Rey —dijo de improviso el rapaz— no se lastiman impunemente los sentimientos religiosos de la inmensa mayoría de una nación[109]... Si no, considere usted lo que pasó en la primera Revolución francesa...

---

[109] La frase de Jacinto se asemeja grandemente a la que el marqués de Orovio usó en su intento de erradicar la libertad de pensamiento de las cátedras. Orovio apeló, igualmente, al sentir de la mayoría de la nación: «El Gobierno no puede consentir que en las cátedras sostenidas por el Estado se explique contra un dogma [el católico] que es la verdad social de nuestra patria» (Jiménez Landi, *La Institución Libre de Enseñanza: Orígenes,* pág. 479).

Cuando Pepe oyó el zumbidillo de aquel insecto, su irritación creció. Sin embargo, no había odio en su alma contra el mozalbete doctor. Este le mortificaba como mortifican las moscas; pero nada más. Rey sintió la molestia que inspiran todos los seres importunos, y como quien ahuyenta un zángano, contestó de este modo:

—¿Qué tiene que ver la Revolución francesa con el manto de la Virgen María?

Levantose para marchar hacia la casa, pero no había dado cuatro pasos cuando oyó de nuevo el zumbar del mosquito, que decía:

—Señor don José, tengo que hablar a usted de un asunto que le interesa mucho, y que puede traerle algún conflicto...

—¿Un asunto? —preguntó el joven retrocediendo—. Veamos qué es eso.

—Usted lo sospechará tal vez —dijo Jacinto, acercándose a Pepe, y sonriendo con expresión parecida a la de los hombres de negocios cuando se ocupan de alguno muy grave—. Quiero hablar a usted del pleito...

—¿Qué pleito?... Amigo mío, usted, como buen abogado, sueña con litigios y ve papel sellado por todas partes.

—¿Pero cómo?... ¿No tiene usted noticia de su pleito? —preguntó con asombro el niño.

—¡De mi pleito!... Cabalmente, yo no he pleiteado nunca.

—Pues si no tiene usted noticia, más me alegro de habérselo advertido para que se ponga en guardia... Sí, señor, usted pleiteará.

—Y ¿con quién?

—Con el tío Licurgo y otros colindantes del predio llamado *los Alamillos*.

Pepe Rey se quedó estupefacto.

—Sí, señor —añadió el abogadillo—. Hoy hemos celebrado el señor Licurgo y yo una larga conferencia. Como soy tan amigo de esta casa, no he querido dejar de advertírselo a usted, para que si lo cree conveniente, se apresure a arreglarlo todo.

—Pero ¿yo qué tengo que arreglar? ¿Qué pretende de mí esa canalla?

—Parece que unas aguas que nacen en el predio de usted han variado de curso y caen sobre unos tejares[110] del susodicho Licurgo y un molino de otro, ocasionando daños de consideración. Mi cliente... porque se ha empeñado en que le he de sacar de este mal paso... mi cliente, digo, pretende que usted restablezca el antiguo cauce de las aguas, para evitar nuevos desperfectos, y que le indemnice de los perjuicios que por indolencia del propietario superior ha sufrido.

—¡Y el propietario superior soy yo!... Si entro en un litigio, ese será el primer fruto que en toda mi vida me han dado los célebres Alamillos, que fueron míos y que ahora, según entiendo, son de todo el mundo, porque lo mismo Licurgo que otros labradores de la comarca me han ido cercenando poco a poco, año tras año, pedazos de terreno, y costará mucho restablecer los linderos de mi propiedad.

—Esa es cuestión aparte.

—Esa no es cuestión aparte. Lo que hay —exclamó el ingeniero, sin poder contener su cólera— es que el verdadero pleito será el que yo entable contra tal gentuza, que se propone sin duda aburrirme y desesperarme para que abandone todo y les deje continuar en posesión de sus latrocinios. Veremos si hay abogados y jueces que apadrinen los torpes manejos de esos aldeanos legistas[111], que viven pleiteando y son la polilla de la propiedad ajena. Caballerito, doy a usted las gracias por haberme advertido los ruines propósitos de esos palurdos más malos que Caco. Con decirle a usted que ese mismo tejar y ese mismo molino en que Licurgo apoya sus derechos, son míos...

---

110 *tejar:* lugar donde se fabrican tejas, ladrillos y adobes.
111 *legista:* persona versada en leyes.

—Debe hacerse una revisión de los títulos de propiedad y ver si ha podido haber prescripción en esto —dijo Jacintito[112].

—¡Qué prescripción ni qué...! Esos infames no se reirán de mí. Supongo que la administración de justicia sea honrada y leal en la ciudad de Orbajosa...

—¡Oh, lo que es eso! —exclamó el letradillo con expresión de alabanza—. El juez es persona excelente. Viene aquí todas las noches... Pero es extraño que usted no tuviera noticias de las pretensiones del señor Licurgo. ¿No le han citado aún para el juicio de conciliación?[113].

—No.

—Será mañana... En fin, yo siento mucho que el apresuramiento del señor Licurgo me haya privado del gusto y de la honra de defenderle a usted; pero, ¿cómo ha de ser?... Licurgo se ha empeñado en que yo he de sacarle de penas. Estudiaré la materia con mayor detenimiento. Estas pícaras servidumbres son lo más engorroso que hay en la jurisprudencia.

Pepe entró en el comedor en un estado moral muy lamentable. Vio a doña Perfecta hablando con el Penitenciario, y a Rosarito sola, con los ojos fijos en la puerta. Esperaba sin duda a su primo.

—Ven acá, buena pieza —dijo la señora, sonriendo con muy poca espontaneidad—. Nos has insultado, gran ateo; pero te perdonamos. Ya sé que mi hija y yo somos dos palurdas incapaces de remontarnos a las regiones de las matemáticas, donde tú vives; pero, en fin..., todavía es posible que algún día te pongas de rodillas ante nosotros, rogándonos que te enseñemos la doctrina.

---

112 La titularidad de un bien inmueble o la propiedad de la tierra puede cambiar de propietario debido al uso continuado de este por parte de otra persona. Se trata del procedimiento que, en leyes, se llama usucapión (del latín, *usus capere,* adquirir mediante el uso).

113 *Juicio o acto de conciliación:* comparecencia de las partes desavenidas ante un juez, para ver si pueden avenirse y excusar el litigio.

Pepe contestó con frases vagas y fórmulas de cortesía y arrepentimiento.

—Por mi parte —dijo don Inocencio, poniendo en los ojos expresión de modestia y dulzura—, si en el curso de estas vanas disputas he dicho algo que pueda ofender al señor don José, le ruego que me perdone. Aquí todos somos amigos.

—Gracias. No vale la pena...

—A pesar de todo —indicó doña Perfecta, sonriendo ya con más naturalidad—, yo soy siempre la misma para mi querido sobrino, a pesar de sus ideas extravagantes y antirreligiosas... ¿De qué creerás que pienso ocuparme esta noche? Pues de quitarle de la cabeza al tío Licurgo esas terquedades con que te molesta. Le he mandado venir y en la galería me está esperando. Descuida, que yo lo arreglaré, pues aunque conozco que no le falta razón...

—Gracias, querida tía —repuso el joven, sintiéndose invadido por la onda de generosidad que tan fácilmente nacía en su alma.

Pepe Rey dirigió la vista hacia donde estaba su prima, con intención de unirse a ella; pero algunas preguntas sagaces del canónigo le retuvieron al lado de doña Perfecta. Rosario estaba triste, oyendo con indiferencia melancólica las palabras del abogadillo, que instalándose junto a ella había comenzado una retahíla de conceptos empalagosos, con importunos chistes sazonada, y fatuidades del peor gusto.

—Lo peor para ti —dijo doña Perfecta a su sobrino cuando le sorprendió observando la desacorde pareja que formaban Rosario y Jacinto—, es que has ofendido a la pobre Rosario. Debes hacer todo lo posible por desenojarla. ¡La pobrecita es tan buena!...

—¡Oh, sí, tan buena! —añadió el canónigo—, que no dudo perdonará a su primo.

—Creo que Rosario me ha perdonado ya —afirmó Rey.

—Claro, en corazones angelicales no dura mucho el resentimiento —dijo don Inocencio melifluamente—. Yo tengo algún ascendiente sobre esa niña, y procuraré disipar en su alma generosa toda prevención contra usted. En cuanto yo le diga dos palabras...

Pepe Rey, sintiendo que por su pensamiento pasaba una nube, dijo con intención:

—Tal vez no sea preciso.

—No le hablo ahora —añadió el capitular— porque está embelesada oyendo las tonterías de Jacintillo... ¡Demonches de chicos! Cuando pegan la hebra, hay que dejarles.

De pronto se presentaron en la tertulia el juez de primera instancia, la señora del alcalde y el deán de la catedral. Saludaron todos al ingeniero, demostrando en sus palabras y actitudes que satisfacían, al verle, la más viva curiosidad. El juez era un mozalbete despabilado, de estos que todos los días aparecen en los criaderos de eminencias, aspirando, recién empollados a los primeros puestos de la administración y de la política. Dábase no poca importancia, y hablando de sí mismo y de su juvenil toga, parecía manifestar enojo porque no le hubieran hecho de golpe y porrazo presidente del Tribunal Supremo. En aquellas manos inexpertas, en aquel cerebro henchido de viento, en aquella presunción ridícula, había puesto el Estado las funciones más delicadas y más difíciles de la humana justicia. Sus maneras eran de perfecto cortesano, y revelaban escrupuloso esmero en todo lo concerniente a su persona. Más que costumbre, era en él fea manía el estarse quitando y poniendo a cada instante los lentes de oro, y en su conversación frecuentemente indicaba el empeño de ser trasladado pronto a *Madriz,* para prestar sus imprescindibles servicios en la Secretaría de Gracia y Justicia.

La señora del alcalde era una dama bonachona, sin otra flaqueza que suponerse muy relacionada en la Corte. Dirigió a Pepe Rey diversas preguntas sobre modas, citando establecimientos industriales donde le habían hecho una manteleta o una falda en su último viaje, coetáneo de la guerra de África, y también nombró a una docena de duquesas y marquesas, tratándolas con tanta familiaridad como a sus amiguitas de escuela. Dijo también que la condesa de M. (por sus tertulias famosa) era amiga suya, y que el 60 estuvo a visitarla, y la condesa la convidó a su palco en el Real, donde vio a Muley-Abbas en traje de moro, acompañado de toda su morería[114]. La alcaldesa hablaba por los codos, como suele decirse, y no carecía de chiste.

El señor deán era un viejo de edad avanzada, corpulento y encendido, pletórico, apoplético; un hombre que se salía fuera de sí mismo por no caber en su propio pellejo, según estaba de gordo y morcilludo. Procedía de la exclaustración; no hablaba más que de asuntos religiosos, y desde el principio mostró hacia Pepe Rey el desdén más vivo. Este se mostraba cada vez más inepto para acomodarse a sociedad tan poco de su gusto. Era su carácter nada maleable, duro y de muy escasa flexibilidad, y rechazaba las perfidias y acomodamientos de lenguaje para simular la concordia cuando no existía. Mantúvose, pues, bastante grave durante el curso de la fastidiosa tertulia, obligado a resistir el ímpetu oratorio de la alcaldesa, que, sin ser la Fama, tenía el privilegio de fatigar con cien lenguas el oído humano. Si en el breve respiro que esta señora daba a sus oyentes, Pepe Rey quería acercarse a su prima, pegábasele el Penitenciario como el molusco a la roca, y llevándole aparte con ademán misterioso, le proponía un paseo a Mundogrande con el señor don Cayetano o una partida de pesca en las claras aguas del Nahara.

---

[114] Muley el-Abbas fue el encargado de firmar el Tratado de Wad-Ras, en 1860, por el que Marruecos se rendía al ejército invasor español. Invitado por O'Donnell, visitó Madrid el año siguiente al frente de una delegación marroquí; y el 6 de noviembre asistió a una representación, no en el Teatro Real, sino en el Teatro Novedades, hoy desaparecido, que estaba situado en el número 83 de la madrileña calle de Toledo (Carlos Cambronero, «Crónicas del tiempo de Isabel II», *La España Moderna,* 25, núm. 298 [octubre de 1913], pág. 23).

Por fin esto concluyó, porque todo concluye de tejas abajo. Retirose el señor deán, dejando la casa vacía, y bien pronto no quedó de la señora alcaldesa más que un eco, semejante al zumbido que recuerda en la humana oreja el reciente paso de una tempestad. El juez privó también a la tertulia de su presencia, y por fin don Inocencio dio a su sobrino la señal de partida.

—Vamos, niño, vámonos que es tarde —le dijo sonriendo—. ¡Cuánto has mareado a la pobre Rosarito!... ¿Verdad, niña? Anda, buena pieza, a casa pronto.

—Es hora de acostarse —dijo doña Perfecta.

—Hora de trabajar —repuso el abogadillo.

—Por más que le digo que despache de día los negocios —añadió el canónigo—, no hace caso.

—¡Son tantos los negocios..., ¡pero tantos!...

—No, di más bien que esa endiablada obra en que te has metido... Él no lo quiere decir, señor don José; pero sepa usted que se ha puesto a escribir una obra sobre *La influencia de la mujer en la sociedad cristiana* y además una *Ojeada sobre el movimiento católico en*... no sé dónde. ¿Qué entiendes tú de *ojeadas* ni de *influencias*?... Estos rapaces del día se atreven a todo. ¡Uf... qué chicos!... Conque vámonos a casa. Buenas noches, señora doña Perfecta... buenas noches, señor don José... Rosarito...

—Yo esperaré al señor don Cayetano —dijo Jacinto— para que me dé el *Augusto Nicolás*.

—¡Siempre cargando libros... hombre!... A veces entras en casa que pareces un burro. Pues bien, esperemos.

—El señor don Jacinto —dijo Pepe Rey— no escribe a la ligera y se prepara bien para que sus obras sean un tesoro de erudición.

—Pero ese niño va a enfermar de la cabeza, señor don Inocencio —objetó doña Perfecta—. Por Dios, mucho cuidado. Yo le pondría tasa en sus lecturas.

—Ya que esperamos —indicó el doctorcillo con notorio acento de presunción—, me llevaré también el tercer tomo de *Concilios*. ¿No le parece a usted, tío?...

—Hombre, sí; no dejes eso de la mano. Pues no faltaba más.

Felizmente llegó pronto el señor don Cayetano (que tertuliaba de ordinario en casa de don Lorenzo Ruiz) y entregados los libros, marcháronse tío y sobrino.

Pepe Rey leyó en el triste semblante de su prima un deseo muy vivo de hablarle. Acercose a ella mientras doña Perfecta y don Cayetano trataban a solas de un negocio doméstico.

—Has ofendido a mamá —le dijo Rosario.

Sus facciones indicaban terror.

—Es verdad —repuso el joven—. He ofendido a tu mamá; te he ofendido a ti...

—No; a mí no. Ya se me figuraba a mí que el Niño Jesús no debe gastar calzones.

—Pero espero que una y otra me perdonarán. Tu mamá me ha manifestado hace poco tanta bondad...

La voz de doña Perfecta vibró de súbito en el ámbito del comedor, con tan discorde acento, que el sobrino se estremeció cual si oyese un grito de alarma. La voz dijo imperiosamente:

—¡Rosario, vete a acostar!

Turbada y llena de congoja, la muchacha dio vueltas por la habitación, haciendo como que buscaba alguna cosa. Con todo disimulo pronunció al pasar por junto a su primo, estas vagas palabras:

—Mamá está enojada...

—Pero...

—Está enojada... no te fíes, no te fíes.

Y se marchó. Siguiole después doña Perfecta, a quien aguardaba el tío Licurgo, y durante un rato, las voces de la señora y del aldeano oyéronse confundidas en familiar conferencia. Quedose solo Pepe con don Cayetano, el cual, tomando una luz, habló de este modo:

—Buenas noches, Pepe. No crea usted que voy a dormir, voy a trabajar... Pero ¿por qué está usted tan meditabundo? ¿Qué tiene usted?... Pues sí, a trabajar. Estoy sacando apuntes para un *Discurso-Memoria* sobre los *Linajes de Orbajosa*... He encontrado datos y noticias de grandísimo precio. No hay que darle vueltas. En todas las épocas de nuestra historia, los orbajosenses se han distinguido por su hidalguía, por su nobleza, por su valor, por su entendimiento. Díganlo, si no, la conquista de Méjico, las guerras del Emperador, las de Felipe contra herejes... ¿Pero está usted malo? ¿Qué le pasa a usted?... Pues sí, teólogos eminentes, bravos guerreros, conquistadores, santos, obispos, poetas, políticos, toda suerte de hombres esclarecidos florecieron en esta humilde tierra del ajo... No, no hay en la cristiandad pueblo más ilustre que el nuestro. Sus virtudes y sus glorias llenan toda la historia patria y aún sobra algo... Vamos, veo que lo que usted tiene es sueño. Buenas noches... Pues sí, no cambiaría la gloria de ser hijo de esta noble tierra por todo el oro del mundo. *Augusta* llamáronla los antiguos, *augustísima* la llamo yo ahora, porque ahora, como entonces, la hidalguía, la generosidad, el valor, la nobleza son patrimonio de ella... Conque buenas noches, querido Pepe... se me figura que usted no está bueno. ¿Le ha hecho daño la cena?... Razón tiene Alonso González de Bustamante en su *Floresta amena* al decir que los habitantes de Orbajosa bastan por sí solos para dar grandeza y honor a un reino. ¿No lo cree usted así?

—¡Oh!, sí, señor, sin duda ninguna —repuso Pepe Rey, dirigiéndose bruscamente a su cuarto.

XI

La discordia crece

En los días sucesivos hizo Rey conocimiento con varias personas de la población y visitó el Casino, trabando amistades con algunos individuos de los que pasaban la vida en las salas de aquella corporación.

Pero la juventud de Orbajosa no vivía constantemente allí, como podrá suponer la malevolencia. Veíanse por las tardes en la esquina de la catedral y en la plazoleta formada por el cruce de las calles del Condestable y la Tripería, algunos caballeros que, gallardamente envueltos en sus capas, estaban como de centinela viendo pasar la gente. Si el tiempo era bueno, aquellas eminentes lumbreras de la cultura *urbsaugustense* se dirigían, siempre con la indispensable capita, al titulado paseo de las Descalzas, el cual se componía de dos hileras de tísicos olmos y algunas retamas descoloridas. Allí la brillante pléyade atisbaba a las niñas de don Fulano o de don Perencejo, que también habían ido a paseo, y la tarde se pasaba regularmente. Entrada la noche, el Casino se llenaba de nuevo, y mientras una parte de los socios entregaba su alto entendimiento a las delicias del monte[115], los otros leían periódicos, y los más discutían en la sala del café sobre asuntos de diversa

[115] *monte:* juego de naipes.

índole, como política, caballos, toros o bien sobre chismes locales. El resumen de todos los debates era siempre la supremacía de Orbajosa y de sus habitantes sobre los demás pueblos y gentes de la tierra.

Eran aquellos varones insignes lo más granado de la ilustre ciudad, propietarios ricos los unos, pobrísimos los otros; pero libres de altas aspiraciones todos. Tenían la imperturbable serenidad del mendigo, que nada apetece mientras no le falta un mendrugo para engañar al hambre y buen sol para calentarse. Lo que principalmente distinguía a los orbajosenses del Casino era un sentimiento de viva hostilidad hacia todo lo que de fuera viniese. Y siempre que algún forastero de viso se presentaba en las augustas salas, creíanle venido a poner en duda la superioridad de la patria del ajo, o a disputarle por envidia las preeminencias incontrovertibles que Natura le concediera.

Cuando Pepe Rey se presentó, recibiéronle con cierto recelo, y como en el Casino abundaba la gente graciosa, al cuarto de hora de estar allí el nuevo socio, ya se habían dicho acerca de él toda suerte de cuchufletas. Cuando a las reiteradas preguntas de los socios contestó que había venido a Orbajosa con encargo de explorar la cuenca hullera del Nahara y estudiar un camino, todos convinieron en que el señor don José era un fatuo que quería darse tono inventando criaderos de carbón y vías férreas. Alguno añadió:

—Pero en buena parte se ha metido. Estos señores sabios creen que aquí somos tontos y que se nos engaña con palabrotas... Ha venido a casarse con la niña de doña Perfecta, y cuanto diga de cuencas hulleras es para echar facha.

—Pues esta mañana —indicó otro, que era un comerciante quebrado— me dijeron en casa de las de Domínguez que ese señor no tiene una peseta, y viene a que doña Perfecta le mantenga y a ver si puede pescar a Rosarito.

—Parece que ni es tal ingeniero, ni cosa que lo valga —añadió un propietario de olivos, que tenía empeñadas sus fincas por el doble de lo que valían—. Pero ya se ve...

Estos hambrientos de Madrid se gozan en engañar a los pobres provincianos, y como creen que aquí andamos con taparrabo, amigo...

—Bien se le conoce que tiene hambre.

—Pues entre bromas y veras nos dijo anoche que somos unos bárbaros holgazanes.

—Que vivimos como los beduinos, tomando el sol.

—Que vivimos con la imaginación.

—Eso es: que vivimos con la imaginación.

—Y que esta ciudad era lo mismito que las de Marruecos.

—Hombre, no hay paciencia para oír eso. ¿Dónde habrá visto él (como no sea en París) una calle semejante a la del Condestable, que presenta un frente de siete casas alineadas, todas magníficas, desde la de doña Perfecta a la de Nicolasito Hernández?... Se figuran estos canallas que uno no ha visto nada, ni ha estado en París...

—También dijo con mucha delicadeza que Orbajosa es un pueblo de mendigos, y dio a entender que aquí vivimos en la mayor miseria sin darnos cuenta de ello.

—¡Válgame Dios!, si me lo llega a decir a mí, hay un escándalo en el Casino —exclamó el recaudador de contribuciones—. ¿Por qué no le dijeron la cantidad de arrobas de aceite que produjo Orbajosa el año pasado? ¿No sabe ese estúpido que en años buenos Orbajosa da pan para toda España y aun para toda Europa? Verdad que ya llevamos no sé cuántos años de mala cosecha; pero eso no es ley. Pues ¿y la cosecha del ajo? ¿A que no sabe ese señor que los ajos de Orbajosa dejaron bizcos a los señores del Jurado en la Exposición de Londres?[116].

---

[116] La *Great Exhibition* (o Gran Exhibición de las Artes y la Industria de Todas las Naciones), también conocida como Exhibición del Palacio de Cristal, fue una muestra internacional, que se presentó en el Hyde Park de Londres del 1 de mayo al 11 de octubre de 1851. Fue la primera de una serie de Muestras Internacionales celebradas en los siglos XIX y XX para dar noticia de los grandes adelantos en la industria y en la ciencia.

Estos y otros diálogos se oían en las salas del Casino por aquellos días. A pesar de estas hablillas, tan comunes en los pueblos pequeños, que por lo mismo que son enanos suelen ser soberbios, Rey no dejó de encontrar amigos sinceros en la docta corporación, pues ni todos eran maldicientes ni faltaban allí personas de buen sentido. Pero tenía el ingeniero la desgracia, si desgracia puede llamarse, de manifestar sus impresiones con inusitada franqueza, y esto le atrajo algunas antipatías.

Iban pasando días. Además del disgusto natural que las costumbres de la ciudad episcopal le producían, diversas causas, todas desagradables, empezaban a desarrollar en su ánimo honda tristeza, siendo de notar principalmente, entre aquellas causas, la turba de pleiteantes que, cual enjambre voraz, se arrojó sobre él. No era sólo el tío Licurgo, sino otros muchos colindantes los que le reclamaban daños y perjuicios, o bien le pedían cuentas de tierras administradas por su abuelo. También le presentaron una demanda por no sé qué contrato de aparcería[117] que celebró su madre y no fue, al parecer, cumplido, y asimismo le exigieron el reconocimiento de una hipoteca sobre las tierras de *Alamillos,* hecha en extraño documento por su tío. Era una inmunda gusanera de pleitos. Había hecho propósito de renunciar a la propiedad de sus fincas; pero entretanto su dignidad le obligaba a no ceder ante las marrullerías de los sagaces palurdos; y como el Ayuntamiento le reclamó también por supuesta confusión de su finca con un inmediato monte de propios[118], viose el desgraciado joven en el caso de tener que disipar las dudas que acerca de su derecho

---

La ironía en este caso se basa en que, donde otros mostraron los productos de la razón y del ingenio del hombre y del progreso *(i. e.,* de la industria y la tecnología), Orbajosa destacó por su ajos.

[117] *aparcería:* procedimiento de alquiler de fincas rústicas según el cual se reparten beneficios entre quien posee la tierra y quien la trabaja.

[118] *bienes de propios:* propiedad de un municipio no destinada al uso, sino a producir rentas patrimoniales.

surgían a cada paso. Su honra estaba comprometida, y no había otro remedio que pleitear o morir.

Habíale prometido doña Perfecta, en su magnanimidad, ayudarle a salir de tan torpes líos por medio de un arreglo amistoso; pero pasaban días y los buenos oficios de la ejemplar señora no daban resultado alguno. Crecían los pleitos con la amenazadora presteza de una enfermedad fulminante. Pasaba el joven largas horas del día en el Juzgado dando declaraciones, contestando a preguntas y a repreguntas, y cuando a su casa se retiraba, fatigado y colérico, veía aparecer la afilada y grotesca carátula del escribano, que le traía regular porción de papel sellado lleno de horribles fórmulas... para que fuese estudiando la cuestión.

Se comprende que aquel no era hombre a propósito para sufrir tales reveses, pudiendo evitarlos con la ausencia. Representábase en su imaginación a la noble ciudad de su madre como una horrible bestia que en él clavaba sus feroces uñas y le bebía la sangre. Para librarse de ella bastábale, según su creencia, la fuga; pero un interés profundo, como interés del corazón, le detenía, atándole a la peña de su martirio con lazos muy fuertes. No obstante, llegó a sentirse tan fuera de su centro, llegó a verse tan extranjero, digámoslo así, en aquella tenebrosa ciudad de pleitos, de antiguallas, de envidia y de maledicencia, que hizo propósito de abandonarla sin dilación, insistiendo al mismo tiempo en el proyecto que a ella le condujera. Una mañana, encontrando ocasión a propósito, formuló su plan ante doña Perfecta.

—Sobrino mío —repuso esta con su acostumbrada dulzura—: no seas arrebatado. Vaya, que pareces de fuego. Lo mismo era tu padre, ¡qué hombre! Eres una centella... Ya te he dicho que con muchísimo gusto te llamaré hijo mío. Aunque no tuvieras las buenas cualidades y el talento que te distinguen (salvo los defectillos, que también los hay); aunque no fueras un excelente joven, basta que esta unión haya sido propuesta por tu padre, a quien tanto debemos mi hija y yo, para que la acepte. Rosario no se opondrá tampoco, queriéndolo yo. ¿Qué falta, pues? Nada; no falta nada más que un poco tiempo. Nadie se casa con la precipitación que tú deseas, y que daría lugar a interpretaciones, quizás, desfavorables a la honra de mi querida hija... Vaya, que tú como no piensas más que en máquinas, todo lo quieres hacer al vapor. Espera, hombre, espera..., ¿qué prisa tienes? Ese aborrecimiento que le has cogido a nuestra pobre Orbajosa es un capricho. Ya se ve: no puedes vivir sino entre condes y marqueses, entre oradores y diplomáticos... ¡Quieres casarte y separarme de mi hija para siempre! —añadió enjugándose una lágrima—. Ya que así es, inconsiderado joven, ten al menos la caridad de retardar algún tiempo esa boda que tanto deseas... ¡Qué impaciencia! ¡Qué amor tan fuerte! No creí que una pobre lugareña como mi hija inspirase pasión tan volcánica.

No convencieron a Pepe Rey los razonamientos de su tía; pero no quiso contrariarla. Resolvió, pues, esperar cuanto le fuese posible. Una nueva causa de disgustos uniose bien pronto a los que ya amargaban su existencia. Hacía dos semanas que estaba en Orbajosa, y durante este tiempo no había recibido ninguna carta de su padre. No podía achacar esto a descuidos de la Administración de Correos de Orbajosa, porque siendo el funcionario encargado de aquel servicio amigo y protegido de doña Perfecta, esta le recomendaba diariamente el mayor cuidado para que las cartas dirigidas a su sobrino no se extraviasen. También iba a la casa el conductor de la correspondencia, llamado Cristóbal Ramos, por apodo *Caballuco,* personaje a quien ya conocimos, y a este solía dirigir doña Perfecta amonestaciones y reprimendas tan enérgicas como la siguiente:

—¡Bonito servicio de correos tenéis!... ¿Cómo es que mi sobrino no ha recibido una sola carta desde que está en Orbajosa?... Cuando la conducción de la correspondencia corre a cargo de semejante tarambana, ¡cómo han de andar las cosas! Yo le hablaré al señor Gobernador de la provincia para que mire bien qué clase de gente pone en la Administración.

Caballuco alzando los hombros, miraba a Rey con expresión de completa indiferencia. Un día entró con un pliego en la mano.

—¡Gracias a Dios! —dijo doña Perfecta a su sobrino—. Ahí tienes cartas de tu padre. Regocíjate, hombre. Buen susto nos hemos llevado por la pereza de mi señor hermano en escribir... ¿Qué dice?, está bueno sin duda —añadió al ver que Pepe Rey abría el pliego con febril impaciencia.

El ingeniero se puso pálido al recorrer las primeras líneas.

—¡Jesús, Pepe!... ¿Qué tienes? —exclamó la señora, levantándose con zozobra—. ¿Está malo tu papá?

—Esta carta no es de mi padre —repuso Pepe, revelando en su semblante la mayor consternación.

—¿Pues qué es eso?...

—Una orden del Ministerio de Fomento, en que se me releva del cargo que me confiaron...

—¡Cómo... ¿Es posible?

—Una destitución pura y simple, redactada en términos muy poco lisonjeros para mí.

—¿Hase visto mayor picardía? —exclamó la señora volviendo de su estupor.

—¡Qué humillación! —murmuró el joven—. Es la primera vez en mi vida que recibo un desaire semejante.

—¡Pero ese Gobierno no tiene perdón de Dios! ¡Desairarte a ti! ¿Quieres que yo escriba a Madrid? Tengo allá buenas relaciones y podré conseguir que el Gobierno repare esa falta brutal y te dé una satisfacción.

—Gracias, señora, no quiero recomendaciones —replicó el joven con displicencia.

—¡Es que se ven unas injusticias; unos atropellos!... ¡Destituir así a un joven de tanto mérito, a una eminencia científica...! Vamos; si no puedo contener la cólera.

—Yo averiguaré —dijo Pepe, con la mayor energía— quién se ocupa de hacerme daño...

—Ese señor ministro... Pero de estos politiquejos infames, ¿qué puede esperarse?

—Aquí hay alguien que se ha propuesto hacerme morir de desesperación —afirmó el joven, visiblemente alterado—. Esto no es obra del ministro; esta y otras contrariedades que experimento son resultado de un plan de venganza, de un cálculo desconocido, de una enemistad irreconciliable; y este plan, este cálculo, esta enemistad, no lo dude usted, querida tía, están aquí, en Orbajosa.

—Tú has perdido el juicio —replicó doña Perfecta, demostrando un sentimiento semejante a la compasión—. ¿Que tienes enemigos en Orbajosa? ¿Que alguien quiere vengarse de ti? Vamos, Pepe, tú has perdido el juicio. Las lecturas de esos libracos en que se dice que tenemos por abuelos a los monos o a las cotorras te han trastornado la cabeza.

Sonrió con dulzura al decir la última frase, y después, tomando un tono de familiar y cariñosa amonestación, añadió:

—Hijo mío, los habitantes de Orbajosa seremos palurdos y toscos labriegos sin instrucción, sin finura ni buen tono; pero a lealtad y buena fe no nos gana nadie, nadie, pero nadie[119].

—No crea usted —dijo Rey— que acuso a las personas de esta casa. Pero sostengo que en la ciudad está mi implacable y fiero enemigo.

—Deseo que me enseñes ese traidor de melodrama —repuso la señora, sonriendo de nuevo—. Supongo que no acusarás a Licurgo ni a los demás que litigan, porque los pobrecitos creen defender su derecho. Y entre paréntesis, no les falta razón en el caso presente. Además el tío Lucas te quiere mucho. Así mismo me lo ha dicho. Desde que te

---

[119] La bondad de las gentes humildes había sido tema central de la novela costumbrista, en concreto de Fernán Caballero. Al representar la España profunda, Galdós muestra una imagen diferente de este modelo. La idea aparece reiterada en el epílogo.

conoció, dice que le entraste por el ojo derecho, y el pobre viejo te ha tomado un cariño...

—¡Sí... profundo cariño! —murmuró el joven.

—No seas tonto —añadió la señora, poniéndole la mano en el hombro y mirándole de cerca—. No pienses disparates y convéncete de que tu enemigo, si existe, está en Madrid, en aquel centro de corrupción, de envidia y rivalidades; no en este pacífico y sosegado rincón, donde todo es buena voluntad y concordia[120]... Sin duda algún envidioso de tu mérito... Te advierto una cosa, y es, que si quieres ir allá para averiguar la causa de este desaire y pedir explicaciones al Gobierno, no dejes de hacerlo por nosotras.

Pepe Rey fijó los ojos en el semblante de su tía, cual si escudriñarla quisiera hasta lo más escondido de su alma.

—Digo que si quieres ir, no dejes de hacerlo —repitió la señora con calma admirable, confundiéndose en la expresión de su semblante la naturalidad con la honradez más pura.

—No, señora. No pienso ir allá.

—Mejor; esa es también mi opinión. Aquí estás más tranquilo, a pesar de las cavilaciones con que te atormentas. ¡Pobre Pepe! Tu entendimiento, tu descomunal entendimiento, es la causa de tu desgracia. Nosotros, los de Orbajosa, pobres rústicos, vivimos felices en nuestra ignorancia. Me disgusta que no estés contento. Pero ¿es culpa mía que te aburras y desesperes sin motivo? ¿No te trato como a un

---

[120] Puesto que, en efecto, el enemigo anónimo de Pepe está en Orbajosa, y está siendo secretamente dirigido por su tía, esta observación basada en el menosprecio de corte y alabanza de aldea, está fuera de lugar. La estrategia de Perfecta es, primero, crear toda serie de obstáculos con el fin de hacer desistir a Pepe de la boda, y de ese modo librarse ella del compromiso contraído con su hermano. Puesto que esta estrategia no tiene éxito, y Pepe decide quedarse en Orbajosa, Perfecta recurre a culpar a Pepe de los problemas que le acosan, los cuales tienen su origen en su «gran entendimiento» y en su incapacidad para apreciar el cariño de las gentes simples del pueblo.

hijo? ¿No te he recibido como la esperanza de mi casa? ¿Puedo hacer más por ti? Si a pesar de eso, no nos quieres, si nos muestras tanto despego, si te burlas de nuestra religiosidad, si haces desprecios a nuestros amigos, ¿es acaso porque no te tratemos bien?

Los ojos de doña Perfecta se humedecieron.

—Querida tía —dijo Rey, sintiendo que se disipaba su encono—. También yo he cometido algunas faltas desde que soy huésped de esta casa.

—No seas tonto... ¡Qué faltas ni faltas! Entre personas de la misma familia todo se perdona.

—Pero Rosario ¿dónde está? —preguntó el joven levantándose—. ¿Tampoco la veré hoy?

—Está mejor. ¿Sabes que no ha querido bajar?

—Subiré yo.

—Hombre, no. Esa niña tiene unas terquedades... Hoy se ha empeñado en no salir de su cuarto. Se ha encerrado por dentro.

—¡Qué rareza!

—Se le pasará. Seguramente se le pasará. Veremos si esta noche le quitamos de la cabeza sus ideas melancólicas. Organizaremos una tertulia que la divierta. ¿Por qué no te vas a casa del señor don Inocencio y le dices que venga por acá esta noche y que traiga a Jacintillo?

—¡A Jacintillo!

—Sí, cuando a Rosario le dan estos accesos de melancolía, ese jovencito es el único que la distrae.

—Pero yo subiré...

—Hombre, no.

—Veo que no faltan etiquetas en esta casa.

—Te burlas de nosotros. Haz lo que te digo.

—Pues quiero verla.

—Pues no. ¡Qué mal conoces a la niña!

—Yo creí conocerla bien... Bueno, me quedaré... Pero esta soledad es horrible.

—Ahí tienes al señor escribano.

—Maldito sea mil veces.

—Y me parece que ha entrado también el señor procurador[121]... es un excelente sujeto.

—Así le ahorcaran.

—Hombre, los asuntos de intereses, cuando son propios, sirven de distracción. Alguien llega... Me parece que es el perito agrónomo. Ya tienes para un rato.

—¡Para un rato de infierno!

—Hola, hola, si no me engaño el tío Licurgo y el tío Pasolargo acaban de entrar. Puede que vengan a proponerte un arreglo.

—Me arrojaré al estanque.

—¡Qué descastado eres! ¡Pues todos ellos te quieren tanto!... Vamos, para que nada falte, ahí está también el alguacil. Viene a citarte.

—A crucificarme.

Todos los personajes nombrados fueron entrando en la sala.

—Adiós, Pepe, que te diviertas —dijo doña Perfecta.

—¡Trágame, tierra! —exclamó el joven con desesperación.

—Señor don José...

—Mi querido señor don José...

—Estimable señor don José...

—Señor don José de mi alma...

—Mi respetable amigo señor don José...

Al oír estas almibaradas insinuaciones, Pepe Rey exhaló un hondo suspiro y se entregó. Entregó su cuerpo y su alma a los sayones, que esgrimieron horribles hojas de papel sellado, mientras la víctima, elevando los ojos al cielo, decía para sí con cristiana mansedumbre:

—Padre mío, ¿por qué me has abandonado?[122].

---

[121] *procurador:* persona que representa los intereses de alguien ante el juzgado durante un pleito.

[122] Son las últimas palabras pronunciadas por Cristo («Padre mío, Padre mío. ¿Por qué me has abandonado?»). También en *Gloria,* en el epí-

XII

Aquí fue Troya[123]

Amor, amistad, aire sano para la respiración moral, luz para el alma, simpatía, fácil comercio de ideas y de sensaciones era lo que Pepe Rey necesitaba de una manera imperiosa. No teniéndolo, aumentaban las sombras que envolvían su espíritu, y la lobreguez interior daba a su trato displicencia y amargura. Al día siguiente de las escenas referidas en el capítulo anterior, mortificole más que nada el ya demasiado largo y misterioso encierro de su prima, mo-

---

grafe al capítulo XXXIII de la segunda parte, «Todo se ha consumado», el autor echa mano de la expresión procedente del mismo episodio, para representar el sacrificio del protagonista, que sucumbe derrotado por las circunstancias. Las dos partes de *Gloria,* que son anterior y posterior a *Doña Perfecta,* respectivamente, demuestran que el autor estaba leyendo la Biblia en las fechas de la escritura. La frecuencia con que hace uso de los Salmos en estas novelas, sobre todo en *Gloria,* corroboraría este aserto. La idea pudo habérsela sugerido Juan Valera, que usa también el texto bíblico en *Pepita Jiménez,* para configurar la psicología de don Luis de Vargas.

[123] *Aquí fue Troya:* expresión que, según el *DRAE,* se usa en español con dos sentidos diferentes. Comúnmente apunta el destrozo o la ruina que queda después de un combate. En este caso, no obstante, y ese es el segundo significado posible de la expresión, menciona el momento en que estalla un conflicto larvado, que ha estado preparándose largo tiempo con anterioridad.

tivado, al parecer, primero por una enfermedad sin importancia, después por caprichos y nerviosidades de difícil explicación.

Extrañaba Rey conducta tan contraria a la idea que había formado de Rosarito. Habían transcurrido cuatro días sin verla, no ciertamente porque a él le faltasen deseos de estar a su lado; y tal situación comenzaba a ser desairada y ridícula, si con un acto de firme iniciativa no ponía remedio en ello.

—¿Tampoco hoy veré a mi prima? —preguntó de mal talante a su tía, cuando concluyeron de comer.

—Tampoco. ¡Sabe Dios cuánto lo siento!... Bastante le he predicado hoy. A la tarde veremos...

La sospecha de que en tan injustificado encierro su adorable prima era más bien víctima sin defensa, que autora resuelta con actividad propia e iniciativa, le indujo a contenerse y esperar. Sin esta sospecha, hubiera partido aquel mismo día. No tenía duda alguna de ser amado por Rosario; mas era evidente que una presión desconocida actuaba entre los dos para separarlos, y parecía propio de un varón honrado averiguar de quién procedía aquella fuerza maligna, y contrarrestarla hasta donde alcanzara la voluntad humana[124].

—Espero que la obstinación de Rosario no durará mucho —dijo a doña Perfecta, disimulando sus verdaderos sentimientos.

---

[124] Se produce aquí un cambio en el modo de ser, y de actuar, del protagonista, consistente con lo que en la introducción hemos llamado el enredo. Hasta aquí Pepe ha visto, con dolor, que sus opiniones encontraban una respuesta ofendida en quienes le escuchaban. Cada vez que hablaba, sin pretenderlo, sus palabras eran fuente de discordia. A partir de ahora es consciente de que hay una fuerza «maligna» que actúa contra él, y se apresta a combatirla. Esta lucha tiene que concluir con la libertad de Rosario; como se dijo en la introducción, el protagonista asume su amor como una labor quijotesca que incluye la liberación de la amada. La estrategia implica que el protagonista, por vez primera, disimula sus verdaderos sentimientos, pues hasta aquí ha sido excesivamente directo en la expresión de sus opiniones.

Aquel día tuvo una carta de su padre, en la cual este se quejaba de no haber recibido ninguna de Orbajosa, circunstancia que aumentó las inquietudes del ingeniero, confundiéndole más. Por último, después de vagar largo rato solo por la huerta de la casa, salió y fue al Casino. Entró en él, como un desesperado que se arroja al mar.

Encontró en las principales salas a varias personas que charlaban y discutían. En un grupo desentrañaban con lógica sutil difíciles problemas de toros; en otro disertaban sobre cuáles eran los mejores burros entre las castas de Orbajosa y Villahorrenda. Hastiado hasta lo sumo, Pepe Rey abandonó estos debates y se dirigió a la sala de periódicos, donde hojeó varias revistas sin encontrar deleite en la lectura; y poco después, pasando de sala en sala, fue a parar sin saber cómo a la del juego. Cerca de dos horas estuvo en las garras del horrible demonio amarillo, cuyos resplandecientes ojos de oro producen tormento y fascinación. Ni aun las emociones del juego alteraron el sombrío estado de su alma, y el tedio que antes le empujara hacia el verde tapete, apartole también de él. Huyendo del bullicio, dio con su cuerpo en una estancia destinada a tertulia, en la cual a la sazón no había alma viviente, y con indolencia se sentó junto a la ventana de ella, mirando a la calle.

Era esta angostísima y con más ángulos y recodos que casas, sombreada toda por la pavorosa catedral, que al extremo alzaba su negro muro carcomido. Pepe Rey miró a todos lados, arriba y abajo, y observó un plácido silencio de sepulcro: ni un paso, ni una voz, ni una mirada. De pronto hirieron su oído rumores extraños, como cuchicheos de femeninos labios, y después el chirrido de cortinajes que se corrían, algunas palabras, y por fin el tararear suave de una canción, el ladrido de un falderillo[125], y otras señales de existencia social, que parecían muy singulares en tal sitio.

---

[125] *falderillo:* perro faldero.

Observando bien, Pepe Rey vio que tales rumores procedían de un enorme balcón con celosías, que frente por frente a la ventana mostraba su corpulenta fábrica. No había concluido sus observaciones cuando un socio del Casino apareció de súbito a su lado, y riendo le interpeló de este modo:

—¡Ah! señor don Pepe, ¡picarón!, ¿se ha encerrado usted aquí para hacer cocos[126] a las niñas?

El que esto decía era don Juan Tafetán, un sujeto amabilísimo, y de los pocos que habían manifestado a Rey en el Casino cordial amistad y verdadera admiración. Con su carilla bermellonada, su bigotejo teñido de negro, sus ojuelos vivarachos, su estatura mezquina, su pelo con gran estudio peinado para ocultar la calvicie, don Juan Tafetán presentaba una figura bastante diferente de la de Antinóo; pero era muy simpático; tenía mucho gracejo, y felicísimo ingenio para contar aventuras graciosas. Reía mucho, y al hacerlo su cara se cubría toda, desde la frente a la barba, de grotescas arrugas. A pesar de estas cualidades y del aplauso que debía estimular su disposición a las picantes burlas, no era maldiciente. Queríanle todos, y Pepe Rey pasaba con él ratos agradables. El pobre Tafetán, empleado antaño en la Administración civil de la capital de la provincia, vivía modestamente de su sueldo en la Secretaría de Beneficencia, y completaba su pasar tocando gallardamente el clarinete en las procesiones, en las solemnidades de la catedral y en el teatro, cuando alguna traílla de desesperados cómicos aparecía por aquellos países con el alevoso propósito de dar funciones en Orbajosa.

Pero lo más singular en don Juan Tafetán era su afición a las muchachas guapas. Él mismo, cuando no ocultaba su calvicie con seis pelos llenos de pomada, cuando no se teñía

---

[126] *hacer cocos:* en el trato sentimental y galante, hacer señas o gestos para expresar cariño.

el bigote, cuando andaba derechito y espigado por la poca pesadumbre de los años, había sido un Tenorio formidable. Oírle contar sus conquistas era cosa de morirse de risa, porque hay Tenorios de Tenorios y aquel fue de los más originales.

—¿Qué niñas? Yo no veo niñas en ninguna parte —repuso Pepe Rey.

—Hágase usted el anacoreta.

Una de las celosías del balcón se abrió, dejando ver un rostro juvenil encantador y risueño, que desapareció al instante, como luz apagada por el viento.

—Ya, ya veo.

—¿No las conoce usted?

—Por mi vida que no.

—Son las Troyas, las niñas de Troya. Pues no conoce usted nada bueno... Tres chicas preciosísimas, hijas de un coronel de Estado Mayor de Plazas[127] que murió en las calles de Madrid el 54[128].

---

[127] *Estado Mayor de Plazas:* en el siglo XIX las Capitanías Generales asignaban a oficiales de Estado Mayor a las plazas fuertes y a los lugares fortificados, con el nombramiento de Oficial de Plazas. Pueden verse ejemplos de este tipo de nombramientos en *Escalafón general [del] Cuerpo de Estado Mayor de Plazas en 1o. de febrero de 1874* o en el listado oficial *Guía Oficial de España* (Madrid, Minuesa de los Ríos Impresor, 1887) véase sección de «Ministerio de la Guerra», *passim.*

[128] A fin de poner término a los escándalos financieros y a la enorme corrupción que caracterizaron el gobierno de Luis de Sartorius, conde de San Luis, en junio de 1854 se sublevó en Madrid el cuartel de Vicálvaro bajo las órdenes de los generales O'Donnell, Messina y Dulce. A medida que se extendió la revolución, conocida como *la Vicalvarada,* hubo barricadas en las principales ciudades españolas, que vieron el enfrentamiento entre los sublevados, apoyados por las masas, frente a las fuerzas leales a San Luis. El historiador sevillano Comellas García-Llera describe el episodio revolucionario de 1854 como el «hecho de masas más importante que se había registrado en la España liberal, y venía a demostrar cómo las fuerzas sociales se iban insertando poco a poco en las luchas políticas» *(Historia de España Moderna y Contemporánea,* Madrid, Rialp, 1996, pág. 309).

La celosía se abrió de nuevo y comparecieron dos caras.

—Se están burlando de nosotros, señor don Pepe —dijo Tafetán, haciendo una seña amistosa a las niñas.

—¿Las conoce usted?

—¿Pues no las he de conocer? Las pobres están en la miseria. Yo no sé cómo viven. Cuando murió don Francisco Troya, se hizo una suscripción para mantenerlas; pero esto duró poco.

—¡Pobres muchachas! Me figuro que no serán un modelo de honradez...

—¿Por qué no?... Yo no creo lo que en el pueblo se dice de ellas.

Funcionó de nuevo la celosía.

—Buenas tardes, niñas —gritó don Juan Tafetán, dirigiéndose a las tres, que artísticamente agrupadas aparecieron—. Este caballero dice que lo bueno no debe esconderse y que abran Vds. toda la celosía.

Pero la celosía se cerró, y alegre concierto de risas difundió una extraña alegría por la triste calle. Creeríase que pasaba una bandada de pájaros.

—¿Quiere usted que vayamos allá? —dijo de súbito Tafetán.

Sus ojos brillaban, y una sonrisa picaresca retozaba en sus amoratados labios.

—¿Pero qué clase de gente es esa?

—Ande usted, señor de Rey... Las pobrecitas son honradas. ¡Bah! Si se alimentan del aire como los camaleones. Diga usted, el que no come, ¿puede pecar? Bastante virtuosas son las infelices. Y si pecaran, limpiarían su conciencia con el gran ayuno que hacen.

—Pues vamos.

Un momento después, don Juan Tafetán y Pepe Rey entraron en la sala. El aspecto de la miseria que con horribles esfuerzos pugnaba por no serlo, afligió al joven. Las tres muchachas eran muy lindas, principalmente las dos más pequeñas, morenas, pálidas, de negros ojos y sutil talle.

Bien vestidas y bien calzadas, habrían parecido retoños de duquesa, en candidatura para entroncar con príncipes.

Cuando la visita entró, las tres se quedaron muy cortadas; pero bien pronto mostraron la índole de su genial frívolo y alegre. Vivían en la miseria, como los pájaros en la prisión, sin dejar de cantar tras los hierros lo mismo que en la opulencia del bosque. Pasaban el día cosiendo, lo cual indicaba por lo menos, un principio de honradez; pero en Orbajosa, ninguna persona de suposición[129] se trataba con ellas. Estaban, hasta cierto punto, proscritas, degradadas, acordonadas, lo cual, hasta cierto punto, indicaba también algún motivo de escándalo. Pero en honor de la verdad debe decirse que la mala reputación de las Troyas consistía, más que nada, en su fama de chismosas, enredadoras, traviesas y despreocupadas. Dirigían anónimos a graves personas, ponían motes a todo viviente de Orbajosa, desde el obispo al último zascandil; tiraban piedrecitas a los transeúntes; chicheaban escondidas tras las rejas para reírse con la confusión y azoramiento del que pasaba; sabían todos los sucesos de la vecindad, para lo cual tenían en constante uso los tragaluces y agujeros de la parte alta de la casa; cantaban de noche en el balcón; se vestían de máscara en Carnaval para meterse en las casas más alcurniadas, con otras majaderías y libertades propias de los pueblos pequeños. Pero cualquiera que fuese la razón, ello es que el agraciado triunvirato Troyano, tenía sobre sí un estigma de esos que una vez puestos por susceptible vecindario, acompañan implacablemente hasta más allá de la tumba[130].

---

[129] *suposición:* referido a las personas, indica distinción, autoridad o lustre.

[130] En el capítulo anterior Perfecta defendió ante su sobrino la bondad esencial de los habitantes de Orbajosa a quienes, a lealtad y buena fe, nadie gana. Galdós presenta aquí el envés de la moral de los pueblos pequeños: cuando alguien es estigmatizado por una falta, por leve que sea, ese estigma dura largo tiempo, en ocasiones tanto como la vida de la persona. En este caso particular, las Troyas sirven como contrapunto de

—¿Este es el caballero que dicen ha venido a sacar minas de oro? —preguntó una.

—¿Y a derribar la catedral para hacer con las piedras de ella una fábrica de zapatos? —añadió otra.

—¿Y a quitar de Orbajosa la siembra del ajo para poner algodón o el árbol de la canela?

Pepe no pudo reprimir la risa ante tales despropósitos.

—No viene sino a hacer una recolección de niñas bonitas para llevárselas a Madrid —dijo Tafetán.

—¡Ay! ¡De buena gana me iría! —exclamó una.

—A las tres, a las tres me las llevo —afirmó Pepe—. Pero sepamos una cosa: ¿por qué se reían Vds. de mí cuando estaba en la ventana del Casino?

Tales palabras fueron la señal de nuevas risas.

—Estas son unas tontas —dijo la mayor—. Fue porque dijimos que usted se merece algo más que la niña de doña Perfecta.

—Fue porque esta dijo que usted está perdiendo el tiempo y que Rosarito no quiere sino gente de iglesia.

—¡Qué cosas tienes! Yo no he dicho tal cosa. Tú dijiste que este caballero es ateo luterano y entra en la catedral fumando y con el sombrero puesto.

—Pues yo no lo inventé —manifestó la menor— que eso me lo dijo ayer Suspiritos.

—¿Y quién es esa Suspiritos que dice de mí tales tonterías?

—Suspiritos es... Suspiritos.

—Niñas mías —dijo Tafetán con semblante almibarado—. Por ahí va el naranjero. Llamadle, que os quiero convidar a naranjas.

Una de las tres llamó al vendedor.

La conversación entablada por las niñas desagradó bastante a Pepe Rey, disipando la ligera impresión de contento

---

la voz de Orbajosa para informar a Pepe de las habladurías que corren sobre él.

entre aquella chusma alegre y comunicativa. No pudo, sin embargo, contener la risa cuando vio a don Juan Tafetán descolgar un guitarrillo y rasguearlo con la gracia y destreza de los años juveniles.

—Me han dicho que Vds. saben cantar a las mil maravillas —manifestó Rey.

—Que cante don Juan Tafetán.

—Yo no canto.

—Ni yo —dijo la segunda, ofreciendo al ingeniero algunos cascos[131] de la naranja que acababa de mondar.

—María Juana, no abandones la costura —dijo la Troya mayor—. Es tarde y hay que acabar la sotana esta noche.

—Hoy no se trabaja. Al demonio las agujas —exclamó Tafetán; y en seguida entonó una canción.

—La gente se para en la calle —dijo la Troya segunda, asomándose al balcón— Los gritos de don Juan Tafetán se oyen desde la plaza... ¡Juana, Juana!

—¿Qué?

—Por la calle va Suspiritos.

La más pequeña voló al balcón.

—Tírale una cáscara de naranja.

Pepe Rey se asomó también; vio que por la calle pasaba una señora, y que, con diestra puntería, la menor de las Troyas le asestó un cascarazo en el moño. Después cerraron con precipitación, y las tres se esforzaban en sofocar convulsamente su risa para que no se oyera desde la vía pública.

—Hoy no se trabaja —gritó una, volcando de un puntapié la cesta de la costura.

—Es lo mismo que decir «mañana no se come» —añadió la mayor, recogiendo los enseres.

Pepe Rey se echó instintivamente mano al bolsillo. De buena gana les hubiera dado una limosna. El espectáculo

---

[131] *casco:* aquí usado para significar gajo, esto es, cada una de las porciones de la naranja.

de aquellas infelices huérfanas, condenadas por el mundo a causa de su frivolidad, le entristecía sobremanera. Si el único pecado de las Troyas, si el único desahogo con que compensaban su soledad, su pobreza y abandono, era tirar cortezas de naranja al transeúnte, bien se las podía disculpar. Quizás las austeras costumbres del poblachón en que vivían las había preservado del vicio; pero las desgraciadas carecían de compostura y comedimiento, fórmula común y más visible del pudor, y bien podía suponerse que habían echado por la ventana algo más que cáscaras. Pepe Rey sentía hacia ellas una lástima profunda. Observó sus miserables vestidos, compuestos, arreglados y remendados de mil modos para que pareciesen nuevos; observó sus zapatos rotos... y otra vez se llevó la mano al bolsillo.

—Podrá el vicio reinar aquí —dijo para sí—; pero las fisonomías, los muebles, todo me indica que estos son los infelices restos de una familia honrada. Si estas pobres muchachas fueran tan malas como dicen, no vivirían tan pobremente ni trabajarían. ¡En Orbajosa hay hombres ricos!

Las tres niñas se le acercaban sucesivamente. Iban de él al balcón, del balcón a él, sosteniendo conversación picante y ligera, que indicaba, fuerza es decirlo, una especie de inocencia en medio de tanta frivolidad y despreocupación.

—Señor don José, ¡qué excelente señora es doña Perfecta!

—Es la única persona de Orbajosa que no tiene apodo, la única de que no se habla mal en Orbajosa.

—Todos la respetan.

—Todos la adoran.

A estas frases, el joven respondía con alabanzas de su tía; pero se le pasaban ganas de sacar dinero del bolsillo y decir: «María Juana, tome usted para unas botas. Pepa, tome usted para que se compre un vestido. Florentina, tome usted para que coman una semana...». Estuvo a punto de hacerlo como lo pensaba. En un momento en que las tres corrieron al balcón para ver quién pasaba, don Juan Tafetán se acercó a él y en voz baja le dijo:

—¡Qué monas son! ¿No es verdad?... ¡Pobres criaturas! Parece mentira que sean tan alegres, cuando... bien puede asegurarse que hoy no han comido.

—¡Don Juan, don Juan! —gritó Pepilla—. Por ahí viene su amigo de usted Nicolasito Hernández, o sea *Cirio Pascual,* con su sombrero de tres pisos. Viene rezando en voz baja, sin duda por las almas de los que ha mandado al hoyo con sus usuras.

—¿A que no le dicen ustedes el remoquete?

—¿A que sí?

—Juana, cierra las celosías. Dejémosle que pase, y cuando vaya por la esquina, yo gritaré: *¡Cirio, Cirio Pascual!...*

Don Juan Tafetán corrió al balcón.

—Venga usted don José, para que conozca este tipo.

Pepe Rey aprovechó el momento en que las tres muchachas y don Juan se regocijaban en el balcón, llamando a Nicolasito Hernández con el apodo que tanto le hacía rabiar; y acercándose con toda cautela a uno de los costureros que en la sala había, colocó dentro de él media onza[132] que le quedaba del juego.

Después corrió al balcón, a punto que las dos más pequeñas, gritaban entre locas risas: *«¡Cirio Pascual, Cirio Pascual!»*[133].

---

[132] Desde 1869, y hasta el 2002, la moneda nacional en España fue la peseta (equivalente a 100 céntimos o 4 reales). La referencia a la onza remite a una moneda anterior. No obstante, como se recuerda también en *Gloria,* la población acostumbraba a llamar onza al duro (5 pesetas o 20 reales), y media onza al medio duro (2,5 pesetas o 10 reales).

[133] *cirio pascual:* velón grueso y de grandes dimensiones, que se bendice el domingo de Resurrección, y preside los actos litúrgicos del rito católico hasta la celebración de Pentecostés. Se usa también durante la ceremonia del bautismo y en los funerales.

XIII

Un *casus belli*

Después de esta travesura, las tres entablaron con los caballeros una conversación tirada sobre asuntos y personas de la ciudad. El ingeniero, recelando que su fechoría se descubriese estando él presente, quiso marcharse, lo cual disgustó mucho a las Troyas. Una de estas que había salido fuera de la sala, regresó diciendo:

—Ya está Suspiritos en campaña colgando la ropa.

—Don José querrá verla —indicó otra.

—Es una señora muy guapa. Y ahora se peina a estilo de Madrid. Vengan ustedes.

Lleváronles al comedor de la casa (pieza de rarísimo uso), del cual se salía a un terrado, donde había algunos tiestos de flores y no pocos trastos abandonados y hechos añicos. Desde allí veíase el hondo patio de una casa colindante, con una galería llena de verdes enredaderas y hermosas macetas esmeradamente cuidadas. Todo indicaba allí una vivienda de gente modesta, pulcra y hacendosa.

Acercándose al borde de la azotea las de Troya miraron atentamente a la casa vecina, e imponiendo silencio a los galanes, se retiraron luego a la parte del terrado desde donde nada se veía ni había peligro de ser visto.

—Ahora sale de la despensa con un cazuelo de garbanzos —dijo María Juana, estirando el cuello para ver un poco.

—¡Zas! —exclamó otra, arrojando una piedrecilla.

Oyose el ruido del proyectil al chocar contra los cristales de la galería, y luego una colérica voz que gritaba:

—Ya nos han roto otro cristal esas...

Ocultas las tres en el rincón del terrado, junto a los dos caballeros, sofocaban la risa.

—La señora Suspiritos está muy incomodada —dijo Pepe Rey—. ¿Por qué la llaman Vds. así?

—Porque siempre que habla suspira entre palabra y palabra, y aunque de nada carece, siempre se está lamentando.

Hubo un momento de silencio en la casa de abajo. Pepita Troya atisbó con cautela.

—Allá viene otra vez —murmuró en voz baja, imponiendo silencio—. María, dame una china... A ver... ¡zas!... allá va.

—No le has acertado. Dio en el suelo.

—A ver si puedo yo... Esperaremos a que salga otra vez de la despensa.

—Ya, ya sale. En guardia, Florentina.

—¡A la una, a las dos, a las tres!... ¡Paf!...

Oyose abajo un grito de dolor, un voto, una exclamación varonil, pues era un hombre el que la daba. Pepe Rey pudo distinguir claramente estas palabras:

—¡Demonche! Me han agujereado la cabeza esas... ¡Jacinto, Jacinto! Pero ¿qué canalla de vecindad es esta?...

—¡Jesús, María y José, lo que he hecho! —exclamó llena de consternación Florentina—, le di en la cabeza al señor don Inocencio.

—¿Al Penitenciario? —dijo Pepe Rey estupefacto.

—Sí.

—¿Vive en esa casa?

—¿Pues dónde ha de vivir?

—Esa señora de los suspiros...

—Es su sobrina, su ama o no sé qué. Nos divertimos con ella, porque es muy cargante; pero con el señor Penitenciario no solemos gastar bromas.

Mientras rápidamente se pronunciaban las palabras de este diálogo, Pepe Rey vio que frente al terrado y muy cerca de él se abrían los cristales de una ventana perteneciente a la misma casa bombardeada; vio que aparecía una cara risueña, una cara conocida, una cara cuya vista le aturdió y le consternó y le puso pálido y trémulo. Era Jacintito, que interrumpido en sus graves estudios, abrió la ventana de su despacho, presentándose en ella con la pluma en la oreja. Su rostro púdico, fresco y sonrosado daba a tal aparición aspecto semejante al de una aurora.

—Buenas tardes, señor don José —dijo festivamente.

La voz de abajo gritaba de nuevo:

—¡Jacinto, pero Jacinto!

—Allá voy, tío. Estaba saludando a un amigo...

—Vámonos, sí; vámonos —gritó Florentina con zozobra—. El señor Penitenciario va a subir al cuarto de *D. Nominavito* y nos echará un responso.

—Vámonos, cerremos la puerta del comedor.

Abandonaron en tropel el terrado.

—Debieron Vds. prever que Jacintito las vería desde su templo del saber —dijo Tafetán.

—*D. Nominavito* es amigo nuestro —repuso una de ellas—. Desde su templo de la ciencia nos dice a la calladita mil ternezas, y también nos echa besos volados.

—¿Jacinto? —preguntó el ingeniero—. Pero ¿qué endiablado nombre le han puesto ustedes?

—*D. Nominavito*...

Las tres rompieron a reír.

—Lo llamamos así porque es muy sabio.

—No; porque cuando nosotras éramos chicas, él era chico también; pues... sí. Salíamos al terrado a jugar, y le sentíamos estudiando en voz alta sus lecciones.

—Sí; y todo el santo día estaba cantando.

—Declinando, mujer. Eso es: se ponía de este modo *Nominavito rosa, Genivito, Davito, Acusavito.*

—Supongo que yo también tendré mi nombre postizo —dijo Pepe Rey.

—Que se lo diga a usted María Juana —replicó Florentina ocultándose.

—¿Yo?... Díselo tú, Pepa.

—Usted no tiene nombre todavía, don José.

—Pero lo tendré. Prometo que vendré a saberlo, a recibir la confirmación —indicó el joven, con intención de retirarse.

—¿Pero se va usted?

—Sí. Ya han perdido Vds. bastante tiempo. Niñas, a trabajar. Esto de arrojar piedras a los vecinos y a los transeúntes no es la ocupación más a propósito para unas jóvenes tan lindas y de tanto mérito... Conque abur...

Y sin esperar más razones ni hacer caso de los cumplidos de las muchachas, salió a toda prisa de la casa, dejando en ella a don Juan Tafetán.

La escena que había presenciado, la vejación sufrida por el canónigo, la inopinada presencia del doctorcillo, aumentaron las confusiones, recelos y presentimientos desagradables que turbaban el alma del pobre ingeniero. Deploró con toda su alma haber entrado en casa de las Troyas, y resuelto a emplear mejor el tiempo, mientras su hipocondría le durase, recorrió las calles de la población.

Visitó el mercado, la calle de la Tripería, donde estaban las principales tiendas; observó los diversos aspectos que ofrecían la industria y comercio de la gran Orbajosa, y como no hallara sino nuevos motivos de aburrimiento, encaminose al paseo de las Descalzas; pero no vio en él más que algunos perros vagabundos, porque con motivo del viento molestísimo que reinaba, caballeros y señoras se habían quedado en sus casas. Fue a la botica, donde hacían tertulia diversas especies de progresistas rumiantes, que estaban perpetuamente masticando un tema sin fin; pero allí se aburrió más. Pasaba al fin junto a la catedral, cuando sintió el órgano y los hermosos cantos de coro. Entró, arrodillose delante del altar mayor, recordando las advertencias que acerca de la compostura dentro de la iglesia le hiciera su tía; visitó luego una capilla, y disponíase a entrar en otra, cuando un acólito, celador o perrero se le acercó, y con modales muy descorteses y descompuesto lenguaje, le habló así:

—Su Ilustrísima dice que se plante usted en la calle.

El ingeniero sintió que la sangre se agolpaba en su cerebro. Sin decir una palabra obedeció.

Arrojado de todas partes por fuerza superior o por su propio hastío[134], no tenía más recurso que ir a casa de su tía, donde le esperaban:

1.º El tío Licurgo para anunciarle un segundo pleito.

2.º El señor don Cayetano, para leerle un nuevo trozo de su discurso sobre los linajes de Orbajosa.

3.º Caballuco, para un asunto que no había manifestado.

4.º Doña Perfecta y su sonrisa bondadosa, para lo que se verá en el capítulo siguiente.

---

[134] Esta escena en la que el protagonista se enfrenta a una sociedad antagónica que lo expulsa de su seno, se repite al año siguiente en la segunda parte de *Gloria,* cuando Daniel Morton es repudiado por la población de Ficóbriga. Se trataría de dos persecuciones complementarias, representación simbólica de la lucha por la liberación, tanto en la historia antigua como en la vida moderna: la persecución histórica tiene como objeto al judío Morton; la contemporánea, al liberal Pepe Rey. De modo que, al rechazo antiguo a las ideas «judaizantes» se une el moderno desprecio por las ideas «extranjerizantes».

XIV

La discordia sigue creciendo

Una nueva tentativa de ver a su prima Rosario fracasó al caer de la tarde. Pepe Rey se encerró en su cuarto para escribir varias cartas, y no podía apartar de su mente una idea fija.

—Esta noche o mañana —decía— se acabará esto de una manera o de otra.

Cuando le llamaron para la cena, doña Perfecta se dirigió a él en el comedor, diciéndole de buenas a primeras:

—Querido Pepe, no te apures; yo aplacaré al señor don Inocencio... Ya estoy enterada. María Remedios, que acaba de salir de aquí, me lo ha contado todo.

El semblante de la señora irradiaba satisfacción, semejante a la de un artista orgulloso de su obra.

—¿Qué?

—Yo te disculparé, hombre. Tomarías algunas copas en el Casino, ¿no es esto? He aquí el resultado de las malas compañías. ¡don Juan Tafetán, las Troyas!... Esto es horrible, espantoso. ¿Has meditado bien?...

—Todo lo he meditado, señora —repuso Pepe, decidido a no entrar en discusiones con su tía.

—Me guardaré muy bien de escribirle a tu padre lo que has hecho.

—Puede usted escribirle lo que guste.
—Vamos: te defenderás desmintiéndome.
—Yo no desmiento.
—Luego confiesas que estuviste en casa de esas...
—Estuve.
—Y que le diste media onza, porque, según me ha dicho María Remedios, esta tarde bajó Florentina a la tienda del extremeño a que le cambiaran media onza. Ellas no podían haberla ganado con su costura. Tú estuviste hoy en casa de ellas; luego...
—Luego yo se la di. Perfectamente.
—No lo niegas.
—¡Qué he de negarlo! Creo que puedo hacer de mi dinero lo que mejor me convenga.
—Pero de seguro sostendrás que no apedreaste al señor Penitenciario.
—Yo no apedreo.
—Quiero decir que ellas en presencia tuya...
—Eso es otra cosa.
—E insultaron a la pobre María Remedios.
—Tampoco lo niego.
—¿Y cómo justificarás tu conducta? Pepe... por Dios. No dices nada; no te arrepientes, no protestas... no...
—Nada, absolutamente nada, señora.
—Ni siquiera procuras desagraviarme.
—Yo no he agraviado a usted.
—Vamos, ya no te falta más que... Hombre, coge ese palo y pégame.
—Yo no pego.
—¡Qué falta de respeto!... ¡Qué...! ¿No cenas?
—Cenaré.
Hubo una pausa de más de un cuarto de hora. Don Cayetano, doña Perfecta y Pepe Rey comían en silencio. Este se interrumpió cuando don Inocencio entró en el comedor.
—¡Cuánto lo he sentido, señor don José de mi alma!... Créame usted que lo he sentido de veras —dijo estre-

chando la mano al joven y mirándole con expresión de lástima.

El ingeniero no supo qué contestar; tanta era su confusión.

—Me refiero al suceso de esta tarde.

—¡Ah!... ya.

—A la expulsión de usted del sagrado recinto de la iglesia catedral.

—El señor obispo —dijo Pepe Rey— debía pensarlo mucho antes de arrojar a un cristiano de la iglesia.

—Y es verdad, yo no sé quién le ha metido en la cabeza a Su Ilustrísima que usted es hombre de malísimas costumbres; yo no sé quién le ha dicho que usted hace alarde de ateísmo en todas partes; que se burla de cosas y personas sagradas, y aun que proyecta derribar la catedral para edificar con sus piedras una gran fábrica de alquitrán. Yo he procurado disuadirle; pero su Ilustrísima es un poco terco.

—Gracias por tanta bondad.

—Y eso que el señor Penitenciario no tiene motivos para guardarte tales consideraciones. Por poco más le dejan en el sitio esta tarde.

—¡Bah!..., ¿pues qué? —dijo el sacerdote riendo—. ¿Ya se tiene aquí noticia de la travesurilla?... Apuesto a que María Remedios vino con el cuento. Pues se lo prohibí, se lo prohibí de un modo terminante. La cosa en sí no vale la pena, ¿no es verdad, señor de Rey?

—Puesto que usted lo juzga así...

—Ese es mi parecer. Cosas de muchachos... La juventud, digan lo que quieran los modernos, se inclina al vicio y a las acciones viciosas[135]. El señor don José, que es una

---

[135] En la juventud había puesto el krausismo sus esperanzas de redención. A Giner de los Ríos se debe un importantísimo ensayo, de 1870, en el que el prócer krausista apelaba a las generaciones futuras, y a los jóvenes, para remediar los males nacionales. Véase, F. Giner, «La juventud y el movimiento social», *OC*, Madrid, La Lectura, 1922, vol. 7, págs. 113-114. La

persona de grandes prendas, no podía ser perfecto... ¿Qué tiene de particular que esas graciosas niñas le sedujeran, y, después de sacarle el dinero, le hicieran cómplice de sus desvergonzados y criminales insultos a la vecindad? Querido amigo mío, por la dolorosa parte que me cupo en los juegos de esta tarde —añadió, llevándose la mano a la región lastimada—, no me doy por ofendido, ni siquiera mortificaré a usted con recuerdos de tan desagradable incidente. He sentido verdadera pena al saber que María Remedios había venido a contarlo todo... ¡Es tan chismosa mi sobrina!... Apostamos a que también contó lo de la media onza, y los retozos de usted con las niñas en el tejado, y las carreras y pellizcos, y el bailoteo de don Juan Tafetán... ¡Bah!, estas cosas debieran quedar en secreto.

Pepe Rey no sabía lo que le mortificaba más, si la severidad de su tía o las hipócritas condescendencias del canónigo.

—¿Por qué no se han de decir? —indicó la señora—. Él mismo no parece avergonzado de su conducta. Sépanlo todos. Únicamente se guardará secreto de esto a mi querida hija, porque en su estado nervioso son temibles los accesos de cólera.

—Vamos, que no es para tanto, señora —añadió el Penitenciario—. Mi opinión es que no se vuelva a hablar del asunto, y cuando esto lo dice el que recibió la pedrada, los demás pueden darse por satisfechos... Y no fue broma lo del trastazo, señor don José, pues creí que me abrían un boquete en el casco[136] y que se me salían por él los sesos...

—¡Cuánto siento este accidente!... —balbució Pepe Rey—. Me causa verdadera pena, a pesar de no haber tomado parte...

---

idea de don Inocencio según la cual la juventud es el mal, contrasta con las visiones idealistas que, como vimos en la introducción, entendieron que el presente estaba caracterizado por progreso y moralidad.

[136] *casco:* aquí usado para significar cráneo.

—La visita de usted a esas señoras Troyas llamará la atención en el pueblo —dijo el canónigo—. Aquí no estamos en Madrid, señores; aquí no estamos en ese centro de corrupción, de escándalo...

—Allá puedes visitar los lugares más inmundos —manifestó doña Perfecta—, sin que nadie lo sepa.

—Aquí nos miramos mucho —prosiguió don Inocencio—. Reparamos todo lo que hacen los vecinos, y, con tal sistema de vigilancia, la moral pública se sostiene a conveniente altura... Créame usted, amigo mío, créame usted, y no digo esto por mortificarle; usted ha sido el primer caballero de suposición[137] que a la luz del día... el primero, sí señor... *Trojæ qui primus ab oris*[138]...

Después se echó a reír, dando algunas palmadas en la espalda al ingeniero en señal de amistad y benevolencia.

—¡Cuán grato es para mí —dijo el joven, encubriendo su cólera con las palabras que creyó más oportunas para contestar a la solapada ironía de sus interlocutores—, ver tanta generosidad y tolerancia, cuando yo merecía, por mi criminal proceder...!

—¿Pues qué? A un individuo que es de nuestra propia sangre y que lleva nuestro nombre —dijo doña Perfecta—, ¿se le puede tratar como a un cualquiera? Eres mi sobrino, eres hijo del mejor y más santo de los hombres, mi querido hermano Juan, y esto basta. Ayer tarde estuvo aquí el secretario del señor obispo, a manifestarme que Su Ilustrísima está muy disgustado porque te tengo en mi casa.

—¿También eso? —murmuró el canónigo.

—También eso. Yo respondí que salvo el respeto que el señor obispo me merece y lo mucho que le quiero y reverencio, mi sobrino es mi sobrino, y no puedo echarle de mi casa.

---

[137] *suposición:* distinción, autoridad (véase nota 129).

[138] Segunda parte, o hemistiquio, del verso inicial de la *Eneida:* «Arma virumque cano, *Troiae qui primus ab oris*» [Canto las armas y [el valor de] ese hombre que primero llegó de las costas de Troya].

—Es una nueva singularidad que encuentro en este país —dijo Pepe Rey, pálido de ira—. Por lo visto aquí el obispo gobierna las casas ajenas.

—Es un bendito. Me quiere tanto que se le figura... se le figura que nos vas a comunicar tu ateísmo, tu despreocupación, tus raras ideas... Repetidas veces le he dicho que tienes un fondo excelente.

—Al talento superior debe siempre concedérsele algo —manifestó don Inocencio.

—Y esta mañana, cuando estuve en casa de las de Cirujeda, ¡ay!, tú no puedes figurarte cómo me pusieron la cabeza... Que si habías venido a derribar la catedral; que si eras comisionado de los protestantes ingleses para ir predicando la herejía por España; que pasabas la noche entera jugando en el Casino; que salías borracho... «Pero señoras —les dije—, ¿quieren ustedes que yo envíe a mi sobrino a la posada?». Además, en lo de las embriagueces no tienen razón, y en cuanto al juego, no sé que jugaras hasta hoy.

Pepe Rey se hallaba en esa situación de ánimo en que el hombre más prudente siente dentro de sí violentos ardores y una fuerza ciega y brutal que tiende a estrangular, abofetear, romper cráneos y machacar huesos. Pero doña Perfecta era señora y además su tía; don Inocencio era anciano y sacerdote. Además de esto las violencias de obra son de mal gusto, impropias de personas cristianas y bien educadas. Quedaba el recurso de dar libertad a su comprimido encono por medio de la palabra, manifestada decorosamente y sin faltarse a sí mismo; pero aún le pareció prematuro este postrer recurso, que no debía emplear, según su juicio, hasta el instante de salir definitivamente de aquella casa y de Orbajosa. Resistiendo, pues, el furibundo ataque, aguardó.

Jacinto llegó cuando la cena concluía.

—Buenas noches, señor don José... —dijo estrechando la mano del joven—. Usted y sus amigas no me han dejado trabajar esta tarde. No he podido escribir una línea. ¡Y tenía que hacer!...

—¡Cuánto lo siento, Jacinto! Pues según me dijeron, usted las acompaña algunas veces en sus juegos y retozos.

—¡Yo! —exclamó el rapaz, poniéndose como la grana—. ¡Bah!, bien sabe usted que Tafetán no dice nunca palabra de verdad... Pero ¿es cierto, señor de Rey, que se marcha usted?

—¿Lo dicen por ahí?...

—Sí; lo he oído en el Casino, en casa de don Lorenzo Ruiz.

Rey contempló durante un rato las frescas facciones de *D. Nominavito*. Después dijo:

—Pues no es cierto. Mi tía está muy contenta de mí; desprecia las calumnias con que me obsequian los orbajosenses... y no me arrojará de su casa aunque en ello se empeñe el señor obispo.

—Lo que es arrojarte... jamás. ¡Qué diría tu padre!...

—A pesar de sus bondades de usted, querida tía, a pesar de la amistad cordial del señor canónigo, quizás decida yo marcharme...

—¡Marcharte!

—¡Marcharse usted!

En los ojos de doña Perfecta brilló una luz singular. El canónigo a pesar de ser hombre muy experto en el disimulo, no pudo ocultar su alegría.

—Sí; y tal vez esta misma noche...

—¡Pero hombre, qué arrebatado eres!... ¿Por qué no esperas siquiera a mañana temprano?... A ver... Juan, que vayan a llamar al tío Licurgo, para que prepare la jaca... Supongo que llevarás algún fiambre... ¡Nicolasa!... Ese pedazo de ternera que está en el aparador... Librada, la ropa del señorito...

—No, no puedo creer que usted tome determinación tan brusca —dijo don Cayetano, creyéndose obligado a tomar alguna parte en aquella cuestión.

—Pero volverá usted ¿no es eso? —preguntó el canónigo.

—¿A qué hora pasa el tren de la mañana? —preguntó doña Perfecta, por cuyos ojos claramente asomaba la febril impaciencia de su alma.

—Sí, me marcho esta misma noche.

—Pero hombre, si no hay luna...

En el alma de doña Perfecta, en el alma del Penitenciario, en la juvenil alma del doctorcillo, retumbaron como una armonía celeste estas palabras: «Esta misma noche».

—Por supuesto, querido Pepe, tú volverás... Yo he escrito hoy a tu padre, a tu excelente padre... —exclamó doña Perfecta con todos los síntomas fisiognómicos que aparecen cuando se va a derramar una lágrima.

—Molestaré a usted con algunos encargos —manifestó el sabio.

—Buena ocasión para pedir el cuaderno que me falta de la obra del abate Gaume[139] —indicó el abogadejo.

—Vamos, Pepe, que tienes unos arrebatos y unas salidas —murmuró la señora sonriendo, con la vista fija en la puerta del comedor—. Pero se me olvidaba decirte que Caballuco está esperando: desea hablarte.

---

[139] *El abate Gaume:* Jean-Joseph Gaume (1802-1879), sacerdote francés que recibió grandes honores de Pío IX. Ensayista y teólogo, Gaume escribió sobre temas de educación *(Du Catholicisme dans l'éducation, ou l'Unique moyen de sauver la science et la société,* 1835), y sobre la importancia de la religión en la formación del espíritu científico de los cristianos. A partir de 1848, después de la revolución, escribió contra la expansión de los movimientos comunistas en el mundo cristiano.

XV

Sigue creciendo hasta que se declara la guerra

Todos miraron hacia la puerta, donde apareció la imponente figura del Centauro, serio, cejijunto, confuso al querer saludar con amabilidad, hermosamente salvaje, pero desfigurado por la violencia que hacía para sonreír urbanamente y pisar quedo y tener en correcta postura los hercúleos brazos.

—Adelante, señor Ramos —dijo Pepe Rey.

—No, no —objetó doña Perfecta—. Si es una tontería lo que tiene que decirte.

—Que lo diga.

—Yo no debo consentir que en mi casa se ventilen estas cuestiones ridículas...

—¿Qué quiere de mí el señor Ramos?

Caballuco pronunció algunas palabras.

—Basta, basta... —dijo doña Perfecta riendo—. No molestes más a mi sobrino. Pepe, no hagas caso de ese majadero... ¿Quieren ustedes que les diga en qué consiste el enojo del gran Caballuco?

—¿Enojo? Ya me lo figuro —indicó el Penitenciario, recostándose en el sillón y riendo expansivamente y con estrépito.

—Yo quería decirle al señor don José... —gruñó el formidable jinete.

—Hombre, calla por Dios, no nos aporrees los oídos.

—Señor Caballuco —apuntó el canónigo—, no es mucho que los señores de la corte desbanquen a los rudos caballistas de estas salvajes tierras...

—En dos palabras, Pepe, la cuestión es esta: Caballuco es no sé qué...

La risa le impidió continuar.

—No sé qué —añadió don Inocencio— de una de las niñas de Troya, de Mariquita Juana, si no estoy equivocado.

—¡Y está celoso! Después de su caballo, lo primero de la creación es Mariquita Troya.

—¡Dios me valga! —exclamó la señora—. ¡Pobre Cristóbal! ¿Has creído que una persona como mi sobrino?... Vamos a ver, ¿qué ibas a decirle? Habla.

—Ya hablaremos el señor don José y yo —repuso bruscamente el bravo de la localidad.

Y sin decir más se retiró.

Poco después Pepe Rey salió del comedor para ir a su cuarto. En la galería hallose frente a frente con su troyano antagonista, y no pudo reprimir la risa al ver la torva seriedad del ofendido cortejo.

—Una palabra —dijo este, plantándose descaradamente ante el ingeniero—. ¿Usted sabe quién soy yo?

Diciendo esto puso la pesada mano en el hombro del joven con tan insolente franqueza, que este no pudo menos de rechazarle enérgicamente.

—No es preciso aplastar para eso.

El valentón, ligeramente desconcertado, se repuso al instante y mirando a Rey con audacia provocativa, repitió su estribillo.

—¿Sabe usted quién soy yo?

—Sí; ya sé que es usted un animal.

Apartole bruscamente hacia un lado y entró en su cuarto. Según el estado del cerebro de nuestro desgraciado amigo en aquel instante, sus acciones debían sintetizarse en el siguiente brevísimo y definitivo plan: romperle la cabeza a Caballuco sin pérdida de tiempo; despedirse enseguida de su tía con razones severas aunque corteses que le llegaran al alma; dar un frío adiós al canónigo y un abrazo al inofensivo don Cayetano; administrar, por fin de fiesta, una paliza al tío Licurgo; partir de Orbajosa aquella misma noche, y sacudirse el polvo de los zapatos a la salida de la ciudad.

Pero los pensamientos del perseguido joven no podían apartarse, en medio de tantas amarguras, de otro desgraciado ser a quien suponía en situación más aflictiva y angustiosa que la suya propia. Tras el ingeniero entró en la estancia una criada.

—¿Le diste mi recado? —preguntó él.

—Sí, señor, y me dio esto.

Rey tomó de las manos de la muchacha un pedacito de periódico, en cuya margen leyó estas palabras: «Dicen que te vas. Yo me muero».

Cuando Pepe volvió al comedor, el tío Licurgo se asomaba a la puerta, preguntando:

—¿A qué hora hace falta la jaca?

—A ninguna —contestó vivamente Pepe Rey.

—¿Luego no te vas esta noche? —dijo doña Perfecta—. Mejor es que lo dejes para mañana.

—Tampoco.

—¿Pues cuándo?

—Ya veremos —dijo fríamente el joven, mirando a su tía con imperturbable calma—. Por ahora no pienso marcharme.

Sus ojos lanzaban enérgico reto. Doña Perfecta se puso primero encendida, pálida después. Miró al canónigo, que se había quitado las gafas de oro para limpiarlas, y luego clavó sucesivamente la vista en los demás que ocupaban la estancia, incluso Caballuco, que, entrando poco antes, se sentara en el borde de una silla. Doña Perfecta les miró como mira un general a sus queridos cuerpos de ejército.

Después examinó el semblante meditabundo y sereno de su sobrino, de aquel estratégico enemigo que se presentaba inopinadamente cuando se le creía en vergonzosa fuga.

¡Ay! ¡Sangre, ruina y desolación!... Una gran batalla se preparaba[140].

[140] Con esta premonición de problemas por venir, acabaría la primera parte de la novela. Rey ha decidido no abandonar Orbajosa, y quedarse a fin de liberar a su amada.

XVI

Noche

Orbajosa dormía. Los mustios farolillos del público alumbrado despedían en encrucijadas y callejones su postrer fulgor, como cansados ojos que no pueden vencer el sueño. A la débil luz se escurrían, envueltos en sus capas, los vagabundos, los rondadores, los jugadores. Solo el graznar del borracho o el canto del enamorado turbaban la callada paz de la ciudad histórica. De pronto el *Ave María Purísima*[141] de vinoso sereno sonaba como un quejido enfermizo del durmiente poblachón.

En la casa de doña Perfecta también había silencio. Turbábalo tan solo un diálogo que en la biblioteca del señor don Cayetano sostenían este y Pepe Rey. Sentábase el erudito reposadamente en el sillón de su mesa de estudio, la cual aparecía cubierta por innúmeros papeles, conteniendo notas, apuntes y referencias. Rey fijaba los ojos en el copioso montón; pero sus pensamientos volaban, sin duda, en regiones muy distantes de aquella sabiduría.

---

[141] *Ave María Purísima:* expresión jaculatoria con que se saludaba a las personas; en este caso, hemos de suponer que se trata del saludo del sereno al encontrarse con paseantes nocturnos.

—Perfecta —dijo el anticuario— es mujer excelente, pero tiene el defecto de escandalizarse por cualquier acción insignificante. Amigo, en estos pueblos de provincia el menor desliz se paga caro. Nada encuentro de particular en que usted fuese a casa de las Troyas. Se me figura que don Inocencio, bajo su capita de hombre de bien, es algo cizañoso. ¿A él qué le importa?...

—Hemos llegado a un punto, señor don Cayetano, en que es preciso tomar una determinación enérgica. Yo necesito ver y hablar a Rosario.

—Pues véala usted.

—Es que no me dejan —respondió el ingeniero, dando un puñetazo en la mesa—. Rosario está secuestrada...

—¡Secuestrada! —exclamó el sabio con incredulidad—. La verdad es que no me gusta su cara, ni su aspecto, ni menos el estupor que se pinta en sus bellos ojos. Está triste, habla poco, llora... Amigo don José, me temo mucho que esa niña se vea atacada de la terrible enfermedad que ha hecho tantas víctimas en mi familia.

—¡Una terrible enfermedad! ¿Cuál?

—La locura... mejor dicho, manías. En la familia no ha habido uno solo que se librara de ellas. Yo, yo soy el único que he logrado escapar.

—¡Usted!... Dejando a un lado las manías —dijo Rey con impaciencia—, yo quiero ver a Rosario.

—Nada más natural. Pero el aislamiento en que su madre la tiene es un sistema higiénico[142], querido Pepe; el único empleado con éxito en todos los individuos de mi familia. Considere usted que la persona cuya presencia y voz debe de hacer más impresión en el delicado sistema nervioso de Rosarillo es el elegido de su corazón.

—A pesar de todo —insistió Pepe—, yo quiero verla.

---

[142] *higiénico:* aquí usado con el sentido de prevención de enfermedades.

—Quizás Perfecta no se oponga a ello —dijo el sabio fijando la atención en sus notas y papeles—. No quiero meterme en camisa de once varas[143].

El ingeniero, viendo que no podía sacar partido del buen Polentinos, se retiró para marcharse.

—Usted va a trabajar, y no quiero estorbarle.

—No; aún tengo tiempo. Vea usted el cúmulo de preciosos datos que he reunido hoy. Atienda usted... «En 1537 un vecino de Orbajosa llamado Bartolomé del Hoyo, fue a Civita Vechia en las galeras del marqués de Castel Rodrigo». Otra. «En el mismo año dos hermanos, hijos también de Orbajosa y llamados Juan y Rodrigo González del Arco, se embarcaron en los seis navíos que salieron de Maestrique[144] el 20 de febrero, y que a la altura de Calais toparon con un navío inglés, y los flamencos que mandaba Van Owen...». En fin, fue aquello una importante hazaña de nuestra Marina. He descubierto que un orbajosense, un tal Mateo Díaz Coronel, alférez de la Guardia, fue el que escribió en 1709 y dio a la estampa en Valencia el *Métrico encomio, fúnebre canto, lírico elogio, descripción numérica, gloriosas fatigas, angustiadas glorias de la Reina de los Ángeles*. Poseo un preciosísimo ejemplar de esta obra, que vale un Perú[145]... Otro orbajosense es autor de aquel famoso *Tractado de las diversas suertes de la Gineta*, que enseñé a usted ayer; y en resumen, no doy un paso por el laberinto de la historia inédita sin tropezar con algún paisano ilustre. Yo pienso sacar todos esos nombres de la injusta oscuridad y olvido en que yacen. ¡Qué goce tan puro, querido Pepe, es devolver todo su lustre a las glorias, ora épicas, ora litera-

---

[143] *meterme en camisa de once varas:* expresión con que se previene a alguien de inmiscuirse en asuntos que no le han de proporcionar beneficio alguno.

[144] *Maestrique:* Maastricht, ciudad del sur de Holanda.

[145] *vale un Perú:* expresión con que se encarece el mucho valor de algo o de alguna cosa.

rias, del país en que hemos nacido! Ni qué mejor empleo puede dar un hombre al escaso entendimiento que del cielo recibiera, a la fortuna heredada y al tiempo breve con que puede contar en el mundo la existencia más dilatada... Gracias a mí, se verá que Orbajosa es ilustre cuna del genio español. Pero ¿qué digo? ¿No se conoce bien su prosapia ilustre en la nobleza, en la hidalguía de la actual generación *urbsaugustana?* Pocas localidades conocemos en que crezcan con más lozanía las plantas y arbustos de todas las virtudes, libres de la yerba maléfica de los vicios. Aquí todo es paz, mutuo respeto, humildad cristiana. La caridad se practica aquí como en los mejores tiempos evangélicos; aquí no se conoce la envidia, aquí no se conocen las pasiones criminales; y si oye usted hablar de ladrones y asesinos, tenga por seguro que no son hijos de esta noble tierra, o que pertenecen al número de los infelices pervertidos por las predicaciones demagógicas[146]. Aquí verá usted el carácter nacional en toda su pureza, recto, hidalgo, incorruptible, puro, sencillo, patriarcal, hospitalario, generoso... Por eso gusto tanto de vivir en esta pacífica soledad, lejos del laberinto de las ciudades, donde reinan ¡ay!, la falsedad y el vicio. Por eso no han podido sacarme de aquí los muchos amigos que tengo en Madrid; por eso vivo en la dulce compañía de mis leales paisanos y de mis libros, respirando sin cesar esta salutífera atmósfera de honradez, que se va poco a poco reduciendo en nuestra España, y solo existe en las humildes y cristianas ciudades que con las emanaciones de sus virtudes saben conservarla. Y no crea usted, este sosegado aislamiento ha contribuido mucho, queridísimo Pepe, a librarme de la terrible enfermedad connaturalizada en mi familia. En mi juventud, yo, lo mismo que mis hermanos y padre, padecía lamentable propensión a las más absurdas manías;

[146] *predicaciones demagógicas:* expresión con que se hacía referencia a la agitación política de masas, en general de ideología socialista o anarquista.

pero aquí me tiene usted tan pasmosamente curado de ellas, que no conozco la existencia de tal enfermedad sino cuando la veo en los demás. Por eso mi sobrinilla me tiene tan inquieto.

—Celebro que los aires de Orbajosa le hayan preservado a usted —dijo Rey, no pudiendo reprimir un sentimiento de burlas que, por ley extraña, nació en medio de su tristeza—. A mí me han probado tan mal que creo he de ser maniático dentro de poco tiempo si sigo aquí. Conque buenas noches, y que trabaje usted mucho.

—Buenas noches.

Dirigiose a su habitación; mas no sintiendo sueño ni necesidad de reposo físico, sino por el contrario, fuerte excitación que le impulsaba a agitarse y divagar, cavilando y moviéndose, se paseó de un ángulo a otro de la pieza. Después abrió la ventana que a la huerta daba, y poniendo los codos en el antepecho, contempló la inmensa negrura de la noche. No se veía nada. Pero el hombre ensimismado lo ve todo, y Rey, fijos los ojos en la oscuridad, miraba cómo se iba desarrollando sobre ella el abigarrado paisaje de sus desgracias. La sombra no le permitía ver las flores de la tierra, ni las del cielo, que son las estrellas. La misma falta casi absoluta de claridad producía el efecto de un ilusorio movimiento en las masas de árboles, que se extendían al parecer; iban perezosamente y regresaban enroscándose, como el oleaje de un mar de sombras. Formidable flujo y reflujo, una lucha entre fuerzas no bien manifiestas agitaban la silenciosa esfera. Contemplando aquella extraña proyección de su alma sobre la noche, el matemático decía:

—La batalla será terrible. Veremos quién sale triunfante.

Los insectos de la noche hablaron a su oído diciéndole misteriosas palabras. Aquí un chirrido áspero, allí un chasquido semejante al que hacemos con la lengua; allá, lastimeros murmullos; más lejos, un son vibrante, parecido al de la esquila suspendida al cuello de la res vagabunda. De súbito sintió Rey una consonante extraña, una rápida nota propia tan solo de la lengua y de los labios humanos, exhalación que cruzó por su cerebro como un relámpago. Sintió culebrear dentro de sí aquella S fugaz, que se repitió una y otra vez, aumentando de intensidad. Miró a todos lados, hacia la parte alta de la casa, y en una ventana creyó distinguir un objeto semejante a un ave blanca que movía las alas. Por la mente excitada de Pepe Rey cruzó en un instante la idea del fénix, de la paloma, de la garza real... y sin embargo aquella ave no era más que un pañuelo.

Saltó el ingeniero por la ventana a la huerta. Observando bien, vio la mano y el rostro de su prima. Creyó distinguir el tan usual movimiento de imponer silencio llevando el dedo a los labios. Después la simpática sombra alargó el brazo hacia abajo y desapareció. Pepe Rey entró de nuevo en su cuarto rápidamente y procurando no hacer ruido, pasó a la galería, avanzando después lentamente por ella. Sentía el palpitar de su corazón como si hachazos recibiera dentro del pecho. Esperó un rato... Al fin oyó distintamente tenues golpes en los peldaños de la escalera. Uno, dos, tres... Producían aquel rumor unos zapatitos.

Dirigiose hacia allá en medio de una oscuridad casi profunda, y alargó los brazos para prestar apoyo a quien descendía. En su alma reinaba una ternura exaltada y profunda; pero ¿a qué negarlo?, tras aquel dulce sentimiento surgió de repente, como infernal inspiración, otro que era un terrible deseo de venganza.

Los pasos se acercaban descendiendo. Pepe Rey avanzó y unas manos que tanteaban en el vacío, chocaron con las suyas. Las cuatro ¡ay!, se unieron en estrecho apretón.

XVII

Luz a oscuras

La galería era larga y ancha. A un extremo estaba la puerta del cuarto donde moraba el ingeniero; en el centro, la del comedor; al otro extremo, la escalera y una puerta grande y cerrada, con un peldaño en el umbral. Aquella puerta era la de una capilla, donde los Polentinos tenían los santos de su devoción doméstica. Alguna vez se celebraba en ella el santo sacrificio de la misa.

Rosario dirigió a su primo hacia la puerta de la capilla, y se dejó caer en el escalón.

—¿Aquí?... —murmuró Pepe Rey.

Por los movimientos de la mano derecha de Rosario, comprendió que esta se santiguaba.

—Prima querida, Rosario... ¡Gracias por haberte dejado ver! —exclamó estrechándola con ardor entre sus brazos.

Sintió los dedos fríos de la joven sobre sus labios, imponiéndole silencio. Los besó con frenesí.

—Estás helada... Rosario..., ¿por qué tiemblas así?

Daba diente con diente, y su cuerpo todo se estremecía con febril convulsión. Rey sintió en su cara el abrasador fuego del rostro de su prima, y alarmado exclamó:

—Tu frente es un volcán, Rosario. Tienes fiebre.

—Mucha.

—¿Estás enferma realmente?

—Sí...

—Y has salido...

—Por verte.

El ingeniero la estrechó entre sus brazos para darle abrigo; pero no bastaba.

—Aguarda —dijo vivamente levantándose—. Voy a mi cuarto a traer mi manta de viaje.

—Apaga la luz, Pepe.

Rey había dejado encendida la luz dentro de su cuarto, y por la puerta de este salía una tenue claridad, iluminando la galería. Volvió al instante. La oscuridad era ya profunda. Tentando las paredes pudo llegar hasta donde estaba su prima. Reuniéronse y la arropó cuidadosamente de los pies a la cabeza.

—¡Qué bien estás ahora, niña mía!

—Sí, ¡qué bien!... Contigo.

—Conmigo... y para siempre —exclamó con exaltación el joven.

Pero observó que se desasía de sus brazos y se levantaba.

—¿Qué haces?

Sintió el ruido de un hierrecillo. Rosario introducía una llave en la invisible cerradura, y abría cuidadosamente la puerta en cuyo umbral se habían sentado. Leve olor de humedad, inherente a toda pieza cerrada por mucho tiempo, salía de aquel recinto oscuro como una tumba. Pepe Rey se sintió llevado de la mano, y la voz de su prima dijo muy débilmente:

—Entra.

Dieron algunos pasos. Creíase él conducido a ignotos lugares Elíseos por el ángel de la noche. Ella tanteaba. Por fin volvió a sonar su dulce voz murmurando:

—Siéntate.

Estaban junto a un banco de madera. Los dos se sentaron. Pepe Rey la abrazó de nuevo. En el mismo instante su cabeza chocó con un cuerpo muy duro.

—¿Qué es esto?

—Los pies.

—Rosario... ¿qué dices?

—Los pies del divino Jesús, de la imagen de Cristo Crucificado que adoramos en mi casa.

Pepe Rey sintió como una fría lanzada que le traspasó el corazón.

—Bésalos —dijo imperiosamente la joven.

El matemático besó los helados pies de la santa imagen.

—Pepe —preguntó después la señorita, estrechando ardientemente la mano de su primo—. ¿Tú crees en Dios?

—¡Rosario!... ¿qué dices ahí? ¡Qué locuras piensas! —repuso con perplejidad el primo.

—Contéstame.

Pepe Rey sintió humedad en sus manos.

—¿Por qué lloras? —dijo lleno de turbación—. Rosario, me estás matando con tus dudas absurdas. ¡Que si creo en Dios! ¿Lo dudas tú?

—Yo no; pero todos dicen que eres ateo.

—Desmerecerías a mis ojos, te despojarías de tu aureola de pureza, si dieras crédito a tal necedad.

—Oyéndote calificar de ateo, y sin poder convencerme de lo contrario por ninguna razón, he protestado desde el fondo de mi alma contra tal calumnia. Tú no puedes ser ateo. Dentro de mí tengo yo vivo y fuerte el sentimiento de tu religiosidad, como el de la mía propia.

—¡Qué bien has hablado! ¿Entonces, por qué me preguntas si creo en Dios?

—Porque quería escucharlo de tu misma boca y recrearme oyéndotelo decir. ¡Hace tanto tiempo que no oigo tu voz!... ¿Qué mayor gusto que oírla de nuevo, después de tan gran silencio, diciendo: «Creo en Dios»?

—Rosario, hasta los malvados creen en Él. Si existen ateos, que no lo dudo, son los calumniadores, los intrigantes de que está infestado el mundo... Por mi parte, me importan poco las intrigas y las calumnias, y si tú te sobrepones a ellas y cierras tu corazón a los sentimientos de discordia que una mano aleve quiere introducir en él, nada se opondrá a nuestra felicidad.

—Pero ¿qué nos pasa? Pepe, querido Pepe... ¿tú crees en el Diablo?

El ingeniero calló. La oscuridad de la capilla no permitía a Rosario ver la sonrisa con que su primo acogiera tan extraña pregunta.

—Será preciso creer en él —dijo al fin.

—¿Qué nos pasa? Mamá me prohíbe verte; pero fuera de lo del ateísmo no habla mal de ti. Díceme que espere; que tú decidirás; que te vas, que vuelves... Háblame con franqueza... ¿Has formado mala idea de mi madre?

—De ninguna manera —replicó Rey apremiado por su delicadeza.

—¿No crees, como yo, que me quiere mucho; que nos quiere a los dos; que solo desea nuestro bien, y que al fin y al cabo hemos de alcanzar de ella el consentimiento que deseamos?

—Si tú lo crees así, yo también... Tu mamá nos adora a entrambos... Pero, querida Rosario, es preciso reconocer que el Demonio ha entrado en esta casa.

—No te burles... —repuso ella con cariño—. ¡Ay!, mamá es muy buena. Ni una sola vez me ha dicho que no fueras digno de ser mi marido. No insiste más que en lo del ateísmo. Dicen además que tengo manías, y que ahora me ha entrado la de quererte con toda mi alma. En nuestra familia es ley no contrariar de frente las manías congénitas que tenemos, porque atacándolas se agravan más.

—Pues yo creo que a tu lado hay buenos médicos que se han propuesto curarte, y que al fin, adorada niña mía, lo conseguirán.

—No, no, no mil veces —exclamó Rosario apoyando su frente en el pecho de su novio—. Quiero volverme loca contigo. Por ti estoy padeciendo; por ti estoy enferma; por ti desprecio la vida y me expongo a morir... Ya lo preveo; mañana estaré peor, me agravaré... Moriré; ¿qué me importa?

—Tú no estás enferma —repuso él con energía—; tú no tienes sino una perturbación moral, que naturalmente trae ligeras afecciones nerviosas; tú no tienes más que la pena ocasionada por esta horrible violencia que están ejerciendo sobre ti. Tu alma sencilla y generosa no lo comprende. Cedes; perdonas a los que te hacen daño; te afliges, atribuyendo tu desgracia a funestas influencias sobrenaturales; padeces en silencio; entregas tu inocente cuello al verdugo; te dejas matar, y el mismo cuchillo hundido en tu garganta te parece la espina de una flor que se te clavó al pasar. Rosario, desecha esas ideas: considera nuestra verdadera situación, que es grave; mira la causa de ella donde verdaderamente está, y no te acobardes, no cedas a la mortificación que se te impone, enfermando tu alma y tu cuerpo. El valor de que careces te devolverá la salud, porque tú no estás realmente enferma, querida niña mía, tú estás... ¿quieres que lo diga?, estás asustada, aterrada. Te pasa lo que los antiguos no sabían definir y llamaban maleficio. ¡Rosario, ánimo, confía en mí! Levántate y sígueme. No te digo más.

—¡Ay! ¡Pepe... primo mío!... se me figura que tienes razón —exclamó Rosarito anegada en llanto—. Tus palabras resuenan en mi corazón como golpes violentos que estremeciéndome, me dan nueva vida. Aquí en esta oscuridad donde no podemos vernos las caras, una luz inefable sale de ti y me inunda el alma. ¿Qué tienes tú, que así me transformas? Cuando te conocí, de repente fui otra. En los días en que he dejado de verte, me he visto volver a mi antiguo estado insignificante, a mi cobardía primera. Sin ti vivo en el Limbo, Pepe mío... Haré lo que me dices; me levanto y te sigo. Iremos juntos a donde quieras. ¿Sabes que me siento bien? ¿Sabes que no tengo ya fiebre?, ¿que recobro las fuerzas?, ¿que quiero correr y gritar?, ¿que todo mi ser se renueva y se aumenta y se centuplica para adorarte? Pepe, tienes razón. Yo no estoy enferma, yo no estoy sino acobardada; mejor dicho, fascinada.

—Eso es, fascinada.

—Fascinada. Terribles ojos me miran y me dejan muda y trémula. Tengo miedo; ¿pero a qué?... Tú solo tienes el extraño poder de devolverme la vida. Oyéndote, resucito. Yo creo que si me muriera y fueras a pasear junto a mi sepultura, desde lo hondo de la tierra sentiría tus pasos. ¡Oh, si pudiera verte ahora!... Pero estás aquí, a mi lado, y no puedo dudar que eres tú... ¡Tanto tiempo sin verte!... Yo estaba loca. Cada día de soledad me parecía un siglo... Me decían que mañana, que mañana y vuelta con mañana. Yo me asomaba a la ventana por las noches, y la claridad de la luz de tu cuarto me servía de consuelo. A veces tu sombra en los cristales era para mí una aparición divina. Yo extendía los brazos hacia fuera, derramaba lágrimas y gritaba con el pensamiento, sin atreverme a hacerlo con la voz. Cuando recibí tu recado por conducto de la criada; cuando me dio tu carta diciéndome que te marchabas, me puse muy triste; creí que se me iba saliendo el alma del cuerpo y que me moría por grados. Yo caía, caía, como el pájaro herido cuando vuela, que va cayendo y muriéndose, todo al mismo tiempo... Esta noche, cuando te vi despierto tan tarde, no pude resistir el anhelo de hablar contigo, y bajé. Creo que todo el atrevimiento que puedo tener en mi vida, lo he consumido y empleado en una sola acción, en esta, y que ya no podré dejar de ser cobarde... Pero tú me darás aliento; tú me darás fuerzas; tú me ayudarás, ¿no es verdad?... Pepe, primo mío querido, dime que sí; dime que tengo fuerzas y las tendré; dime que no estoy enferma, y no lo estaré. Ya no lo estoy. Me encuentro tan bien, que me río de mis males ridículos.

Al decir esto, Rosarito se sintió frenéticamente enlazada por los brazos de su primo. Oyose un ¡ay!, pero no salió de los labios de ella, sino de los de él, porque habiendo inclinado la cabeza, tropezó violentamente con los pies del Cristo. En la oscuridad es donde se ven las estrellas.

En el estado de su ánimo y en la natural alucinación que producen los sitios oscuros, a Rey le parecía, no que su cabeza había topado con el santo pie, sino que este se había movido, amonestándole de la manera más breve y más elocuente. Entre serio y festivo alzó la cabeza y dijo así:

—Señor, no me pegues, que no haré nada malo.

En el mismo instante Rosario tomó la mano del ingeniero, oprimiéndola contra su corazón. Oyose una voz pura, grave, angelical, conmovida, que habló de este modo:

—Señor que adoro, Señor Dios del mundo y tutelar de mi casa y de mi familia; Señor a quien Pepe también adora; Santo Cristo bendito que moriste en la cruz por nuestros pecados: ante Ti, ante tu cuerpo herido, ante tu frente coronada de espinas, digo que este es mi esposo, y que después de Ti, es el que más ama mi corazón; digo que le declaro mi esposo y que antes moriré que pertenecer a otro. Mi corazón y mi alma son suyos. Haz que el mundo no se oponga a nuestra felicidad, y concédeme el favor de esta unión, que ha de ser buena ante el mundo como lo es en mi conciencia[147].

—Rosario, eres mía —exclamó Pepe con exaltación—. Ni tu madre ni nadie lo impedirá.

La prima inclinó su hermoso busto inerte sobre el pecho del primo. Temblaba en los amantes brazos varoniles, como la paloma en las garras del águila.

Por la mente del ingeniero pasó como un rayo la idea de que existía el Demonio; pero entonces el Demonio era él. Rosario hizo ligero movimiento de miedo: tuvo como el temblor de sorpresa que anuncia el peligro.

—Júrame que no desistirás —dijo turbadamente Rey, atajando aquel movimiento.

—Te lo juro por las cenizas de mi padre que están...

—¿Dónde?

—Bajo nuestros pies.

---

[147] Galdós escribe una escena melodramática similar, varios meses más tarde, en el capítulo 32 de la segunda parte de *Gloria*.

El matemático sintió que se levantaba bajo sus pies la losa... pero no, no se levantaba: es que él creyó notarlo así, a pesar de ser matemático.

—Te lo juro —repitió Rosario— por las cenizas de mi padre y por Dios, que nos está mirando... Que nuestros cuerpos, unidos como están, reposen bajo estas losas cuando Dios quiera llevarnos de este mundo.

—Sí —repitió Pepe Rey—, con emoción profunda, sintiendo en su alma una turbación inexplicable.

Ambos permanecieron en silencio durante breve rato. Rosario se había levantado.

—¿Ya?

Volvió a sentarse.

—Tiemblas otra vez —dijo Pepe—. Rosario, tú estás mala; tu frente abrasa.

Tentola y ardía.

—Parece que me muero —murmuró la joven con desaliento—. No sé qué tengo.

Cayó sin sentido en brazos de su primo. Agasajándola, notó que el rostro de la joven se cubría de helado sudor.

—Está realmente enferma —dijo para sí—. Esta salida es una verdadera calaverada.

Levantola en sus brazos tratando de reanimarla, pero ni el temblor de ella ni el desmayo cesaban, por lo cual resolvió sacarla de la capilla, a fin de que el aire fresco la reanimase. Así fue en efecto. Recobrado el sentido, manifestó Rosario mucha inquietud por hallarse a tal hora fuera de su habitación. El reloj de la catedral dio las cuatro.

—¡Qué tarde! —exclamó la joven—. Suéltame, primo. Me parece que puedo andar. Verdaderamente estoy muy mala.

—Subiré contigo.

—Eso de ninguna manera. Antes iré arrastrándome hasta mi cuarto... ¿No te parece que se oye un ruido?...

Ambos callaron. La ansiedad de su atención determinó un silencio absoluto.

—¿No oyes nada, Pepe?

—Absolutamente nada.

—Pon atención... Ahora, ahora vuelve a sonar. Es un rumor que no sé si suena lejos, muy lejos, o cerca, muy cerca. Lo mismo podría ser la respiración de mi madre que el chirrido de la veleta que está en la torre de la catedral. ¡Ah! Tengo un oído muy fino.

—Demasiado fino... Conque, querida prima, te subiré en brazos.

—Bueno, súbeme hasta lo alto de la escalera. Después iré yo sola. En cuanto descanse un poco, me quedaré como si tal cosa... ¿Pero no oyes?

Detuviéronse en el primer peldaño.

—Es un sonido metálico.

—¿La respiración de tu mamá?

—No, no es eso. El rumor viene de muy lejos. ¿Será el canto de un gallo?

—Podrá ser.

—Parece que suenan dos palabras, diciendo: *allá voy, allá voy*.

—Ya, ya oigo —murmuró Pepe Rey.

—Es un grito.

—Es una corneta.

—¡Una corneta!

—Sí. Sube pronto. Orbajosa va a despertar... Ya se oye con claridad. No es trompeta sino clarín. La tropa se acerca.

—¡Tropa!

—No sé por qué me figuro que esta invasión militar ha de ser provechosa para mí... Estoy alegre, Rosario arriba pronto.

—También yo estoy alegre. Arriba.

En un instante la subió, y los dos amantes se despidieron, hablándose al oído tan quedamente que apenas se oían.

—Me asomaré por la ventana que da a la huerta, para decirte que he llegado a mi cuarto sin novedad. Adiós.

—Adiós, Rosario. Ten cuidado de no tropezar con los muebles.

—Por aquí navego bien, primo. Ya nos veremos otra vez. Asómate a la ventana de tu cuarto si quieres recibir mi parte telegráfico.

Pepe Rey hizo lo que se le mandaba; pero aguardó largo rato y Rosario no apareció en la ventana. El ingeniero creía sentir agitadas voces en el piso alto.

XVIII

Tropa

Los habitantes de Orbajosa oían en la crepuscular vaguedad de su último sueño aquel clarín sonoro, y abrían los ojos diciendo:

—¡Tropa!

Unos, hablando consigo mismos, mitad dormidos, mitad despiertos, murmuraban:

—Por fin nos han mandado esa canalla.

Otros se levantaban a toda prisa, gruñendo así:

—Vamos a ver a esos condenados.

Alguno apostrofaba de este modo:

—Anticipo[148] forzoso tenemos... Ellos dicen quintas, contribuciones; nosotros diremos palos y más palos.

En otra casa se oyeron estas palabras, pronunciadas con alegría:

—Si vendrá mi hijo... ¡Si vendrá mi hermano!...

Todo era saltar del lecho, vestirse a prisa, abrir las ventanas para ver el alborotador regimiento que entraba con las primeras luces del día. La ciudad era tristeza, silencio, vejez; el ejército alegría, estrépito, juventud. Entrando el uno

---

[148] *anticipo:* se refiere a cobro anticipado a modo de contribución o impuesto.

en la otra, parecía que la momia recibía por arte maravillosa el don de la vida, y bulliciosa saltaba fuera del húmedo sarcófago para bailar en torno de él. ¡Qué movimiento, qué algazara, qué risas, qué jovialidad! No existe nada tan interesante como un ejército. Es la patria en su aspecto juvenil y vigoroso. Lo que en el concepto individual tiene o puede tener esa misma patria de inepta, de levantisca, de supersticiosa unas veces, de blasfema otras, desaparece bajo la presión férrea de la disciplina que de tantas figurillas insignificantes hace un conjunto prodigioso. El soldado, o sea el corpúsculo, al desprenderse, después de un *rompan filas,* de la masa en que ha tenido vida regular y a veces sublime, suele conservar algunas de las cualidades peculiares del ejército. Pero esto no es lo más común. A la separación suele acompañar súbito encanallamiento, de lo cual resulta que si un ejército es gloria y honor, una reunión de soldados puede ser calamidad insoportable, y los pueblos que lloran de júbilo y entusiasmo al ver entrar en su recinto un batallón victorioso, gimen de espanto y tiemblan de recelo cuando ven libres y sueltos a los señores soldados.

Esto último sucedió en Orbajosa, porque en aquellos días no había glorias que cantar ni motivo alguno para tejer coronas ni trazar letreros triunfales, ni mentar siquiera hazañas de nuestros bravos, por cuya razón todo fue miedo y desconfianza en la episcopal ciudad, que, si bien pobre, no carecía de tesoros en gallinas, frutas, dinero y doncellez, los cuales corrían gran riesgo desde que entraron los consabidos alumnos de Marte. Además de esto, la patria de los Polentinos, como ciudad muy apartada del movimiento y bullicio que han traído el tráfico, los periódicos, los ferrocarriles y otros agentes que no hay para qué analizar ahora, no gustaba que la molestasen en su sosegada existencia.

Siempre que se le ofrecía coyuntura propia, mostraba asimismo viva repulsión a someterse a la autoridad central que mal o bien nos gobierna; y recordando sus fueros de antaño y mascullándolos de nuevo, como rumia el camello la yerba que ha comido el día antes, alardeaba de cierta independencia levantisca, deplorables resabios de behetría[149] que a veces daban no pocos quebraderos de cabeza al gobernador de la provincia.

Otrosí debe tenerse en cuenta que Orbajosa tenía antecedentes o, mejor dicho, abolengo faccioso. Sin duda conservaba en su seno algunas fibras enérgicas de aquellas que en edad remota, según la entusiasta opinión de don Cayetano, la impulsaron a inauditas acciones épicas; y aunque en decadencia, sentía de vez en cuando violento afán de hacer grandes cosas, aunque fueran barbaridades y desatinos. Como dio al mundo tantos egregios hijos, quería sin duda que sus actuales vástagos, los Caballucos, Merengues y Pelomalos renovasen las *Gestas* gloriosas de los de antaño[150].

Siempre que hubo facciones en España, aquel pueblo dio a entender que no existía en vano sobre la faz de la tierra, si bien nunca sirvió de teatro a una verdadera campaña. Su genio, su situación, su historia la reducían al papel secundario de levantar partidas. Obsequió al país con esta fruta nacional en tiempo de los Apostólicos[151], durante la guerra de los siete años, en 1848, y en otras épocas de menos eco en la historia patria. Las partidas y los partidarios fueron siempre populares, circunstancia funesta que proce-

---

[149] *behetría:* antigua población rebelde que no se sujetaba a la autoridad histórica, sino que elegía su propio jefe.

[150] El tema de esta narración es la decadenica nacional, que resultaba evidente para el observador. Las gestas del pasado habían dado paso al salvaje del momento, el Caballuco que quería repetir, por las malas, las gestas del pasado.

[151] *los Apostólicos:* el término se refiere a las agrupaciones de ultraconservadores que, en los últimos años del reinado de Fernando VII, defendieron la candidatura de Carlos María Isidro y la forma de gobierno absoluto. De ellos saldría más tarde el ideario que alimentó la primera guerra carlista; es también el título de uno de los últimos *Episodios Nacionales* de la segunda serie, publicado en 1879; *la guerra de los siete años:* la primera guerra carlista (1833-1840); en 1848 hubo movimientos revolucionarios en toda Europa.

día de la guerra de la Independencia, una de esas cosas buenas que han sido origen de infinitas cosas detestables. *Corruptio optimi pessima*[152]. Y con la popularidad de las partidas y de los partidarios, coincidía, siempre creciente, la impopularidad de todo lo que entraba en Orbajosa con visos de delegación o instrumento del poder central. Los soldados fueron siempre tan mal vistos allí, que siempre que los ancianos narraban un crimen, robo, asesinato, violación o cualquier otro espantable desafuero, añadían: *esto sucedió cuando vino la tropa.*

Y ya que se ha dicho esto tan importante, bueno será añadir que los batallones enviados allá en los mismos días de la historia que referimos, no iban a pasearse por las calles; llevaban un objeto que clara y detalladamente se verá más adelante. Como dato de no escaso interés apuntaremos que lo que aquí se va contando ocurrió en un año que no está muy cerca del presente, ni tan poco muy lejos, así como también se puede decir que Orbajosa (entre los romanos *Urbs augusta,* si bien algunos eruditos modernos, examinando el *ajosa,* opinan que este rabillo lo tiene por ser patria de los mejores ajos del mundo), no está muy lejos ni tampoco muy cerca de Madrid, no debiendo tampoco asegurarse que enclave sus gloriosos cimientos al Norte ni al Sur, ni al Este ni al Oeste, sino que es posible esté en todas partes, y por do quiera que los españoles revuelvan sus ojos y sientan el picar de sus ajos.

Repartidas por el Municipio las cédulas de alojamiento, cada cual se fue en busca de su hogar prestado. Les recibían de muy mal talante, dándoles acomodo en los lugares más atrozmente inhabitables de cada casa. Las muchachas del pueblo no eran, en verdad, las más descontentas; pero se ejercía sobre ellas una gran vigilancia, y no era decente mostrar alegría por la visita de tal canalla. Los pocos soldados hijos de la comarca

---

[152] *Corruptio optimi pessima est:* la corrupción de los selectos es la peor de todas.

eran los únicos que estaban a cuerpo de rey. Los demás eran considerados como extranjeros.

A las ocho de la mañana un teniente coronel de caballería entró con su cédula en casa de doña Perfecta Polentinos. Recibiéronle los criados, por encargo de la señora, que hallándose en deplorable situación de ánimo, no quiso bajar al encuentro del militarote; y señaláronle para vivienda la única habitación al parecer disponible de la casa: el cuarto que ocupaba Pepe Rey.

—Que se acomoden como puedan —dijo doña Perfecta con expresión de hiel y vinagre—. Y si no caben, que se vayan a la calle.

¿Era su intención molestar de este modo al infame sobrino, o realmente no había en el edificio otra pieza disponible? No lo sabemos, ni las crónicas de donde esta verídica historia ha salido dicen una palabra acerca de tan importante cuestión. Lo que sabemos de un modo incontrovertible es que, lejos de mortificar a los dos huéspedes el verse enjaulados juntos, causoles sumo gusto por ser amigos antiguos. Grande y alegre sorpresa tuvieron uno y otro cuando se encontraron, y no cesaban de hacerse preguntas y lanzar exclamaciones, ponderando la extraña casualidad que los unía en tal sitio y ocasión.

—Pinzón... ¡tú por aquí!... pero ¿qué es esto? No sospechaba que estuvieras tan cerca...

—Oí decir que andabas por estas tierras, Pepe Rey; pero nunca creí encontrarte en la horrible, en la salvaje Orbajosa.

—¡Pero qué casualidad feliz!... porque esta casualidad es felicísima, providencial... Pinzón, entre tú y yo vamos a hacer algo grande en este poblacho.

—Y tendremos tiempo de meditarlo —repuso el otro sentándose en el lecho donde el ingeniero yacía—, porque, según parece, viviremos los dos en esta pieza. ¿Qué demonios de casa es esta?

—Hombre, la de mi tía. Habla con más respeto. ¿No conoces a mi tía?... Pero voy a levantarme.

—Me alegro, porque con eso me acostaré yo, que bastante lo necesito... ¡Qué camino, amigo Pepe, qué camino y qué pueblo!

—Dime, ¿venís a pegar fuego a Orbajosa?

—¡Fuego!

—Dígolo porque yo tal vez os ayudaría.

—¡Qué pueblo!, pero ¡qué pueblo! —exclamó el militar tirando el chacó, poniendo a un lado espada y tahalí, cartera de viaje y capote—. Es la segunda vez que nos mandan aquí. Te juro que a la tercera pido la licencia absoluta[153].

—No hables mal de esta buena gente. ¡Pero qué a tiempo has venido! Parece que te manda Dios en mi ayuda, Pinzón... Tengo un proyecto terrible, una aventura, si quieres llamarla así, un plan, amigo mío... y me hubiera sido muy difícil salir adelante sin ti. Hace un momento me volvía loco cavilando y dije lleno de ansiedad: «Si yo tuviera aquí un amigo, un buen amigo...».

—Proyecto, plan, aventura... Una de dos, señor matemático, o es dar la dirección a los globos, o algo de amores...

—Es formal, muy formal. Acuéstate, duerme un poco, y después hablaremos.

—Me acostaré, pero no dormiré. Puedes contarme todo lo que quieras. Solo te pido que hables lo menos posible de Orbajosa.

—Precisamente de Orbajosa quiero hablarte. ¿Pero tú también tienes antipatía a esa cuna de tantos varones insignes?

—Estos ajeros... los llamamos los ajeros... pues digo que serán todo lo insignes que tú quieras; pero a mí me pican, como los frutos del país. He aquí un pueblo dominado por gentes que enseñan la desconfianza, la superstición y el aborrecimiento a todo el género humano. Cuando estemos

---

[153] *chacó:* sombrero militar de la caballería ligera; *tahalí:* tira con que se ata la espada a la cintura, y que se ajusta en el hombro; *licencia absoluta:* la que se concede a los militares eximiéndoles definitivamente del servicio.

despacio te contaré un sucedido... un lance mitad gracioso mitad terrible que me ocurrió aquí el año pasado... Cuando te lo cuente, tú te reirás y yo echaré chispas de cólera... Pero en fin, lo pasado, pasado.

—Lo que a mí me pasa no tiene nada de gracioso.

—Pero los motivos de mi aborrecimiento a este poblachón son diversos. Has de saber que aquí asesinaron a mi padre, el 48, unos desalmados partidarios. Era brigadier y estaba fuera de servicio. Llamole el gobierno y pasaba por Villahorrenda para ir a Madrid, cuando fue cogido por media docena de tunantes... Aquí hay varias dinastías de guerrilleros. Los Aceros, los Caballucos, los Pelomalos...; un presidio suelto, como dijo quien sabía muy bien lo que decía.

—Supongo que la venida de dos regimientos con alguna caballería no será por gusto de visitar estos amenos vergeles.

—¡Qué ha de ser! Venimos a recorrer el país. Hay muchos depósitos de armas. El Gobierno no se atreve a destituir a la mayor parte de los Ayuntamientos sin desparramar algunas compañías por estos pueblos. Como hay tanta agitación facciosa en esta tierra; como dos provincias cercanas están ya infestadas, y como además este distrito municipal de Orbajosa tiene una historia tan brillante en todas las guerras civiles, hay temores de que los bravos de por aquí se echen a los caminos a saquear lo que encuentren.

—¡Buena precaución!... Pero creo que mientras esta gente no perezca y vuelva a nacer, mientras hasta las piedras no muden de forma, no habrá paz en Orbajosa[154].

---

[154] Como se dijo en la introducción, hay dos formas de entender el problema de Orbajosa. La más racional, y domina la novela, es la noción de que se trata de un problema histórico, resoluble con el progreso del tiempo y el avance de la modernidad. Orbajosa, en fin, ha quedado arrinconada, lejos del tren, de los grandes caminos, de los periódicos. Otra, que ejemplifica este diálogo de Pepe Rey, considera que el problema es connatural a los nativos, parte esencial de la naturaleza del país.

—Esa es también mi opinión —dijo el militar encendiendo un cigarrillo—. ¿No ves que los partidarios son la gente mimada en este país? A todos los que asolaron la comarca en 1848 y en otras épocas, o a falta de ellos a sus hijos, les encuentras colocados en los fielatos, en puertas, en el Ayuntamiento, en la conducción del correo: los hay que son alguaciles, sacristanes, comisionados de apremios. Algunos se han hecho temibles caciques, y son los que amasan las elecciones y tienen influjo en Madrid; reparten destinos... en fin, esto da grima.

—Dime, ¿y no se podrá esperar que los partidarios hagan alguna fechoría en estos días? Si así fuera, ustedes arrasarían el pueblo, y yo les ayudaría.

—Si en mí consistiera... Ellos harán de las suyas —dijo Pinzón— porque las facciones de las dos provincias cercanas crecen como una maldición de Dios. Y, acá para entre los dos, amigo Rey, yo creo que esto va largo. Algunos se ríen y aseguran que no puede haber otra guerra civil como la pasada. No conocen el país, no conocen a Orbajosa y sus habitantes. Yo sostengo que esto que ahora empieza lleva larga cola, y que tendremos una nueva lucha cruel y sangrienta que durará lo que Dios quiera. ¿Qué opinas tú?

—Amigo, en Madrid me reía yo de todos los que hablaban de la posibilidad de una guerra civil tan larga y terrible como la de siete años; pero ahora, después que estoy aquí...

—Es preciso engolfarse en estos países encantadores, ver de cerca esta gente y oírle dos palabras para saber de qué pie cojea.

—Pues sí... sin poder explicarme en qué fundo mis ideas, ello es que desde aquí veo las cosas de otra manera, y pienso en la posibilidad de largas y feroces guerras.

—Exactamente.

—Pero ahora más que la guerra pública me preocupa una privada en que estoy metido y que he declarado hace poco.

—¿Dijiste que esta es la casa de tu tía? ¿Cómo se llama?

—Doña Perfecta Rey de Polentinos.

—¡Ah! La conozco de nombre. Es una persona excelente, y la única de quien no he oído hablar mal a los *ajeros*. Cuando estuve aquí la otra vez, en todas partes oía ponderar su bondad, su caridad, sus virtudes.

—Sí; mi tía es muy bondadosa, muy amable —murmuró Rey.

Después quedó pensativo breve rato.

—Pero ahora recuerdo... —exclamó de súbito Pinzón—. Ahora recuerdo... ¡Cómo se van atando cabos!... Sí, en Madrid me dijeron que te casabas con una prima. Todo está descubierto. ¿Es aquella linda y celestial Rosarito?...

—Pinzón, hablaremos detenidamente.

—Se me figura que hay contrariedades.

—Hay algo más. Hay luchas terribles. Se necesitan amigos poderosos, listos, de iniciativa, de gran experiencia en los lances difíciles, de gran astucia y valor.

—Hombre, eso es todavía más grave que un desafío.

—Mucho más grave. Se bate uno fácilmente con otro hombre. Con mujeres, con invisibles enemigos que trabajan en la sombra es imposible.

—Vamos, ya soy todo oídos.

El teniente coronel Pinzón descansaba cuan largo era sobre el lecho. Pepe Rey acercó una silla y, apoyando en el mismo lecho el codo y en la mano la cabeza, empezó su conferencia, consulta, exposición de plan o lo que fuera, y habló larguísimo rato. Oíale Pinzón con curiosidad profunda, y sin decir nada, salvo algunas preguntillas sueltas para pedir nuevos datos o la aclaración de alguna oscuridad. Cuando Rey concluyó, Pinzón estaba serio. Estirose en la cama, desperezándose con la placentera convulsión de quien no ha dormido en tres noches, y después dijo así:

—Tu plan es arriesgado y difícil.

—Pero no imposible.

—¡Oh!, no, que nada hay imposible en este mundo. Piénsalo bien.

—Ya lo he pensado.

—¿Y estás resuelto a llevarlo adelante? Mira que esas cosas ya no se estilan. Suelen salir mal, y no dejan bien parado a quien las hace.

—Estoy resuelto.

—Pues por mi parte aunque el asunto es arriesgado y grave, muy grave, estoy dispuesto a ayudarte en todo y por todo.

—¿Cuento contigo?

—Hasta morir.

XIX

Combate terrible. Estrategia

Los primeros fuegos no podían tardar. A la hora de la comida, después de ponerse de acuerdo con Pinzón respecto al plan convenido, cuya primera condición era que ambos amigos fingirían no conocerse, Pepe Rey fue al comedor. Allí encontró a su tía que acababa de llegar de la catedral, donde pasaba, según su costumbre, toda la mañana. Estaba sola y parecía hondamente preocupada. El ingeniero observó que sobre aquel semblante pálido y marmóreo, no exento de cierta hermosura, se proyectaba la misteriosa sombra de un celaje. Al mirar recobraba la claridad siniestra; pero miraba poco, y después de una rápida observación del rostro de su sobrino, el de la bondadosa dama se ponía otra vez en su estudiada penumbra.

Aguardaban en silencio la comida. No esperaron a don Cayetano, porque este había ido a Mundogrande. Cuando empezaron a comer, doña Perfecta dijo:

—Y ese militarote que nos ha regalado hoy el Gobierno, ¿no viene a comer?

—Parece tener más sueño que hambre —repuso el ingeniero sin mirar a su tía.

—¿Le conoces tú?

—No le he visto en mi vida.

—Pues estamos divertidos con los huéspedes que nos manda el Gobierno. Aquí tenemos nuestras camas y nuestra comida para cuando a esos perdidos de Madrid se les antoje disponer de ellas.

—Es que hay temores de que se levanten partidas —dijo Pepe Rey, sintiendo que una centella corría por todos sus miembros— y el Gobierno está decidido a aplastar a los orbajosenses, a exterminarlos, a hacerlos polvo.

—Hombre, para, para por Dios, no nos pulverices —exclamó la señora con sarcasmo—. ¡Pobrecitos de nosotros! Ten piedad, hombre, y deja vivir a estas infelices criaturas. Y qué ¿serás tú de los que ayuden a la tropa en la grandiosa obra de nuestro aplastamiento?

—Yo no soy militar. No haré más que aplaudir cuando vea extirpados para siempre los gérmenes de guerra civil, de insubordinación, de discordia, de behetría, de bandolerismo y de barbarie que existen aquí para vergüenza de nuestra época y de nuestro país.

—Todo sea por Dios.

—Orbajosa, querida tía, casi no tiene más que ajos y bandidos, porque bandidos son los que en nombre de una idea política o religiosa, se lanzan a correr aventuras cada cuatro o cinco años.

—Gracias, gracias, querido sobrino —dijo doña Perfecta palideciendo—. ¿Con que Orbajosa no tiene más que eso? Algo más habrá aquí, algo más que tú no tienes y que has venido a buscar entre nosotros.

Rey sintió el bofetón. Su alma se quemaba. Érale muy difícil guardar a su tía las consideraciones que por sexo, estado y posición merecía. Hallábase en el disparadero de la violencia, y un ímpetu irresistible le empujaba, lanzándole contra su interlocutora.

—Yo he venido a Orbajosa —dijo— porque usted me mandó llamar; usted concertó con mi padre...

—Sí, sí es verdad —repuso la señora interrumpiéndole vivamente, y procurando recobrar su habitual dulzura—.

No lo niego. Aquí el verdadero culpable he sido yo. Yo tengo la culpa de tu aburrimiento, de los desaires que nos haces, de todo lo desagradable que en mi casa ocurre con motivo de tu venida.

—Me alegro de que usted lo conozca.

—En cambio, tú eres un santo. ¿Será preciso también que me ponga de rodillas ante tu graciosidad y te pida perdón?...

—Señora —dijo Pepe Rey gravemente dejando de comer— ruego a usted que no se burle de mí de una manera tan despiadada. Yo no puedo ponerme en ese terreno... No he dicho más sino que vine a Orbajosa llamado por usted.

—Y es cierto. Tu padre y yo concertamos que te casaras con Rosario. Viniste a conocerla. Yo te acepté desde luego como hijo... Tú aparentaste amar a Rosario...

—Perdóneme usted —objetó Pepe—. Yo amaba y amo a Rosario; usted aparentó aceptarme por hijo; usted, recibiéndome con engañosa cordialidad, empleó desde el primer momento todas las artes de la astucia para contrariarme y estorbar el cumplimiento de las promesas hechas a mi padre; usted se propuso desde el primer día desesperarme, aburrirme y con los labios llenos de sonrisas y de palabras cariñosas, me ha estado matando, achicharrándome a fuego lento; usted ha lanzado contra mí en la oscuridad y a mansalva un enjambre de pleitos; usted me ha destituido del cargo oficial que traje a Orbajosa; usted me ha desprestigiado en la ciudad; usted me ha expulsado de la catedral; usted me ha tenido en constante ausencia de la escogida de mi corazón; usted ha mortificado a su hija con un encierro inquisitorial, que le hará perder la vida, si Dios no pone su mano en ello.

Doña Perfecta se puso como la grana. Pero aquella viva llamarada de su orgullo ofendido y de su pensamiento descubierto pasó rápidamente, dejándola pálida y verdosa. Sus labios temblaban. Arrojando el cubierto con que comía, se levantó de súbito. El sobrino se levantó también.

—¡Dios mío, Santa Virgen del Socorro! —exclamó la señora llevándose ambas manos a la cabeza y comprimiéndosela según el ademán propio de la desesperación—. ¿Es posible que yo merezca tan atroces insultos? Pepe, hijo mío, ¿eres tú el que habla?... Si he hecho lo que dices, en verdad que soy muy pecadora.

Dejose caer en el sofá y se cubrió el rostro con las manos. Pepe, acercándose lentamente a ella, observó su angustioso sollozar y las lágrimas que abundantemente derramaba. A pesar de su convicción no pudo vencer la ternura que se apoderó de él, y acobardándose, sintió cierta pena por lo mucho y fuerte que había dicho.

—Querida tía —indicó, poniéndole la mano en el hombro—. Si me contesta usted con lágrimas y suspiros, me conmoverá pero no me convencerá. Razones y no sentimientos me hacen falta. Hábleme usted, dígame serenamente que me equivoco al pensar lo que pienso, pruébemelo después, y reconoceré mi error.

—Déjame. Tú no eres hijo de mi hermano. Si lo fueras no me insultarías como me has insultado. ¿Conque yo soy una intrigante, una comedianta, una harpía hipócrita, una diplomática de enredos caseros?...

Al decir esto, la señora había descubierto su rostro y contemplaba a su sobrino con expresión beatífica. Pepe estaba perplejo. Las lágrimas, así como la dulce voz de la hermana de su padre, no podían ser fenómenos insignificantes para el alma del ingeniero. Las palabras le retozaban en la boca para pedir perdón. Hombre de gran energía por lo común, cualquier accidente de sensibilidad, cualquier agente que obrase sobre su corazón, le trocaba de súbito en niño. Achaques de matemático. Dicen que Newton era también así.

—Yo quiero darte las razones que pides —dijo doña Perfecta, indicándole que se sentase junto a ella—. Yo quiero desagraviarte. ¡Para que veas si soy buena, si soy indulgente, si soy humilde!... ¿Crees que te contradiré, que negaré en absoluto los hechos de que me has acusado?... pues no, no los niego.

El ingeniero no volvía de su asombro.

—No los niego —prosiguió la señora—. Lo que niego es la dañada intención que les atribuyes. ¿Con qué derecho te metes a juzgar lo que no conoces sino por indicios y conjeturas? ¿Tienes tú la suprema inteligencia que se necesita para juzgar de plano las acciones de los demás y dar sentencia sobre ellas? ¿Eres Dios para conocer las intenciones?

Pepe se asombró más.

—¿No es lícito emplear alguna vez en la vida medios indirectos para conseguir un fin bueno y honrado? ¿Con qué derecho juzgas acciones mías que no comprendes bien? Yo, querido sobrino, ostentando una sinceridad que tú no mereces, te confieso que sí, que, efectivamente, me he valido de subterfugios para conseguir un fin bueno, para conseguir lo que al mismo tiempo era beneficioso para ti y para mi hija... ¿No comprendes? Parece que estás lelo... ¡Ah! Tu gran entendimiento de matemático y de filósofo alemán no es capaz de penetrar estas sutilezas de una madre prudente.

—Es que me asombro más y más cada vez —dijo Pepe Rey.

—Asómbrate todo lo que quieras; pero confiesa tu barbaridad —manifestó la dama, aumentando en bríos—, reconoce tu ligereza y brutal comportamiento conmigo, al acusarme como lo has hecho. Eres un mozalbete sin experiencia ni otro saber que el de los libros, que nada enseñan del mundo ni del corazón. Tú de nada entiendes, más que de hacer caminos y muelles. ¡Ay!, señorito mío. En el corazón humano no se entra por los túneles de los ferrocarriles, ni se baja a sus hondos abismos por los pozos de las minas. No se lee en la conciencia ajena con los microscopios de los naturalistas, ni se decide la culpabilidad del prójimo, nivelando las ideas con teodolito.

—¡Por Dios querida tía!...

—¿Para qué nombras a Dios si no crees en Él? —dijo doña Perfecta, con solemne acento—. Si creyeras en Él, si fueras buen cristiano, no aventurarías pérfidos juicios sobre mi conducta. Yo soy una mujer piadosa, ¿entiendes? Yo tengo mi conciencia tranquila, ¿entiendes? Yo sé lo que hago y por qué lo hago, ¿entiendes?

—Entiendo, entiendo, entiendo.

—Dios, en quien tú no crees, ve lo que tú no ves ni puedes ver: el intento. Y no te digo más; no quiero entrar en explicaciones largas, porque no lo necesito. Tampoco me entenderías si te dijera que deseaba alcanzar mi objeto sin escándalo, sin ofender a tu padre, sin ofenderte a ti, sin dar que hablar a las gentes con una negativa explícita... Nada de esto te diré, porque tampoco lo entenderás, Pepe. Eres matemático. Ves lo que tienes delante y nada más; la naturaleza brutal y nada más; rayas, ángulos, pesos y nada más. Ves el efecto y no la causa. El que no cree en Dios no ve causas. Dios es la suprema intención del mundo. El que le desconoce, necesariamente ha de juzgar de todo como juzgas tú, a lo tonto. Por ejemplo, en la tempestad no ve más que destrucción; en el incendio, estragos; en la sequía, miseria; en los terremotos, desolación; y sin embargo, orgulloso señorito, en todas esas aparentes calamidades, hay que buscar la bondad de la intención; sí, señor, la intención siempre buena de quien no puede hacer nada malo.

Esta embrollada, sutil y mística dialéctica no convenció a Rey; pero no quiso seguir a su tía por la áspera senda de tales argumentaciones, y sencillamente dijo:

—Bueno; yo respeto las intenciones...

—Ahora que pareces reconocer tu error —prosiguió la piadosa señora, cada vez más valiente—, te haré otra confesión, y es que voy comprendiendo que hice mal en adoptar tal sistema, aunque mi objeto era inmejorable. Dado tu carácter arrebatado, dada tu incapacidad para comprenderme, debí abordar la cuestión de frente y decirte: «Sobrino mío, no quiero que seas esposo de mi hija».

—Ese es el lenguaje que debió emplear usted conmigo desde el primer día —repuso el ingeniero, respirando con desahogo, como quien se ve libre de enorme peso—. Agradezco mucho a usted esas palabras, querida tía. Después de ser acuchillado en las tinieblas, ese bofetón a la luz del día me complace mucho.

—Pues te repito el bofetón, sobrino —afirmó la señora con tanta energía como displicencia—. Ya lo sabes. No quiero que te cases con Rosario.

Pepe calló. Hubo una larga pausa, durante la cual uno y otro estuvieron mirándose fija y atentamente, cual si la cara de cada uno fuese para el contrario la más perfecta obra del arte.

—¿No entiendes lo que te he dicho? —repitió ella—. Que se acabó todo, que no hay boda.

—Permítame usted querida tía —dijo el joven, con entereza— que no me aterre con la intimación. En el estado a que han llegado las cosas, la negativa de usted es de escaso valor para mí.

—¿Qué dices? —gritó fulminante doña Perfecta.

—Lo que usted oye. Me casaré con Rosario.

Doña Perfecta se levantó indignada, majestuosa, terrible. Su actitud era la del anatema hecho mujer. Rey permaneció sentado, sereno, valiente, con el valor pasivo de una creencia profunda y de una resolución inquebrantable. El desplome de toda la iracundia de su tía, que le amenazaba, no le hizo pestañear. Él era así.

—Eres un loco. ¡Casarte tú con mi hija, casarte tú con ella, no queriendo yo!...

Los labios trémulos de la señora articularon estas palabras con verdadero acento trágico.

—¡No queriendo usted!... Ella opina de distinto modo.

—¡No queriendo yo!... —repitió la dama—. Sí... y lo digo y lo repito: no quiero, no quiero.

—Ella y yo lo deseamos.

—Menguado, ¿acaso no hay en el mundo más que ella y tú? ¿No hay padres, no hay sociedad, no hay conciencia, no hay Dios?

—Porque hay sociedad, porque hay conciencia, porque hay Dios —afirmó gravemente Rey, levantándose y alzando el brazo y señalando al cielo—, digo y repito que me casaré con ella.

—¡Miserable, orgulloso! Y si todo lo atropellaras, ¿crees que no hay leyes para impedir tu violencia?

—Porque hay leyes, digo y repito que me casaré con ella.

—Nada respetas.

—No respeto nada que sea indigno de respeto.

—Y mi autoridad, y mi voluntad, yo... ¿yo no soy nada?

—Para mí su hija de usted es todo; lo demás, nada.

La entereza de Pepe Rey era como los alardes de una fuerza incontrastable, con perfecta conciencia de sí misma. Daba golpes secos, contundentes, sin atenuación de ningún género. Sus palabras parecían, si es permitida la comparación, una artillería despiadada. Doña Perfecta cayó de nuevo en el sofá; pero no lloraba, y una convulsión nerviosa agitaba sus miembros.

—¡De modo que para este ateo infame —exclamó con franca rabia— no hay conveniencias sociales, no hay nada más que un capricho! Eso es una avaricia indigna. Mi hija es rica.

—Si piensa usted herirme con ese arma sutil, tergiversando la cuestión e interpretando torcidamente mis sentimientos, para lastimar mi dignidad, se equivoca usted, querida tía. Llámeme usted avaro. Dios sabe lo que soy.

—No tienes dignidad.

—Esa es una opinión como otra cualquiera. El mundo podrá tenerla a usted en olor de infalibilidad. Yo, no. Estoy muy lejos de creer que las sentencias de usted no tengan apelación ante Dios.

—Pero ¿es cierto lo que dices?... Pero ¿insistes después de mi negativa?... Tú lo atropellas todo, eres un monstruo, un bandido.

—Soy un hombre.

—¡Un miserable! Acabemos: yo te niego a mi hija, yo te la niego.

—¡Pues yo la tomaré! No tomo más que lo que es mío.

—¡Quítate de mi presencia! —gritó la señora, levantándose de súbito—. Fatuo, ¿crees que mi hija se acuerda de ti?

—Me ama, lo mismo que yo a ella.

—¡Mentira, mentira!

—Ella misma me lo ha dicho. Dispénseme usted si en esta cuestión doy más fe a la opinión de ella que a la de su mamá.

—¿Cuándo te lo ha dicho, si no la has visto en muchos días?

—La he visto anoche y me ha jurado ante el Cristo de la capilla que sería mi mujer.

—¡Oh escándalo y libertinaje!... ¿Pero qué es esto? ¡Dios mío, qué deshonra! —exclamó doña Perfecta comprimiéndose otra vez con ambas manos la cabeza y dando algunos pasos por la habitación—. ¿Rosario salió anoche de su cuarto?...

—Salió para verme. Ya era tiempo.

—¡Qué vil conducta la tuya! Has procedido como los ladrones; has procedido como los seductores adocenados.

—He procedido según la escuela de usted. Mi intención era buena.

—¡Y ella bajó!... ¡Ah!, lo sospechaba. Esta mañana, al amanecer, la sorprendí vestida en su cuarto. Díjome que había salido no sé a qué... El verdadero criminal eres tú, tú... Esto es una deshonra. Pepe, Pepe, esperaba todo de ti, menos tan grande ultraje... Todo acabó. Márchate. No existes para mí. Te perdono, con tal de que te vayas... No diré una palabra de esto a tu padre... ¡Qué horrible egoísmo! No, no hay amor en ti. ¡Tú no amas a mi hija!

—Dios sabe que la adoro, y esto me basta.

—No pongas a Dios en tus labios, blasfemo, y calla —exclamó doña Perfecta—. En nombre de Dios, a quien puedo invocar porque creo en Él, te digo que mi hija no será jamás tu mujer. Mi hija se salvará, Pepe, mi hija no puede ser condenada en vida al infierno, porque infierno es la unión contigo[155].

—Rosario será mi esposa —repitió Pepe Rey con patética calma.

Irritábase más la piadosa señora con la energía serena de su sobrino. Con voz entrecortada habló así:

—No creas que me amedrantan tus amenazas. Sé lo que digo. Pues qué, ¿se puede atropellar un hogar, una familia, se puede atropellar la autoridad humana y divina?

—Yo lo atropellaré todo —dijo el ingeniero empezando a perder su calma y expresándose con alguna agitación.

—¡Lo atropellarás todo! ¡Ah! Bien se ve que eres un bárbaro, un salvaje, un hombre que vive de la violencia.

—No, querida tía. Soy manso, recto, honrado y enemigo de violencias; pero entre usted y yo, entre usted que es la ley y yo que soy el destinado a acatarla, está una pobre criatura atormentada, un ángel de Dios sujeto a inicuos martirios. Este espectáculo, esta injusticia, esta violencia inaudita es la que convierte mi rectitud en barbarie, mi razón en fuerza, mi honradez en violencia parecida a la de los asesinos y ladrones; este espectáculo, señora mía, es lo que me impulsa a no respetar la ley de usted, lo que me impulsa a pasar sobre ella, atropellándolo todo. Esto, que parece desatino, es una ley ineludible. Hago lo que hacen las sociedades, cuando una brutalidad tan ilógica como irritante se opone a su marcha. Pasan por encima y todo lo destrozan con feroz acometida. Tal soy yo en este momen-

---

[155] Como se dijo en la introducción, la Iglesia católica prohibía el matrimonio de los católicos con los no creyentes, o con los seguidores de otras religiones. Las uniones mixtas estaban condenadas, y quienes caían en ellas, condenados al infierno. Los krausistas se opusieron a este fanatismo religioso, como demuestra la *Minuta de un testamento* de Azcárate en la que el testador, ateo, está felizmente casado con una creyente. Galdós problematizó esta visión idealizada en *La familia de León Roch*. Con anterioridad, el novelista había tratado el tema de los matrimonios mixtos en *Rosalía,* el manuscrito de 1872.

to: yo mismo no me conozco. Era razonable y soy un bruto; era respetuoso y soy insolente; era culto y me encuentro salvaje. Usted me ha traído a este horrible extremo, irritándome y apartándome del camino del bien por donde tranquilamente iba. ¿De quién es la culpa, mía o de usted?

—¡Tuya, tuya!

—Ni usted ni yo lo podemos resolver. Creo que ambos carecemos de razón. En usted violencia e injusticia, en mí injusticia y violencia. Hemos venido a ser tan bárbaro el uno como el otro, y luchamos y nos herimos sin compasión[156]. Dios lo permite así. Mi sangre caerá sobre la conciencia de usted; la de usted caerá sobre la mía. Basta ya, señora. No quiero molestar a usted con palabras inútiles. Ahora entraremos en los hechos.

—¡En los hechos, bien! —dijo doña Perfecta más bien rugiendo que hablando—. No creas que en Orbajosa falta Guardia Civil.

—Adiós, señora. Me retiro de esta casa. Creo que volveremos a vernos.

—Vete, vete, vete ya —gritó ella señalando la puerta con enérgico ademán.

Pepe Rey salió. Doña Perfecta, después de pronunciar algunas palabras incoherentes, que eran la más clara expresión de su ira, cayó en un sillón con muestras de cansancio o de ataque nervioso. Acudieron las criadas.

—Que vayan a llamar al señor don Inocencio! —gritó—. Al instante... ¡pronto!... ¡que venga!

Después mordió el pañuelo.

---

[156] En la Introducción hemos visto cómo este momento corresponde a una conciencia «cervantina», típica de la novela realista, mediante la cual el protagonista es consciente de los errores cometidos.

XX

Rumores. Temores

Al día siguiente de esta disputa lamentable, corrieron por toda Orbajosa de casa en casa, de círculo en círculo, desde el Casino a la botica, y desde el paseo de las Descalzas a la puerta de Baidejos, rumores varios sobre Pepe Rey y su conducta. Todo el mundo los repetía, y los comentarios iban siendo tantos, que si don Cayetano los recogiese y compilase, formaría con ellos un rico *Thesaurum* de la benevolencia orbajosense. En medio de la diversidad de especies que corrían, había conformidad en algunos puntos culminantes, uno de los cuales era el siguiente:

Que el ingeniero, enfurecido porque doña Perfecta se negaba a casar a Rosarito con un ateo, había *alzado la mano*[157] a su tía.

Estaba viviendo el joven en la posada de la viuda de Cuzco, establecimiento *montado* como ahora se dice, no a la altura, sino a la bajeza de los más primorosos atrasos del país. Visitábale con frecuencia el teniente coronel Pinzón, para ponerse de acuerdo en la intriga que tramaban, y para cuyo eficaz desempeño mostraba el soldado felices disposiciones. Ideaba a cada instante nuevas travesuras y arti-

---

[157] *alzar la mano:* golpear.

mañas, apresurándose a llevarlas del pensamiento a la obra con excelente humor, si bien solía decir a su amigo:

—El papel que estoy haciendo, querido Pepe, no se debe contar entre los más airosos; pero por dar un disgusto a Orbajosa y su gente, andaría yo a cuatro pies.

No sabemos qué sutiles trazas empleó el ladino militar, maestro en ardides del mundo, pero lo cierto es que a los tres días de alojamiento había logrado hacerse muy simpático en la casa. Agradaba su trato a doña Perfecta, que no podía oír sin emoción sus zalameras alabanzas de la grandeza, piedad y magnificencia augusta de la señora. Con don Inocencio estaba a partir un confite[158]. Ni la madre ni el Penitenciario le estorbaban que hablase a Rosario (a quien se dio libertad después de la ausencia del feroz primo); y con sus cortesanías alambicadas, su hábil lisonja y destreza suma, adquirió en la casa de Polentinos considerable auge y hasta familiaridad. Pero el objeto de todas sus artes era una doncella, que tenía por nombre Librada, a quien sedujo (castamente hablando) para que transportase recados y cartitas a la Rosario, fingiéndose enamorado de esta. No resistió la muchacha al soborno, realizado con bonitas palabras y mucho dinero, porque ignoraba la procedencia de las esquelas y el verdadero sentido de tales líos; pues si llegara a entender que todo era una nueva diablura de don José, aunque este le gustaba mucho, no hiciera traición a su señora por todo el dinero del mundo.

Estaban un día en la huerta doña Perfecta, don Inocencio, Jacinto y Pinzón. Hablose de la tropa y de la misión que a Orbajosa traía, hallando coyuntura el señor Penitenciario de condenar la tiránica conducta del Gobierno, y sin saber cómo nombraron a Pepe Rey.

—Todavía está en la posada —dijo el abogadillo—. Le he visto ayer, y me ha dado memorias para usted, doña Perfecta.

---

[158] *a partir un confite* o *a partir un piñón:* en armonía total en el trato.

—¿Hase visto mayor insolencia?... ¡Ah!, señor Pinzón, no extrañe usted que emplee este lenguaje, tratándose de un sobrino carnal...; ya sabe usted..., aquel caballerito que se aposentaba en el cuarto que usted ocupa.

—¡Sí, ya lo sé! No le trato; pero le conozco de vista y de fama. Es amigo íntimo de nuestro brigadier.

—¿Amigo íntimo del brigadier?

—Sí, señora, del que manda la brigada que ha venido a este país, y que se ha repartido entre diferentes pueblos.

—¿Y dónde está? —preguntó con interés sumo la dama.

—En Orbajosa.

—Creo que se aposenta en casa de Polavieja —indicó Jacinto.

—Su sobrino de usted —continuó Pinzón—, y el brigadier Batalla son íntimos amigos, se quieren entrañablemente, y a todas horas se les ve juntos por las calles del pueblo.

—Pues, amiguito, mala idea formo de ese señor jefe —repuso doña Perfecta.

—Es un... es un infeliz —dijo Pinzón en el tono propio de quien por respeto no se atreve a aplicar una calificación dura.

—Mejorando lo presente, señor Pinzón, y haciendo una salvedad honrosísima en honor de usted —afirmó doña Perfecta—, no puede negarse que en el ejército español hay cada tipo...

—Nuestro brigadier era un excelente militar antes de darse al espiritismo[159]...

—¡Al espiritismo!

—¡Esa secta que llama a los fantasmas y duendes por medio de las patas de las mesas!... —exclamó el canónigo riendo.

---

[159] *espiritismo:* doctrina que consideraba que los espíritus deambulan en el espacio y, con el auxilio de un médium, era posible establecer contacto con ellos.

—Por curiosidad, solo por curiosidad —dijo Jacintillo con énfasis—, he encargado a Madrid la obra de Allan Kardec[160]. Bueno es enterarse de todo.

—Pero ¿es posible que tales disparates...? ¡Jesús! Dígame usted, Pinzón, ¿mi sobrino también es de esa secta de pie de banco?

—Me parece que él fue quien catequizó a nuestro bravo brigadier Batalla.

—¡Pero Jesús!

—Eso es; y cuando se le antoje —dijo don Inocencio sin poder contener la risa—, hablará con Sócrates, San Pablo, Cervantes y Descartes, como hablo yo ahora con Librada para pedirle un fosforito. ¡Pobre señor de Rey! Bien dije yo que aquella cabeza no estaba buena.

—Por lo demás —continuó Pinzón—, nuestro brigadier es un buen militar. Si de algo peca es de excesivamente duro. Toma tan al pie de la letra las órdenes del Gobierno, que si le contrarían mucho aquí, será capaz de no dejar piedra sobre piedra en Orbajosa. Sí, les prevengo a ustedes que estén con cuidado.

—Pero ese monstruo nos va a cortar la cabeza a todos. ¡Ay! señor don Inocencio, estas visitas de la tropa me recuerdan lo que he leído en la vida de los mártires, cuando se presentaba un procónsul romano en un pueblo de cristianos...

—No deja de ser exacta la comparación —dijo el Penitenciario, mirando al militar por encima de las gafas.

—Es un poco triste; pero siendo verdad, debe decirse —manifestó Pinzón con benevolencia—. Ahora, señores míos, están ustedes a merced de nosotros.

—Las autoridades del país —objetó Jacinto— funcionan aún perfectamente.

---

[160] Allan Kardec, escritor y pedagogo francés, que desarrolló la teoría del espiritismo.

—Creo que se equivoca usted —repuso el soldado, cuya fisonomía observaban con profundo interés la señora y el Penitenciario—. Hace una hora ha sido destituido el alcalde de Orbajosa.

—¿Por el Gobernador de la provincia?

—El Gobernador de la provincia ha sido sustituido por un delegado del Gobierno que debió llegar esta mañana. Los Ayuntamientos todos cesarán hoy. Así lo ha mandado el ministro, porque temía, no sé con qué motivo, que no prestaban apoyo a la autoridad central.

—Bien, bien estamos —murmuró el canónigo, frunciendo el ceño y echando adelante el labio inferior.

Doña Perfecta meditaba.

—También han sido quitados algunos jueces de primera instancia, entre ellos el de Orbajosa.

—¡El juez! ¡Periquito!... ¿Ya no es juez Periquito? —exclamó doña Perfecta con voz y gesto semejantes a los de las personas que tienen la desgracia de ser picadas por una víbora.

—Ya no es juez de Orbajosa el que lo era —manifestó Pinzón—. Mañana vendrá el nuevo.

—¡Un desconocido!

—¡Un desconocido!

—Un tunante quizás... ¡El otro era tan honrado!... —dijo la señora con zozobra—. Jamás le pedí cosa alguna, que al punto no me concediera. ¿Sabe usted quién será el alcalde nuevo?

—Dicen que viene un corregidor.

—Vamos, diga usted de una vez que viene el Diluvio, y acabaremos —manifestó el canónigo levantándose.

—¿De modo que estamos a merced del señor brigadier?

—Por algunos días, ni más ni menos. No se enfaden ustedes conmigo. A pesar de mi uniforme, me desagrada el militarismo; pero nos mandan pegar... y pegamos. No puede haber oficio más canalla que el nuestro.

—Sí que lo es, sí que lo es —dijo la señora disimulando mal su furor—. Ya que usted lo ha confesado... Conque ni alcalde, ni juez...

—Ni gobernador de la provincia.

—Que nos quiten también al señor Obispo y nos manden un monaguillo en su lugar.

—Es lo que falta... Si aquí les dejan —murmuró don Inocencio, bajando los ojos—, no se pararán en pelillos.

—Y todo es porque se teme el levantamiento de partidas en Orbajosa —exclamó la señora cruzando las manos y agitándolas de arriba abajo, desde la barba a las rodillas—. Francamente, Pinzón, no sé cómo no se levantan hasta las piedras. No le deseo mal ninguno a usted; pero lo justo sería que el agua que beben, se les convirtiera en lodo... ¿Dijo usted que mi sobrino es íntimo amigo del brigadier?

—Tan íntimo que no se separan en todo el día; fueron compañeros de colegio. Batalla le quiere como un hermano, y le complace en todo. En su lugar de usted, señora, yo no estaría tranquilo.

—¡Oh! ¡Dios mío! ¡Temo un atropello!... —exclamó ella muy desasosegada.

—Señora —afirmó el canónigo con energía—. Antes que consentir un atropello en esta honrada casa, antes que consentir el menor vejamen hecho a esta nobilísima familia, yo... mi sobrino..., los vecinos todos de Orbajosa...

Don Inocencio no concluyó. Su cólera era tan viva, que se le trababan las palabras en la boca. Dio algunos pasos marciales, y después se volvió a sentar.

—Me parece que no son vanos esos temores —dijo Pinzón—. En caso necesario, yo...

—Y yo... —repitió Jacinto.

Doña Perfecta había fijado los ojos en la puerta vidriera del comedor, tras la cual dejose ver una graciosa figura. Mirándola, parecía que en el semblante de la señora se ennegrecían más las sombrías nubes del temor.

—Rosario, pasa aquí, Rosario —dijo saliendo a su encuentro—. Se me figura que tienes hoy mejor cara y estás más alegre, sí... ¿No les parece a ustedes que Rosario tiene mejor cara? ¡Si parece otra!

Todos convinieron en que tenía retratada en su semblante la más viva felicidad.

XXI

Desperta ferro[161]

Por aquellos días publicaron los periódicos de Madrid las siguientes noticias:

«No es cierto que en los alrededores de Orbajosa se haya levantado partida alguna. Nos escriben de aquella localidad que el país está tan poco dispuesto a aventuras, que se considera inútil en aquel punto la presencia de la brigada Batalla».

«Dícese que la brigada Batalla saldrá de Orbajosa, porque no hacen falta allí fuerzas del ejército, e irá a Villajuán de Nahara, donde han aparecido algunas partidas».

«Ya es seguro que los Aceros recorren con algunos jinetes el término de Villajuán, próximo al distrito judicial de Orbajosa. El gobernador de la provincia de X... ha telegrafiado al gobierno, diciendo que Francisco Acero entró en las Roquetas, donde cobró un semestre y pidió raciones. Domingo Acero (Faltriquera) vagaba por la sierra del Jubileo,

---

[161] *Desperta ferro:* grito de guerra de los almogávares, los soldados mercenarios al servicio de la Corona de Aragón que lucharon en Grecia y Asia Menor. La expresión latina, que corresponde a un vocativo y significa «Hierro, despierta», alude al tema de este capítulo en que doña Perfecta, la cacique de Orbajosa, agita y arenga a sus criados para que se subleven contra el Gobierno.

activamente perseguido por la Guardia Civil, que le mató un hombre y aprehendió a otro. Bartolomé Acero fue el que quemó el registro civil de Lugarnoble, llevándose en rehenes al alcalde y a dos de los principales propietarios».

«En Orbajosa reina tranquilidad completa, según carta que tenemos a la vista, y allí no piensan más que en trabajar el campo para la próxima cosecha de ajos, que promete ser magnífica. Los distritos inmediatos sí están infestados de partidas; pero la brigada Batalla dará buena cuenta de ellas».

En efecto, Orbajosa estaba tranquila. Los Aceros, aquella dinastía guerrera, merecedora, según algunas gentes, de figurar en el Romancero, había tomado por su cuenta la provincia cercana; pero la insurrección no cundía en el término de la ciudad episcopal. Creeríase que la cultura moderna había al fin vencido en su lucha con las levantiscas costumbres de la gran behetría, y que esta saboreaba las delicias de una paz duradera. Y esto es tan cierto, que el mismo Caballuco, una de las figuras más caracterizadas de la rebeldía histórica de Orbajosa, decía claramente a todo el mundo que él no quería *reñir con el gobierno,* ni *meterse en danzas,* que podían costarle caras.

Dígase lo que se quiera, el arrebatado carácter de Ramos había tomado asiento con los años, enfriándose un poco la fogosidad que con la existencia recibiera de los Caballucos padres y abuelos, la mejor casta de cabecillas que ha asolado la tierra. Cuéntase, además, que por aquellos días el nuevo gobernador de la provincia *celebró una conferencia* con este importante personaje, *oyendo de sus labios las mayores seguridades* de contribuir al reposo público y evitar toda ocasión de disturbios. Aseguran fieles testigos que se le veía en amor y compaña con los militares, partiendo un piñón con este o el otro sargento en la taberna, y hasta se dijo que le iban a dar un buen destino en el Ayuntamiento de la capital de la provincia. ¡Oh cuán difícil es para el historiador, que presume de imparcial, depurar la verdad en esto de las opiniones y pensamientos de los insignes personajes que han llenado el mundo con su nombre! No sabe uno a qué atenerse, y la falta de datos ciertos da origen a lamentables equivocaciones. En presencia de hechos tan culminantes como la jornada de Brumario, como el saco de Roma por Borbón, como la ruina de Jerusalén, ¿qué psicólogo, ni qué historiador podrá determinar los pensamientos que les precedieron o les siguieron en la cabeza de Bonaparte, Carlos V y Tito? ¡Responsabilidad inmensa la nuestra! Para librarnos en parte de ella, refiramos palabras, frases y aun discursos del mismo emperador orbajosense, y de este modo cada cual formará la opinión que juzgue más acertada.

No cabe duda alguna de que Cristóbal Ramos salió, ya anochecido, de su casa, y atravesando por la calle del Condestable vio tres labriegos que en sendas mulas venían en dirección contraria a la suya, y preguntándoles que a do caminaban, repusieron que a la casa de la señora doña Perfecta, a llevarle varias primicias[162] de frutos de las huertas y algún dinero de las rentas vencidas. Eran, el señor Pasolargo, un mozo a quien llamaban Frasquito González, y el tercero, de mediana edad y recia complexión, recibía el nombre de Vejarruco, aunque el suyo verdadero era José Esteban Romero. Volvió atrás Caballuco, solicitado por la buena compañía de aquella gente con quien tenía franca y antigua amistad, y entró con ellos en casa de la señora. Esto ocurría, según los más verosímiles datos, al anochecer y dos días después de aquel en que doña Perfecta y Pinzón hablaron lo que en el anterior capítulo ha podido ver quien lo ha leído. Entretúvose el gran Ramos dando a Librada ciertos recados de poca importancia que una vecina confiara a su buena memoria, y cuando entró en el comedor, ya los tres labriegos antes mencionados y el señor Licurgo, que, asimismo, por

---

[162] *primicia:* fruto primero de cualquier cosa que, en la sociedad del Antiguo Régimen, se ofrecía al señor, o a la Iglesia, a modo de impuesto en especie.

singular coincidencia, estaba presente, habían entablado conversación sobre asuntos de la cosecha y de la casa. La señora tenía un humor endiablado; a todo ponía faltas, y reprendíales ásperamente por la sequía del cielo y la infecundidad de la tierra, fenómenos de que ellos, los pobrecitos, no tenían la culpa. Presenciaba la escena el señor Penitenciario. Cuando entró Caballuco, saludole afectuosamente el buen canónigo, señalándole un asiento a su lado.

—Aquí está el personaje —dijo la señora con desdén—. ¡Parece mentira que se hable tanto de un hombre de tan poco valer! Dime, Caballuco, ¿es verdad que te han dado de bofetadas unos soldados esta mañana?

—¡A mí! ¡A mí! —dijo el Centauro levantándose indignado cual si recibiera el más grosero insulto.

—Así lo han dicho —añadió la señora—. ¿No es verdad? Yo lo creí, porque quien en tan poco se tiene... Te escupirán, y tú te creerás honrado con la saliva de los militares.

—¡Señora! —vociferó Ramos con energía—. Salvo el respeto que debo a usted, que es mi madre, más que mi madre, mi señora, mi reina... pues digo que salvo el respeto que debo a la persona que me ha dado todo lo que tengo... salvo el respeto...

—¿Qué?... Parece que vas a decir mucho y no dices nada.

—Pues digo, que salvo el respeto, eso de la bofetada es una calumnia —añadió expresándose con extraordinaria dificultad—. Todos hablan de mí, que si entro o salgo, que si voy, que si vengo... Y todo ¿por qué? Porque quieren tomarme por figurón para que revuelva el país. Bien está Pedro en su casa[163], señoras y caballeros. ¿Que ha venido la tropa?... Malo es; pero ¿qué le vamos a hacer?... ¿Que han quitado al alcalde y al secretario y al juez?... Malo es; yo

[163] *Bien está Pedro en su casa* (o *Bien está san Pedro en Roma, aunque no coma):* refrán con que se significa que las cosas están bien como están, y no hay razón para alterarlas o sacarlas de su cauce normal.

quisiera que se levantaran contra ellos las piedras de Orbajosa; pero di mi palabra al gobernador, y hasta ahora yo...

Rascose la cabeza, frunció el adusto ceño y, con lengua cada vez más torpe, prosiguió así:

—Yo seré bruto, pesado, ignorante, querencioso, testarudo y todo lo que quieran; pero a caballero no me gana nadie.

—Lástima de Cid Campeador —dijo con el mayor desprecio doña Perfecta—. ¿No cree usted, como yo, señor Penitenciario, que en Orbajosa no hay ya un solo hombre que tenga vergüenza?

—Grave opinión es esa —repuso el capitular, sin mirar a su amiga ni apartar de su barba la mano en que apoyaba el meditabundo rostro—. Pero se me figura que este vecindario ha aceptado con excesiva sumisión el pesado yugo del militarismo.

Licurgo y los tres labradores reían con toda su alma.

—Cuando los soldados y las autoridades nuevas —dijo la señora—, nos hayan llevado el último real, después de deshonrado el pueblo, enviaremos a Madrid, en una urna cristalina, a todos los valientes de Orbajosa para que los pongan en el Museo o los enseñen por las calles.

—¡Viva la señora! —exclamó con vivo ademán el que llamaban Vejarruco—. Lo que ha parlado es como el oro. No se dirá por mí que no hay valientes, pues no estoy con los Aceros, por aquello de que tiene uno tres hijos y mujer y puede suceder cualquier estropicio; que si no...

—Pero ¿tú no has dado tu palabra al Gobernador? —le preguntó con amarga sonrisa la señora.

—¿Al Gobernador? —exclamó el nombrado Frasquito González—. No hay en todo el país tunante que más merezca un tiro. Gobernador y Gobierno, todos son lo mismo. El cura nos predicó el domingo tantas cosas altisonantes sobre las herejías y ofensas a la religión que hacen en Madrid... ¡Oh! Había que oírle... Al fin dio muchos gritos en el púlpito, diciendo que la religión ya no tenía defensores.

—Aquí está el gran Cristóbal Ramos —dijo la señora dando fuerte palmada en el hombro del Centauro—. Monta a caballo; se pasea en la plaza y en el camino real para llamar la atención de los soldados; venle estos, se espantan de la fiera catadura del héroe, y echan todos a correr muertos de miedo.

La señora terminó su frase con una risa exagerada, que se hacía más chocante por el profundo silencio de los que la oían. Caballuco estaba pálido.

—Señor Pasolargo —continuó la dama poniéndose seria—, esta noche mándeme acá a su hijo Bartolomé para que se quede aquí. Necesito tener buena gente en casa; y aun así, bien podrá suceder que el mejor día amanezcamos mi hija y yo asesinadas.

—¡Señora! —exclamaron todos.

—¡Señora! —gritó Caballuco levantándose—. ¿Eso es broma o qué es?

—Señor Vejarruco, señor Pasolargo —continuó la señora sin mirar al bravo de la localidad—, no estoy segura en mi casa. Ningún vecino de Orbajosa lo está, y menos yo. Vivo con el alma en un hilo. No puedo pegar los ojos en toda la noche.

—Pero ¿quién, quién se atreverá?...

—Vamos —dijo Licurgo con ardor—, que yo, viejo y enfermo, seré capaz de batirme con todo el ejército español si tocan el pelo de la ropa a la señora...

—Con el señor Caballuco —dijo Frasquito González—, basta y sobra.

—¡Oh!, no —repuso doña Perfecta con cruel sarcasmo—. ¿No ven ustedes que Ramos ha dado su palabra al Gobernador?...

Caballuco volvió a sentarse; y poniendo una pierna sobre otra, cruzó las manos sobre ellas.

—Me basta un cobarde —añadió implacablemente el ama—, con tal que no haya dado palabras. Quizás pase yo por el trance de ver asaltada mi casa, de ver que me arrancan de los brazos a mi querida hija, de verme atropellada e insultada del modo más infame...

No pudo continuar. La voz se ahogó en su garganta, y rompió a llorar desconsoladamente.

—¡Señora, por Dios, cálmese usted!... Vamos... no hay motivo todavía... —dijo precipitadamente y con semblante y voz de aflicción suma don Inocencio—. También es preciso un poquito de resignación para soportar las calamidades que Dios nos envía.

—Pero ¿quién... señora? ¿Quién se atreverá a tales vituperios? —preguntó uno de los cuatro—. Orbajosa toda se pondría sobre un pie para defender a la señora.

—Pero ¿quién, quién?... —repitieron todos.

—Vaya, no la molesten Vds. con preguntas importunas —dijo con oficiosidad el Penitenciario—. Pueden retirarse.

—No, no, que se queden —manifestó vivamente la señora secando sus lágrimas—. La compañía de mis buenos servidores es para mí un gran consuelo.

—Maldita sea mi casta —dijo el tío Lucas dándose un puñetazo en la rodilla—, si todos estos gatuperios no son obra del mismísimo sobrino de la señora.

—¿Del hijo de don Juan Rey?

—Desde que le vi en la estación de Villahorrenda y me habló con su voz melosilla y sus mimos de hombre cortesano —manifestó Licurgo—, le tuve por un grandísimo... No quiero acabar por respeto a la señora... Pero yo le conocí... le señalé desde aquel día, y yo no me equivoco, no. Sé muy bien, como dijo el otro, que por el hilo se saca el ovillo, por la muestra se conoce el paño y por la uña el león.

—No se hable mal en mi presencia de ese desdichado joven —dijo la de Polentinos severamente—. Por grandes que sean sus faltas, la caridad nos prohíbe hablar de ellas y darles publicidad.

—Pero la caridad —manifestó don Inocencio, con cierta energía— no nos impide precavernos contra los malos; y de eso se trata. Ya que han decaído tanto los caracteres y el valor en la desdichada Orbajosa; ya que este pueblo parece dispuesto a poner la cara para que escupan en ella cuatro soldados y un cabo, busquemos alguna defensa uniéndonos.

—Yo me defenderé como pueda —dijo con resignación y cruzando las manos doña Perfecta—. ¡Hágase la voluntad del Señor!

—Tanto ruido para nada... ¡Por vida de...! ¡En esta casa son de la piel del miedo!... —exclamó Caballuco entre serio y festivo—. No parece sino que el tal don Pepito es una *región* (léase legión) de demonios. No se asuste usted, señora mía. Mi sobrinillo Juan, que tiene trece años, guardará la casa, y veremos, sobrino por sobrino, quién puede más.

—Ya sabemos todos lo que significan tus guapezas y valentías —replicó la dama—. ¡Pobre Ramos, quieres echártela de bravucón cuando ya se ha visto que no sirves para nada!

Ramos palideció ligeramente, fijando en la señora una mirada singular en que se confundían el espanto y el respeto.

—Sí, hombre, no me mires así. Ya sabes que no me asusto de fantasmones. ¿Quieres que te hable de una vez con claridad? Pues eres un cobarde.

Ramos, moviéndose como el que siente en diversas partes de su cuerpo molestas picazones, demostraba gran desasosiego. Su nariz expelía y recobraba el aire como la de un caballo. Dentro de aquel corpachón combatía consigo misma por echarse fuera, rugiendo y destrozando una tormenta, una pasión, una barbaridad. Después de modular a medias algunas palabras, mascando otras, levantose y bramó de esta manera:

—¡Le cortaré la cabeza al señor de Rey!

—¡Qué desatino! Eres tan bruto como cobarde —dijo la señora palideciendo—. ¿Qué hablas ahí de matar, si yo no quiero me maten a nadie y mucho menos a mi sobrino, persona a quien amo a pesar de sus maldades?

—¡El homicidio! ¡Qué atrocidad! —exclamó el señor don Inocencio escandalizado—. Ese hombre está loco.

—¡Matar!... La idea tan solo de un homicidio me horroriza, Caballuco —dijo la señora cerrando los dulces ojos—. ¡Pobre hombre! Desde que has querido mostrar valentía, has aullado como un lobo carnicero. Vete de aquí, Ramos; me causas espanto.

—¿No dice la señora que tiene miedo? ¿No dice que atropellarán la casa, que robarán a la niña?

—Sí, lo temo.

—Y eso lo ha de hacer un solo hombre —dijo Ramos con desprecio, volviendo a sentarse—. Eso lo ha de hacer el don Pepe Poquita Cosa con sus matemáticas. Hice mal en decirle que le rebanaría el pescuezo. A un muñeco de ese estambre se le coge de una oreja y se le echa de remojo en el río.

—Sí, ríete ahora, bestia. No es mi sobrino solo quien ha de cometer todos esos desafueros que has mencionado y que yo temo; pues si fuese él solo no le temería. Mandaría a Librada que se pusiera en la puerta con una escoba... bastaría... No es él solo, no.

—¿Pues quién?

—Hazte el borrico. ¿No sabes tú que mi sobrino y el brigadier que manda esa condenada tropa se han confabulado...?

—¡Confabulado! —exclamó Caballuco demostrando no entender la palabra.

—Que están de compinche —apuntó Licurgo—. Fabulearse quiere decir estar de compinche. Ya me barruntaba yo lo que dice la señora.

—Todo se reduce a que el brigadier y los oficiales son uña y carne de don José, y lo que él quiera, lo quieren esos soldadotes, y esos soldadotes harán toda clase de atropellos y barbaridades, porque ese es su oficio.

—Y ahora no tenemos alcalde que nos ampare.

—Ni juez.

—Ni gobernador. Es decir, que estamos a merced de esa infame gentuza.

—Ayer —dijo Vejarruco— unos soldados se llevaron engañada a la hija más chica del tío Julián, y la pobre no se atrevió a volver a su casa; mas la encontraron llorando y descalza junto a la fuentecilla vieja, recogiendo los pedazos de la cántara rota[164].

—¡Pobre don Gregorio Palomeque, el escribano de Naharilla Alta! —dijo Frasquito González—. Estos tunantes le robaron todo el dinero que tenía en su casa. Pero el Brigadier, cuando se lo contaron, contestó que era mentira.

—Tiranos más tiranos no nacieron de madre —manifestó el otro—. ¡Cuando digo que por punto no estoy con los Aceros...!

—¿Y qué se sabe de Francisco Acero? —preguntó mansamente doña Perfecta—. Sentiría que le ocurriera algún percance. Dígame usted, don Inocencio: ¿Francisco Acero, no nació en Orbajosa?

—No señora: él y su hermano son de Villajuán.

—Lo siento por Orbajosa —dijo doña Perfecta—. Esta pobre ciudad ha entrado en desgracia. ¿Sabe usted si Francisco Acero dio palabra al Gobernador de no molestar a los pobres soldaditos en sus robos de doncellas, en sus sacrilegios, en sus infames felonías?

Caballuco dio un salto. Ya no se sentía punzado, sino herido por atroz sablazo. Encendido el rostro y con los ojos llenos de fuego, gritó de este modo:

—¡Yo di mi palabra al gobernador, porque el gobernador me dijo que venían con buen fin!

—Bárbaro, no grites. Habla como la gente y te escucharemos.

---

[164] *pedazos de la cántara rota:* del refranero popular procede esta metáfora del cántaro o la vasija deshecha para simbolizar la pérdida de la virginidad (por ejemplo, *Tanto va el cántaro a la fuente...),* en este caso debido a la violación de la joven por la tropa.

—Le prometí que ni yo, ni ninguno de mis amigos levantaríamos partidas en tierra de Orbajosa... A todo el que ha querido salir porque le retozaba la guerra en el cuerpo, le he dicho: *vete con los Aceros, que aquí no nos movemos...* Pero tengo mucha gente honrada, sí, señora, y buena, sí señora, y valiente, sí señora, que está desperdigada por los caseríos y las aldeas, por los arrabales y montes, cada uno en su casa, ¿eh? Y en cuanto yo les diga la mitad de media palabra ¿eh?, ya están todos descolgando las escopetas, ¿eh?, y echando a correr a caballo o a pie para ir a donde yo les mande... Y no me anden con gramáticas, que yo si di mi palabra, fue porque la di, y si no salgo es porque no quiero salir, y si quiero que haya partidas las habrá; y si no quiero, no: porque yo soy quien soy, el mismo hombre de siempre, bien lo saben todos... Y digo otra vez que no vengan con gramáticas, ¿estamos...?; y que no me digan las cosas al revés ¿estamos...?, y si quieren que salga, me lo declaren con toda la boca abierta, ¿estamos...?, porque para eso nos ha dado Dios la lengua, para decir esto y aquello. Bien sabe la señora quién soy, así como bien sé yo que le debo la camisa que me pongo, y el pan que como hoy, y el primer garbanzo que chupé cuando me despecharon[165], y la caja en que enterraron a mi padre cuando murió, y las medicinas y el médico que me sanaron cuando estuve enfermo; y bien sabe la señora que si ella me dice: «Caballuco, rómpete la cabeza», voy a aquel rincón y contra la pared me la rompo; bien sabe la señora que si ahora dice ella que es de día, yo, aunque vea la noche, creeré que me equivoco y que es claro día; bien sabe la señora que ella y su hacienda son antes que mi vida, y que si delante de mí la pica un mosquito, le perdono porque es mosquito; bien sabe la señora que la quiero más que a cuanto hay debajo del sol... A un hombre de tanto corazón se le dice: «Caba-

---

[165] *despechar:* destetar.

lluco, so animal, haz esto o lo otro», y basta de ritólicas, basta de mete y saca de palabrejas y sermoncillos al revés, y pincha por aquí y pellizca por allá.

—Vamos, hombre, sosiégate —dijo doña Perfecta con bondad—. Te has sofocado como aquellos oradores republicanos que venían a predicar aquí la religión libre, el amor libre y no sé cuántas cosas libres... Que te traigan un vaso de agua.

Caballuco hizo con el pañuelo una especie de rodilla[166], apretado envoltorio o más bien pelota, y se lo paseó por la ancha frente y cogote para limpiarse ambas partes, cubiertas de sudor. Trajéronle un vaso de agua, y el señor Canónigo con una mansedumbre que cuadraba perfectamente a su carácter sacerdotal, lo tomó de manos de la criada para presentárselo y sostener el plato mientras bebía. El agua se escurría por el gaznate de Caballuco, produciendo un claqueteo sonoro.

—Ahora tráigame usted otro a mí, Libradita —dijo don Inocencio—. También tengo un poco de fuego dentro.

---

[166] *rodilla:* rodea, paño basto que sirve para limpiar.

XXII

¡Desperta!

—Respecto a lo de las partidas —dijo doña Perfecta cuando concluyeron de beber—, solo te digo que hagas lo que tu conciencia te dicte.

—Yo no entiendo de dictados —repuso el Centauro—. Haré lo que sea del gusto de la señora.

—Pues yo no te aconsejaré nada en asunto tan grave —repuso ella con la circunspección y comedimiento que tan bien le sentaban—. Eso es muy grave, gravísimo, y yo no puedo aconsejarte nada.

—Pero el parecer de usted...

—Mi parecer es que abras los ojos y veas, que abras los oídos y oigas... Consulta tu corazón...; yo te concedo que tienes un gran corazón... Consulta a ese juez, a ese consejero que tanto sabe, y haz lo que él te mande.

Caballuco meditó, pensó todo lo que puede pensar una espada.

—Los de Naharilla Alta —dijo Vejarruco— nos contamos ayer y éramos trece, propios para cualquier cosita mayor... Pero como temíamos que la señora se enfadara, no hicimos nada. Es tiempo ya de trasquilar[167].

---

[167] *trasquilar:* cortar el pelo de las ovejas para obtener la lana.

—No te preocupes de la trasquila —dijo la señora—. Tiempo hay. No se dejará de hacer por eso.

—Mis dos muchachos —manifestó Licurgo— riñeron ayer el uno con el otro, porque uno quería irse con Francisco Acero y el otro no. Yo les dije: «Despacio, hijos míos, que todo se andará. Esperad, que tan buen pan hacen aquí como en Francia»[168].

—Anoche me dijo Roque Pelosmalos —manifestó el tío Pasolargo—, que en cuanto el señor Ramos dijera tanto así, ya estaban todos con las armas en la mano. ¡Qué lástima que los dos hermanos Burguillos se hayan ido a labrar las tierras de Lugarnoble!

—Vaya usted a buscarlos —dijo el ama vivamente—. Lucas, proporciónale un caballo al tío Pasolargo.

—Yo, si la señora me lo manda, y el señor Ramos también —dijo Frasquito González—, iré a Villahorrenda a ver si Robustiano, el guarda de montes, y su hermano Pedro quieren también...

—Me parece buena idea. Robustiano no se atreve a venir a Orbajosa, porque me debe un piquillo. Puedes decirle que le perdono los seis duros y medio... Esta pobre gente, que tan generosamente sabe sacrificarse por una buena idea, se contenta con tan poco... ¿No es verdad, señor don Inocencio?

—Aquí nuestro buen Ramos —repuso el canónigo—, me dice que sus amigos están descontentos con él por su tibieza; pero que en cuanto le vean determinado se pondrán todos la canana al cinto.

—Pero qué, ¿te determinas a echarte a la calle? —dijo a Ramos la señora—. No te he aconsejado yo tal cosa, y si lo haces es por tu voluntad. Tampoco el señor don Inocencio te

---

[168] *Tan buen pan hacen aquí como en Francia:* refrán que da a entender que lo deseado no está lejos, sino cerca de uno; en este caso, los hijos de Licurgo no tienen que irse con la partida de Francisco Acero porque pronto ha de formarse una en Orbajosa.

habrá dicho una palabra en este sentido. Pero cuando tú lo decides así, razones muy poderosas tendrás... Dime, Cristóbal, ¿quieres cenar?, ¿quieres tomar algo...?, con franqueza...

—En cuanto a que yo aconseje al señor Ramos que se eche al campo —dijo don Inocencio mirando por encima de los cristales de sus anteojos—, razón tiene la señora. Yo, como sacerdote, no puedo aconsejar tal cosa. Sé que algunos lo hacen, y aun toman las armas; pero esto me parece impropio, muy impropio, y no seré yo quien les imite. Llevo mis escrúpulos hasta el extremo de no decir una palabra al señor Ramos sobre la peliaguda cuestión de su levantamiento en armas. Yo sé que Orbajosa lo desea; sé que le bendecirán todos los habitantes de esta noble ciudad; sé que vamos a tener aquí hazañas dignas de pasar a la historia; pero, sin embargo, permítaseme un discreto silencio.

—Está muy bien dicho —añadió doña Perfecta—. No me gusta que los sacerdotes se mezclen en tales asuntos. Un clérigo ilustrado debe conducirse de este modo. Bien sabemos que en circunstancias solemnes y graves, por ejemplo, cuando peligran la patria y la fe, están los sacerdotes en su terreno incitando a los hombres a la lucha y aun figurando en ella. Pues que Dios mismo ha tomado parte en célebres batallas, bajo la forma de ángeles o santos, bien pueden sus ministros hacerlo. Durante la guerra contra los infieles, ¿cuántos obispos acaudillaron las tropas castellanas?

—Muchos, y algunos fueron insignes guerreros. Pero estas edades no son aquellas, señora. Verdad es que si vamos a mirar atentamente las cosas, la fe peligra ahora más que antes... ¿Pues qué representan esos ejércitos que ocupan nuestra ciudad y pueblos inmediatos?, ¿qué representan? ¿Son otra cosa más que el infame instrumento de que se valen para sus pérfidas conquistas y el exterminio de las creencias, los ateos y protestantes de que está infestado Madrid?... Bien lo sabemos todos. En aquel centro de corrupción, de escándalo, de irreligiosidad y descreimiento, unos cuantos hombres malignos, comprados por el oro extranjero, se emplean en destruir en nuestra España la semilla de la fe... Pues ¿qué creen Vds.? Nos dejan a nosotros decir misa y a Vds. oírla por un resto de consideración, por vergüenza... pero el mejor día... Por mi parte, estoy tranquilo. Soy un hombre que no se apura por ningún interés temporal y mundano. Bien lo sabe la señora doña Perfecta, bien lo saben todos los que me conocen. Estoy tranquilo y no me asusta el triunfo de los malvados. Sé muy bien que nos aguardan días terribles; que cuantos vestimos el hábito sacerdotal tenemos la vida pendiente de un cabello, porque España, no lo duden Vds., presenciará escenas como aquellas de la Revolución francesa en que perecieron miles de sacerdotes piadosísimos en un solo día... Mas no me apuro. Cuando toquen a degollar, presentaré mi cuello: ya he vivido bastante. ¿Para qué sirvo yo? Para nada, para nada.

—Comido de perros me vea yo —gritó Vejarruco mostrando el puño, no menos duro y fuerte que un martillo—, si no acabamos pronto con toda esa canalla ladrona.

—Dicen que la semana que viene comienza el derribo de la catedral —indicó Frasquito González.

—Supongo que la derribarán con picos y martillos —dijo el canónigo sonriendo—. Hay artífices que no tienen esas herramientas, y, sin embargo, adelantan más edificando. Bien saben Vds. que, según tradición piadosa, nuestra hermosa capilla del Sagrario fue derribada por los moros en un mes y reedificada en seguida por los ángeles en una sola noche... Dejarles, dejarles que destruyan.

—En Madrid, según nos contó la otra noche el cura de Naharilla —dijo Vejarruco—, ya quedan tan pocas iglesias, que algunos curas dicen misa en medio de la calle, y como les aporrean y les dicen injurias y también les escupen, muchos no quieren decirla.

—Felizmente aquí, hijos míos —manifestó don Inocencio—, no hemos tenido aún escenas de esa naturaleza. ¿Por qué? Porque saben qué clase de gente sois; porque tienen noticia de vuestra piedad ardiente y de vuestro valor... No le arriendo la ganancia a los primeros que pongan la mano en nuestros sacerdotes, y en nuestro culto... Por supuesto, dicho se está que si no se les ataja a tiempo, harán diabluras. ¡Pobre España, tan santa y tan humilde y tan buena! ¡Quién había de decir que llegaría a estos apurados extremos!... Pero yo sostengo que la impiedad no triunfará, no, señor. Todavía hay gente valerosa, todavía hay gente de aquella de antaño, ¿no es verdad, señor Ramos?

—Todavía la hay, sí señor —repuso este.

—Yo tengo una fe ciega en el triunfo de la ley de Dios. Alguno ha de salir en defensa de ella. Si no son unos, serán otros. La palma de la victoria, y con ella la gloria eterna, alguien se la ha de llevar. Los malvados perecerán, si no hoy, mañana. Aquel que va contra la ley de Dios caerá, no hay remedio. Sea de esta manera, sea de la otra, ello es que ha de caer. No le salvan ni sus argucias, ni sus escondites, ni sus artimañas. La mano de Dios está alzada sobre él y le herirá sin falta. Tengámosle compasión y deseemos su arrepentimiento... En cuanto a vosotros, hijos míos, no esperéis que os diga una palabra sobre el paso que seguramente vais a dar. Sé que sois buenos, sé que vuestra determinación generosa y el noble fin que os guía lavan toda mancha pecaminosa ocasionada por el derramamiento de sangre; sé que Dios os bendice; que vuestra victoria, lo mismo que vuestra muerte, os sublimarán a los ojos de los hombres y a los de Dios; sé que se os deben palmas y alabanzas y toda suerte de honores; pero a pesar de esto, hijos míos, mi labio no os incitará a la pelea. No lo he hecho nunca, ni ahora lo hará. Obrad con arreglo al ímpetu de vuestro noble corazón. Si él os manda que os estéis en vuestras casas, permaneced en ellas; si él os manda que salgáis, salid en buen hora. Me resigno a ser mártir y a inclinar mi cuello ante el verdugo, si esa miserable tropa continúa aquí. Pero si un impulso hidalgo y ardiente y pío de los hijos de Orbajosa, contribuye a la grande obra de la extirpación de las desventuras patrias, me tendré por el más dichoso de los hombres, solo con ser compatricio vuestro; y toda mi vida de estudio, de penitencia, de resignación, no me parecerá tan meritoria para aspirar al cielo, como un día solo de vuestro heroísmo.

—¡No se puede decir más y mejor! —exclamó doña Perfecta arrebatada de entusiasmo.

Caballuco se había inclinado hacia adelante en su asiento, poniendo los codos sobre las rodillas. Cuando el canónigo acabó de hablar, tomole la mano y se la besó con fervor.

—Hombre mejor no ha nacido de madre— dijo el tío Licurgo, enjugando o haciendo que enjugaba una lágrima.

—¡Que viva el señor Penitenciario! —gritó Frasquito González poniéndose en pie y arrojando hacia el techo su gorra.

—Silencio —dijo doña Perfecta—. Siéntate, Frasquito. Tú eres de los de mucho ruido y pocas nueces...

—¡Bendito sea Dios, que le dio a usted ese pico de oro! —exclamó Cristóbal inflamado de admiración—. ¡Qué dos personas tengo delante! Mientras vivan las dos, ¿para qué se quiere más mundo?... Toda la gente de España debiera ser así... pero ¡cómo ha de ser así si no hay más que pillería! En Madrid, la corte de donde vienen leyes y mandarines, todo es latrocinio y farsa. ¡Pobre religión, cómo la han puesto!... No se ven más que pecados... Señora doña Perfecta, señor don Inocencio, por el alma de mi padre, por el alma de mi abuelo, por la salvación de la mía, juro que deseo morir...

—¡Morir!

—Que me maten esos perros tunantes; y digo que me maten, porque yo no puedo descuartizarlos a ellos. Soy muy chico.

—Ramos, eres grande —dijo la señora.

—¿Grande, grande?... Grandísimo por el corazón; pero ¿tengo yo plazas fuertes, tengo caballería, tengo artillería?

—Esa es una cosa, Ramos —dijo doña Perfecta sonriendo—, de que yo no me ocuparía. ¿No tiene el enemigo lo que a ti te hace falta?

—Sí.

—Pues quítaselo...

—Se lo quitaremos, sí señora. Cuando digo que se lo quitaremos...

—Querido Ramos —exclamó don Inocencio—. Envidiable posición es la de usted... ¡Destacarse, elevarse sobre la vil muchedumbre, ponerse al igual de los mayores héroes del mundo... poder decir que la mano de Dios guía su mano!... ¡Oh qué grandeza y honor! Amigo mío, no es lisonja. ¡Qué apostura, qué gentileza, qué gallardía!... No, hombres de tal temple no pueden morir. El Señor va con ellos, y la bala y hierro enemigos detiénense[169]... no se atreven... ¿Qué se han de atrever, viniendo de cañón y de manos de herejes?... Querido Caballuco, al ver a usted, al ver su bizarría y caballerosidad, vienen a mi memoria, sin poderlo remediar, los versos de aquel romance de la conquista del imperio de Trapisonda:

> Llegó el valiente Roldán
> de todas armas armado,
> en el fuerte Briador
> su poderoso caballo,
> y la fuerte Durlindana
> muy bien ceñida a su lado,
> la lanza como una entena,
> el fuerte escudo embrazado...
> Por la visera del yelmo
> fuego venía lanzando;

---

[169] Los soldados carlistas llevaban labrada la *detente* en la pechera del uniforme, a la altura del corazón. Se trataba de una imagen del Sagrado Corazón con la leyenda «Detente, bala», que había de proteger al soldado de las balas enemigas.

retemblando con la lanza
como un junco muy delgado,
y a toda la hueste junta
fieramente amenazando.

—Muy bien —exclamó el tío Licurgo batiendo palmas—. Y digo yo como don Reinaldos:

¡Nadie en don Renialdos toque
si quiere ser bien librado!
Quien otra cosa quisiese
él será tan bien pagado,
que todo el resto del mundo
no se escape de mi mano
sin quedar pedazos hecho
o muy bien escarmentado.

—Ramos, tú querrás cenar; tú querrás tomar algo ¿no es verdad? —dijo la señora.

—Nada, nada —repuso el Centauro—, deme, si acaso, un plato de pólvora.

Diciendo esto, soltó estrepitosa carcajada, dio varios paseos por la habitación, observado atentamente por todos, y deteniéndose luego junto al grupo, fijó los ojos en doña Perfecta y con atronadora voz profirió estas palabras:

—Digo que no hay más que decir. ¡Viva Orbajosa, muera Madrid!

Descargó la mano sobre la mesa, con tal fuerza que retembló el piso de la casa.

—¡Qué poderoso brío! —murmuró don Inocencio.

—Vaya que tienes unos puños...

Todos contemplaban la mesa, que se había partido en dos pedazos.

Fijaban luego los ojos en el nunca bastante admirado Renialdos, o Caballuco. Indudablemente había en su semblante hermoso, en sus ojos verdes, animados por extraño resplandor felino, en su negra cabellera, en su cuerpo hercúleo, cierta expresión y aire de grandeza, un resabio o más bien recuerdo de las grandes razas que dominaron al mundo. Pero su aspecto general era el de una degeneración lastimosa, y costaba trabajo encontrar la filiación noble y heroica en la brutalidad presente. Se parecía a los grandes hombres de don Cayetano, como se parece el mulo al caballo.

XXIII

Misterio

Después de lo que hemos referido, duró mucho la conferencia; pero omitimos lo restante por no ser indispensable para la buena inteligencia de esta relación. Retiráronse al fin, quedando para lo último, como de costumbre, el señor don Inocencio. No habían tenido tiempo aún la señora y el canónigo de cambiar dos palabras, cuando entró en el comedor una criada de edad y mucha confianza que era el brazo derecho de doña Perfecta, y como esta la viera inquieta y turbada, llenose también de turbación, sospechando que algo malo en la casa ocurría.

—No encuentro a la señorita por ninguna parte —dijo la criada respondiendo a las preguntas de la señora.

—¡Jesús!... ¡Rosario!... ¿Dónde está mi hija?

—¡Válgame la Virgen del Socorro! —gritó el Penitenciario, tomando el sombrero y disponiéndose a correr tras la señora.

—Buscadla bien... Pero ¿no estaba contigo en su cuarto?

—Sí, señora —repuso temblando la criada vieja—, pero el demonio me tentó y me quedé dormida.

—Maldito sea tu sueño... Jesús mío... ¿qué es esto? ¡Rosario, Rosario... Librada!

Subieron, bajaron, tornaron a bajar y a subir, llevando luz y registrando todas las piezas. Por último, oyose en la escalera la voz del Penitenciario, que decía con júbilo:

—Aquí está, aquí está. Ya pareció.

Un instante después, madre e hija se encontraban la una frente a la otra en la galería.

—¿Dónde estabas? —preguntó con severo acento doña Perfecta examinando el rostro de su hija.

—En la huerta —murmuró la niña, más muerta que viva.

—¿En la huerta a estas horas? ¡Rosario!...

—Tenía calor, me asomé a la ventana, se me cayó el pañuelo y bajé a buscarlo.

—¿Por qué no dijiste a Librada que te lo alcanzase?... ¡Librada!... ¿Dónde está esa muchacha? ¿Se ha dormido también?

Librada apareció al fin. Su semblante pálido indicaba la consternación y el recelo del delincuente.

—¿Qué es esto? ¿Dónde estabas? —preguntó con terrible enojo la dama.

—Pues señora... bajé a buscar la ropa que está en el cuarto de la calle y me quedé dormida.

—Todas duermen aquí esta noche. Me parece que alguna no dormirá en mi casa mañana. Rosario, puedes retirarte.

Comprendiendo que era indispensable proceder con prontitud y energía, la señora y el canónigo emprendieron sin tardanza sus investigaciones. Preguntas, amenazas, ruegos, promesas fueron empleadas con habilidad suma para inquirir la verdad de lo acontecido. No resultó ni sombra de culpabilidad en la criada anciana; pero Librada confesó de plano entre lloros y suspiros todas sus bellaquerías, que sintetizamos del siguiente modo:

Poco después de alojarse en la casa, el señor Pinzón empezó a hacer cocos a la señorita Rosario. Dio dinero a Librada, según esta dijo, para tenerla por mensajera de recados y amorosas esquelas. La señorita no se mostró enojada, sino antes bien gozosa, y pasaron algunos días de esta manera. Por último, la sirvienta declaró que aquella noche Rosario y el señor Pinzón habían concertado verse y hablarse en la ventana de la habitación de este último, que da a la huerta. Confiaron su pensamiento a la doncella, quien ofreció protegerlo mediante una cantidad que se le entregara en el acto. Según lo convenido, el Pinzón debía salir de la casa a la hora de costumbre y volver ocultamente a las nueve, y entrar en su cuarto, del cual y de la casa saldría también clandestinamente más tarde, para volver sin tapujos a la hora avanzada de costumbre. De este modo no podría sospecharse de él. La Librada aguardó al Pinzón, el cual entró muy envuelto en su capote sin hablar palabra. Metiose en su cuarto a punto que la señorita bajaba a la huerta. La criada, mientras duró la entrevista, que no presenció, estuvo de centinela en la galería, para avisar a Pinzón cualquier peligro que ocurriese; y al cabo de una hora salió este como antes, muy bien cubierto con su capote y sin hablar una palabra. Concluida la confesión, don Inocencio preguntó a la desdichada:

—¿Estás segura de que el que entró y salió era el señor Pinzón?

La reo no contestó nada, y sus facciones indicaban gran perplejidad. La señora se puso verde de ira.

—¿Tú le viste la cara?

—Pero ¿quién podría ser sino él? —repuso la doncella—. Yo tengo la seguridad de que él era. Fue derecho a su cuarto... conocía muy bien el camino.

—Es raro —dijo el canónigo—. Viviendo en la casa no necesitaba emplear tales tapujos... Podía haber pretextado una enfermedad y quedarse... ¿No es verdad, señora?

—Librada —exclamó esta con exaltación de ira—, te juro por Dios crucificado que irás a presidio.

Después cruzó las manos, clavándose los dedos de la una en la otra con tanta fuerza, que casi se hizo sangre.

—Señor don Inocencio —agregó—. Muramos... no hay más remedio que morir.

Después rompió a llorar desconsoladamente.

—Valor, señora mía —dijo el clérigo con acento patético—. Mucho valor... Ahora es preciso tenerlo grande. Esto requiere serenidad y gran corazón.

—El mío es inmenso —dijo entre sollozos la de Polentinos.

—El mío es pequeñito..., pero allá veremos.

XXIV

La confesión

Entre tanto, Rosario, con el corazón hecho pedazos, sin poder llorar, sin poder tener calma ni sosiego, traspasada por el frío acero de un inmenso dolor, con la mente pasando en veloz carrera del mundo a Dios y de Dios al mundo, aturdida y medio loca, estaba a altas horas de la noche en su cuarto, de hinojos, cruzadas las manos, los pies desnudos sobre el suelo, la ardiente sien apoyada en el borde del lecho, a oscuras, a solas, en silencio. Cuidaba de no hacer el menor ruido, para no llamar la atención de su mamá, que dormía o aparentaba dormir en la habitación inmediata. Elevó al cielo su exaltado pensamiento en esta forma:

—Señor, Dios mío, ¿por qué antes no sabía mentir, y ahora sé? ¿Por qué antes no sabía disimular y ahora disimulo? ¿Soy una mujer infame?... ¿Esto que siento y que a mí me pasa es la caída de las que no vuelven a levantarse?... ¿He dejado de ser buena y honrada?... Yo no me conozco. ¿Soy yo misma o es otra la que está en este sitio?... ¡Qué de terribles cosas en tan pocos días! ¡Cuántas sensaciones diversas! ¡Mi corazón está consumido de tanto sentir!... Señor, Dios mío, ¿oyes mi voz, o estoy condenada a rezar eternamente sin ser oída?... Yo soy buena, nadie me convencerá de que no soy buena. Amar, amar muchísimo, ¿es acaso maldad?... Pero no, esto es una ilusión, un engaño. Soy más mala que las peores mujeres de la tierra. Dentro de mí una gran culebra me muerde y me envenena el corazón... ¿Qué es esto que siento? ¿Por qué no me matas, Dios mío? ¿Por qué no me hundes para siempre en el Infierno?... Es espantoso, pero lo confieso, lo confieso a solas a Dios, que me oye, y lo confesaré ante el sacerdote. Aborrezco a mi madre. ¿En qué consiste esto? No puedo explicármelo. Él no me ha dicho una palabra en contra de mi madre. Yo no sé cómo ha venido esto... ¡Qué mala soy! Los demonios se han apoderado de mí. Señor, ven en mi auxilio, porque no puedo con mis propias fuerzas vencerme... Un impulso terrible me arroja de esta casa. Quiero huir, quiero correr fuera de aquí. Si él no me lleva, me iré tras él arrastrándome por los caminos... ¿Qué divina alegría es esta que dentro de mi pecho se confunde con tan amarga pena?... Señor, Dios y padre mío, ilumíname. Quiero amar tan solo. Yo no nací para este rencor que me está devorando. Yo no nací para disimular, ni para mentir, ni para engañar. Mañana saldré a la calle, gritaré en medio de ella, y a todo el que pase le diré: *amo, aborrezco*... Mi corazón se desahogará de esta manera... ¡Qué dicha sería poder conciliarlo todo, amar y respetar a todo el mundo! La Virgen Santísima me favorezca... Otra vez la idea terrible. No lo quiero pensar, y lo pienso. No lo quiero sentir, y lo siento. ¡Ah!, no puedo engañarme sobre este particular. No puedo ni destruirlo ni atenuarlo... pero puedo confesarlo y lo confieso, diciéndote: «¡Señor, que aborrezco a mi madre!».

Al fin se aletargó. En su inseguro sueño, la imaginación le reproducía todo lo que había hecho aquella noche, desfigurándolo, sin alterarlo en su esencia. Oía el reloj de la catedral dando las nueve; veía con júbilo a la criada anciana, durmiendo con beatífico sueño, y salía del cuarto muy despacito para no hacer ruido; bajaba la escalera tan suavemente, que no movía un pie hasta no estar segura de poder evitar el más ligero ruido. Salía a la huerta, dando una vuelta por el cuarto de las criadas y la cocina; en la huerta deteníase un momento para mirar al cielo, que estaba tachonado de estrellas. El viento callaba. Ningún ruido interrumpía el hondo sosiego de la noche. Parecía existir en ella una atención fija y silenciosa, propia de ojos que miran sin pestañear y oídos que acechan en la expectativa de un gran suceso... La noche observaba.

Acercábase después a la puerta-vidriera del comedor, y miraba con cautela a cierta distancia, temiendo que la vieran los de dentro. A la luz de la lámpara del comedor veía de espaldas a su madre. El Penitenciario estaba a la derecha, y su perfil se descomponía de un modo extraño; crecíale la nariz, asemejándose al pico de un ave inverosímil, y toda su figura se tornaba en una recortada sombra negra y espesa, con ángulos aquí y allí, irrisoria, escueta y delgada. Enfrente estaba Caballuco, más semejante a un dragón que a un hombre. Rosario veía sus ojos verdes, como dos grandes linternas de convexos cristales. Aquel fulgor y la imponente figura del animal le infundían miedo. El tío Licurgo y los otros tres se le presentaban como figuritas grotescas. Ella había visto en alguna parte, sin duda en los muñecos de barro de las ferias, aquel reír estúpido, aquellos semblantes toscos y aquel mirar lelo. El dragón agitaba sus brazos; que en vez de accionar, daban vueltas como aspas de molino, y revolvía de un lado para otro los globos verdes, tan semejantes a los fanales de una farmacia. Su mirar cegaba... La conversación parecía interesante. El Penitenciario agitaba las alas. Era una presumida avecilla que quería volar y no podía. Su pico se alargaba y se retorcía. Erizábansele las plumas con síntomas de furor, y después, recogiéndose y aplacándose, escondía la pelada cabeza bajo el ala. Luego, las figurillas de barro se agitaban queriendo ser personas, y Frasquito González se empeñaba en pasar por hombre.

Rosario sentía pavor inexplicable en presencia de aquel amistoso concurso. Alejábase de la vidriera y seguía adelante paso a paso, mirando a todos lados por si era observada.

Sin ver a nadie, creía que un millón de ojos se fijaban en ella... Pero sus temores y su vergüenza disipábanse de improviso. En la ventana del cuarto donde habitaba el señor Pinzón aparecía un hombre azul; brillaban en su cuerpo los botones como sartas de lucecillas. Ella se acercaba. En el mismo instante sentía que unos brazos con galones la suspendían como una pluma, metiéndola con rápido movimiento dentro de la pieza. Todo cambiaba. De súbito, sonó un estampido, un golpe seco que estremeció la casa en sus cimientos. Ni uno ni otro supieron la causa de tal estrépito. Temblaban y callaban.

Era el momento en que el dragón había roto la mesa del comedor.

XXV

Sucesos imprevistos. Pasajero desconcierto

La escena cambia. Ved una estancia hermosa, clara, humilde, alegre, cómoda y de un aseo sorprendente. Fina estera de junco cubre el piso, y las blancas paredes se adornan con hermosas estampas de santos y algunas esculturas de dudoso valor artístico. La antigua caoba de los muebles brilla lustrada por los frotamientos del sábado, y el altar, donde una pomposa Virgen, de azul y plata vestida, recibe doméstico culto, se cubre de mil graciosas chucherías, mitad sacras, mitad profanas. Hay además cuadritos de mostacilla, pilas de agua bendita, una relojera con *Agnus Dei,* una rizada palma de Domingo de Ramos, y no pocos floreros de inodoras rosas de trapo. Enorme estante de roble contiene una rica y escogida biblioteca, y allí está Horacio el epicúreo y sibarita junto con el tierno Virgilio, en cuyos versos se ve palpitar y derretirse el corazón de la inflamada Dido; Ovidio el narigudo, tan sublime como obsceno y adulador, junto con Marcial el tunante lenguaraz y conceptista; Tibulo el apasionado, con Cicerón el grande; el severo Tito Livio, con el terrible Tácito, verdugo de los Césares; Lucrecio, el panteísta; Juvenal, que con la pluma desollaba; Plauto, el que imaginó las mejores comedias de la antigüedad dando vueltas a la rueda de un molino; Séneca el filósofo, de quien se dijo que el mejor acto de su vida fue su muerte; Quintiliano, el retórico; Salustio el pícaro, que tan bien habla de la virtud; ambos Plinios, Suetonio y Varrón, en una palabra, todas las letras latinas, desde que balbucieron su primera palabra con Livio Andrónico, hasta que exhalaron su postrer suspiro con Rutilio.

Pero haciendo esta rápida enumeración, no hemos observado que dos mujeres han entrado en el cuarto. Es muy temprano, pero en Orbajosa se madruga mucho. Los pajaritos cantan que se las pelan en sus jaulas; tocan a misa las campanas de las iglesias, y hacen sonar sus alegres esquilas las cabras que van a dejarse ordeñar a las puertas de las casas.

Las dos señoras que vemos en la habitación descrita vienen de oír misa. Visten de negro, y cada cual trae en la mano derecha su librito de devoción y el rosario envuelto en los dedos.

—Tu tío no puede tardar ya —dijo una de ellas—, le dejamos empezando la misa; pero él despacha pronto, y a estas horas estará en la sacristía quitándose la casulla. Yo me hubiera quedado a oírle la misa, pero hoy es día de mucha fatiga para mí.

—Yo no he oído hoy más que la del señor Magistral —dijo la otra—; la del señor Magistral, que las dice en un suspiro, y aun creo que no me ha sido de provecho, porque estaba muy intranquila, sin poder apartar el entendimiento de estas cosas terribles que nos pasan.

—¡Cómo ha de ser!... Es preciso tener paciencia... Veremos lo que nos aconseja tu tío.

—¡Ay! —exclamó la segunda, exhalando un hondo suspiro—. Yo tengo la sangre abrasada.

—Dios nos amparará.

—¡Pensar que una señora como usted se ve amenazada por un...! Y él sigue en sus trece... Anoche, señora doña Perfecta, conforme usted me lo mandó, volví a la posada de la viuda del Cuzco, y he pedido nuevos informes. El don Pepito y el brigadier Batalla están siempre juntos conferenciando... ¡ay, Jesús, Dios y Señor mío!... conferenciando sobre sus infernales planes y despachando botellas de vino. Son dos perdidos, dos borrachos... Sin duda discurren alguna maldad muy grande... Como me intereso tanto por usted, anoche, estando yo en la posada, vi salir al don Pepito, y le seguí...

—¿Y a dónde fue?

—Al Casino; sí, señora, al Casino —repuso la otra turbándose ligeramente—. Después volvió a su casa. ¡Ay!, ¡cuánto me reprendió mi tío por haber estado hasta muy tarde ocupada en este espionaje!... Pero no lo puedo remediar... ¡Jesús Divino, ampárame! No lo puedo remediar, y mirando a una persona como usted en trances tan peligrosos, me vuelvo loca... Nada, nada, señora, estoy viendo que a lo mejor esos tunantes asaltan la casa y nos llevan a Rosarito...

Doña Perfecta, fijando la vista en el suelo, meditó largo rato. Estaba pálida y ceñuda. Por fin dijo:

—Pues no veo el modo de impedirlo.

—Yo sí lo veo —dijo vivamente la otra, que era la sobrina del Penitenciario y madre de Jacinto—. Veo un medio muy sencillo: el que he manifestado a usted y no le gusta. ¡Ah!, señora mía, usted es demasiado buena. En ocasiones como esta, conviene ser un poco menos perfecta... dejar a un ladito los escrúpulos. Pues qué, ¿se va a ofender Dios por eso?

—María Remedios —dijo la señora con altanería—, no digas desatinos.

—¡Desatinos!... usted, con sus sabidurías, no podrá ponerle las peras a cuarto al sobrinejo. ¿Qué cosa más sencilla que la que yo propongo? Puesto que ahora no hay justicia que nos ampare, hagamos nosotros la gran justiciada. ¿No hay en casa de usted hombres que sirvan para cualquier cosa? Pues llamarles y decirles: «Mira Caballuco, Pasolargo, o quien sea, esta misma noche te tapujas bien, de modo que no seas conocido; llevas contigo a un amiguito de confianza y te pones en la esquina de la calle de la Santa Faz. Aguardáis un rato, y cuando don José Rey pase por la calle de la Tripería para ir al Casino, porque de seguro irá al Casino, ¿entendéis bien?, cuando pase, le salís al encuentro de repente y le dais un susto...».

—María Remedios, no seas tonta —indicó con magistral dignidad la señora.

—Nada más que un susto, señora; atienda usted bien a lo que digo: un susto. Pues qué, ¿había yo de aconsejar un crimen?... ¡Jesús, Padre y Redentor mío! Solo la idea me llena de horror, y parece que veo señales de sangre y fuego delante de mis ojos. Nada de eso, señora mía... Un susto, y nada más que un susto, por lo cual comprenda ese bergante que estamos bien defendidas. Él va solo al Casino, señora, enteramente solo, y allí se junta con sus amigotes, los del sable y morrioncete. Figúrese usted que recibe el susto, y que además le quedan algunos huesos quebrantados, sin nada de heridas graves, se entiende... pues en tal caso, o se acobarda y huye de Orbajosa, o se tiene que meter en la cama por quince días. Eso sí, hay que recomendarles que el susto sea bueno. Nada de matar... cuidadito con eso; pero sentar bien la mano[170].

—María —dijo doña Perfecta con orgullo—, tú eres incapaz de una idea elevada, de una resolución grande y salvadora. Eso que me aconsejas es una indignidad cobarde.

—Bueno, pues me callo... ¡Ay de mí, qué tonta soy! —refunfuñó con humildad la sobrina del Penitenciario—. Me guardaré mis tonterías para consolarla a usted después que haya perdido a su hija.

—¡Mi hija!... ¡Perder a mi hija!... —exclamó la señora con súbito arrebato de ira—. Solo oírlo me vuelve loca. No, no

---

[170] *sentar la mano:* golpear a alguien para infligirle un castigo.

me la quitarán. Si Rosario no aborrece a ese perdido, como yo deseo, le aborrecerá. De algo sirve la autoridad de una madre... Le arrancaremos su pasión, mejor dicho, su capricho, como se arranca una yerba tierna que aún no ha tenido tiempo de echar raíces... No, esto no puede ser, Remedios. ¡Pase lo que pase, no será! No le valen a ese loco ni los medios más infames. Antes que verla esposa de mi sobrino, acepto cuanto de malo pueda pasarle, incluso la muerte.

—Antes muerta, antes enterrada y hecha alimento de gusanos —afirmó Remedios cruzando las manos, como quien recita una plegaria—, que verla en poder de... ¡Ay!, señora, no se ofenda usted si le digo una cosa, y es que sería gran debilidad ceder porque Rosarito haya tenido algunas entrevistas secretas con ese atrevido. El caso de anteanoche según lo contó mi tío, me parece una treta infame de don José para conseguir su objeto por el escándalo. Muchos hacen esto... ¡Ay Jesús Divino, no sé cómo hay quien le mire la cara a un hombre no siendo sacerdote!

—Calla, calla —dijo doña Perfecta con vehemencia—. No me nombres lo de anteanoche. ¡Qué horrible suceso! María Remedios... Comprendo que la ira puede perder un alma para siempre. Yo me abraso... ¡Desdichada de mí, ver estas cosas y no ser hombre!... Pero si he de decir la verdad sobre lo de anteanoche, aún tengo mis dudas. Librada jura y perjura que fue Pinzón el que entró. ¡Mi hija niega todo, mi hija nunca ha mentido...! Yo insisto en mi sospecha. Creo que Pinzón es un bribón encubridor; pero nada más.

—Volvemos a lo de siempre, a que el autor de todos los males es el dichoso matemático... ¡Ay! No me engañó el corazón cuando le vi por primera vez... Pues, señora mía, resígnese usted a presenciar algo más terrible todavía, si no se decide a llamar a Caballuco y decirle: «Caballuco, espero que...».

—Vuelta a lo mismo; pero tú eres simple...

—¡Oh! Si soy yo muy simplota, lo conozco; pero si no alcanzo más, ¿qué puedo hacer? Digo lo que se me ocurre, sin sabidurías.

—Lo que tú imaginas, esa vulgaridad tonta de la paliza y del susto, se le ocurre a cualquiera. Tú no tienes dos dedos de frente, Remedios; cuando quieres resolver un problema grave, sales con tales patochadas. Yo imagino un recurso más digno de personas nobles y bien nacidas. ¡Apalear!, ¡Qué estupidez! Además, no quiero que mi sobrino reciba un rasguño por orden mía: eso de ninguna manera. Dios le enviará su castigo por cualquiera de los admirables caminos que Él sabe elegir. Solo nos corresponde trabajar porque los designios de Dios no hallen obstáculo. María Remedios, es preciso en estos asuntos ir directamente a las causas de las cosas. Pero tú no entiendes de causas..., tú no ves más que pequeñeces.

—Será así —dijo humildemente la sobrina del cura—. ¡Para qué me hará Dios tan necia, que nada de esas sublimidades entiendo!

—Es preciso ir al fondo, al fondo, Remedios. ¿Tampoco entiendes ahora?

—Tampoco.

—Mi sobrino, no es mi sobrino, mujer: es la blasfemia, el sacrilegio, el ateísmo, la demagogia... ¿Sabes lo que es la demagogia?

—Algo de esa gente que quemó a París con petróleo[171], y los que aquí derriban las iglesias y fusilan las imágenes... Hasta ahí vamos bien.

—Pues mi sobrino es todo eso... ¡Ah!, ¡si él estuviera solo en Orbajosa!... Pero no, hija mía. Mi sobrino, por una serie de fatalidades, que son otras tantas pruebas de los males pasajeros que a veces permite Dios para nuestro castigo, equivale a un ejército, equivale a la autoridad del Gobierno, equivale al alcalde, equivale al juez; mi sobrino no es mi sobrino, es la nación oficial, Remedios; es esa segunda nación, compuesta de los perdidos que gobiernan en Madrid, y que se ha hecho

---

[171] Se refiere a los sucesos de la Comuna de París, la rebelión socialista que comenzó en marzo de 1871.

dueña de la fuerza material; de esa nación aparente, porque la real es la que calla, paga y sufre; de esa nación ficticia que firma al pie de los decretos y pronuncia discursos y hace una farsa de gobierno y una farsa de autoridad y una farsa de todo. Eso es hoy mi sobrino; es preciso que te acostumbres a ver lo interno de las cosas. Mi sobrino es el Gobierno, el brigadier, el alcalde nuevo, el juez nuevo, porque todos le favorecen a causa de la unanimidad de sus ideas; porque son uña y carne, lobos de la misma manada... Entiéndelo bien: hay que defenderse de todos ellos, porque todos son uno, y uno es todos; hay que atacarles en conjunto, y no con palizas al volver de una esquina, sino como atacaban nuestros abuelos a los moros, ¡a los moros, Remedios!... Hija mía, comprende bien esto; abre tu entendimiento y deja entrar en él una idea que no sea vulgar... remóntate; piensa en alto, Remedios.

La sobrina de don Inocencio estaba atónita ante tanta grandeza. Abrió la boca para decir algo en consonancia con tan maravilloso pensamiento; pero solo exhaló un suspiro.

—Como a los moros —repitió doña Perfecta—. Es cuestión de moros y cristianos. ¡Y creías tú que con asustar a mi sobrino se concluía todo!... ¡Qué necia eres! ¿No ves que le apoyan sus amigos? ¿No ves que estamos a merced de esa canalla? ¿No ves que cualquier tenientejo es capaz de pegar fuego a mi casa si se le antoja?... Pero ¿tú no alcanzas esto? ¿No comprendes que es necesario ir al fondo? ¿No comprendes la inmensa grandeza, la terrible extensión de mi enemigo, que no es un hombre, sino una secta?... ¿No comprendes que mi sobrino, tal como está hoy enfrente de mí, no es una calamidad, sino una plaga?... Contra ella, querida Remedios, tendremos aquí un batallón de Dios que aniquile la infernal milicia de Madrid. Te digo que esto va a ser grande y glorioso...

—¡Si al fin fuera!...

—Pero ¿tú lo dudas? Hoy hemos de ver aquí cosas terribles... —dijo con gran impaciencia la señora—. Hoy, hoy. ¿Qué hora es? Las siete. ¡Tan tarde y no ocurre nada!...

—Quizá sepa algo mi tío, que está aquí ya. Le siento subir la escalera.

—Gracias a Dios... —dijo doña Perfecta levantándose para salir al encuentro del Penitenciario—. Él nos dirá algo bueno.

Don Inocencio entró apresurado. Su demudado rostro indicaba que aquella alma consagrada a la piedad y a los estudios latinos, no estaba tan tranquila como de ordinario.

—Malas noticias —dijo poniendo sobre una silla el sombrero y desatando los cordones del manteo.

Doña Perfecta palideció.

—Están prendiendo gente —añadió don Inocencio, bajando la voz, cual si debajo de cada silla estuviera un soldado—. Sospechan, sin duda, que los de aquí no les aguantarían sus pesadas bromas, y han ido de casa en casa echando mano a todos los que tenían fama de valientes...

La señora se arrojó en un sillón y apretó fuertemente los dedos contra la madera de los brazos del mueble.

—Falta que se hayan dejado prender —indicó Remedios.

—Muchos de ellos... pero muchos —dijo don Inocencio con ademanes encomiásticos, dirigiéndose a la señora—, han tenido tiempo de huir, y se han ido con armas y caballos a Villahorrenda.

—¿Y Ramos?

—En la catedral dijéronme que es el que buscan con más empeño... ¡Oh, Dios mío!, ¡prender así a unos infelices que nada han hecho todavía...! Vamos, no sé cómo los buenos españoles tienen paciencia. Señora mía, doña Perfecta, refiriendo esto de las prisiones, me he olvidado decir a usted que debe marcharse a su casa al momento.

—Sí, al momento... ¿Registrarán mi casa esos bandidos?

—Quizás. Señora, estamos en un día nefasto —dijo don Inocencio con solemne y conmovido acento—. ¡Dios se apiade de nosotros!

—En mi casa tengo media docena de hombres muy bien armados —repuso la señora vivamente alterada—.

¡Qué iniquidad! ¿Serán capaces de querer llevárselos también?...

—De seguro el señor Pinzón no se habrá descuidado en denunciarlos. Señora, repito que estamos en un día nefasto. Pero Dios amparará la inocencia.

—Me voy. No deje usted de pasar por allá.

—Señora, en cuanto despache la clase... y me figuro que con la alarma que hay en el pueblo, todos los chicos harán novillos hoy; pero, haya o no clase, iré después por allá... No quiero que salga usted sola, señora. Andan por las calles esos zánganos de soldados con unos humos... ¡Jacinto, Jacinto!

—No es preciso. Me marcharé sola.

—Que vaya Jacinto —dijo la madre de este—. Ya debe de estar levantado.

Sintiéronse los precipitados pasos del doctorcillo que bajaba a toda prisa la escalera del piso alto. Venía con el rostro encendido, fatigado el aliento.

—¿Qué hay? —le preguntó su tío.

—En casa de las Troyas —dijo el jovenzuelo—, en casa de esas... pues...

—Acaba de una vez.

—Está Caballuco.

—¿Allá arriba?... ¿En casa de las Troyas?

—Sí, señor... Me habló desde el terrado; me ha dicho que está temiendo le vayan a coger allí.

—¡Oh, qué bestia!... Ese majadero va a dejarse prender —exclamó doña Perfecta, hiriendo el suelo con el inquieto pie.

—Quiere bajar aquí y que le escondamos en casa.

—¿Aquí?

Canónigo y sobrina se miraron.

—¡Que baje! —dijo doña Perfecta con vehemente frase.

—¿Aquí? —repitió don Inocencio, poniendo cara de mal humor.

—Aquí —contestó la señora imperiosamente—. No conozco casa donde pueda estar más seguro.

—Puede saltar fácilmente por la ventana de mi cuarto —dijo Jacinto.

—Pues si es indispensable...

—María Remedios —dijo la señora—. Si nos cogen a este hombre, todo se ha perdido.

—Tonta y simple soy —repuso la sobrina del canónigo poniéndose la mano en el pecho y ahogando el suspiro que sin duda iba a salir al público—, pero no le cogerán.

Salió la señora rápidamente, y poco después el Centauro se arrellanaba en la butaca donde el señor don Inocencio solía sentarse a escribir sus sermones.

No sabemos cómo llegó a oídos del brigadier Batalla; pero es indudable que este diligente militar tenía noticia de que los orbajosenses habían variado de intenciones, y en la mañana de aquel día dispuso la prisión de los que en nuestro rico lenguaje insurreccional solemos llamar *caracterizados*. Salvose por milagro el gran Caballuco, refugiándose en casa de las Troyas; pero no creyéndose allí seguro, bajó como se ha visto, a la santa y no sospechosa mansión del buen canónigo.

Ocupando diversos puntos del pueblo, la tropa ejercía de noche la mayor vigilancia con los que entraban y salían; pero Ramos logró evadirse, burlando, o quizás sin burlar, las precauciones militares. Esto acabó de encender los ánimos, y multitud de gente se conjuraba en los caseríos cercanos a Villahorrenda, juntándose de noche para dispersarse de día y preparar así el arduo negocio de su levantamiento. Ramos recorrió las cercanías allegando gente y armas, y como las columnas volantes andaban tras los Aceros en tierra de Villajuán de Nahara, nuestro héroe caballeresco adelantó mucho en poco tiempo.

Por las noches arriesgábase con audacia suma a entrar en Orbajosa, valiéndose de medios de astucia o tal vez de sobornos. Su popularidad y la protección que recibía dentro del pueblo servíanle hasta cierto punto de salvaguardia, y no será aventurado decir que la tropa no desplegaba ante aquel osado campeón el mismo rigor que ante los hombres insignificantes de la localidad. En España, y principalmente en tiempo de guerras, que son siempre aquí desmoralizadoras, suelen verse esas condescendencias infames con los grandes, mientras se persigue sin piedad a los pequeños. Valido, pues, de su audacia, del soborno, o no sabemos de qué, Caballuco entraba en Orbajosa, reclutaba más gente, reunía armas y acopiaba dinero. Para mayor seguridad de su persona, o para cubrir el expediente, no ponía los pies en su casa, apenas entraba en la de doña Perfecta para tratar de asuntos importantes, y solía cenar en casa de este o del otro amigo, prefiriendo siempre la respetada vivienda de algún sacerdote, y principalmente el de don Inocencio, donde recibiera asilo en la mañana funesta de las prisiones.

En tanto Batalla había telegrafiado al Gobierno diciéndole que, descubierta una conspiración facciosa, estaban presos sus autores, y los pocos que lograron escapar andaban dispersos y fugitivos, *activamente perseguidos por nuestras columnas*.

XXVI

María Remedios

Nada más entretenido que buscar el origen de los sucesos interesantes que nos asombran o perturban, ni nada más grato que encontrarlo. Cuando vemos arrebatadas pasiones en lucha encubierta o manifiesta, y llevados del natural impulso inductivo que acompaña siempre a la observación humana, logramos descubrir la oculta fuente de donde aquel revuelto río ha traído sus aguas, sentimos un gozo muy parecido al de los geógrafos y buscadores de tierras.

Este gozo nos lo ha concedido Dios ahora, porque explorando los escondrijos de los corazones que laten en esta historia, hemos descubierto un hecho que seguramente es el engendrador de los hechos más importantes que aquí se narran; una pasión que es la primera gota de agua de esta alborotada corriente, cuya marcha estamos observando.

Continuemos, pues, la narración. Para ello dejemos a la señora de Polentinos, sin cuidarnos de lo que pudo ocurrirle en la mañana de su diálogo con María Remedios. Penetra llena de zozobra en su vivienda, donde se ve obligada a soportar las excusas y cortesanías del señor Pinzón, quien asegura que mientras él existiera, la casa de la señora no sería registrada. Le responde doña Perfecta de un modo altanero, sin dignarse fijar en él los ojos, por cuya razón él pide urbanamente explicaciones de tal desvío, a lo cual ella contesta rogando al señor Pinzón abandone su casa, sin perjuicio de dar oportunamente cuenta de su alevosa conducta dentro de ella. Llega don Cayetano, y se cruzan palabras de caballero a caballero; pero como ahora nos interesa más otro asunto, dejemos a los Polentinos y al teniente coronel que se las compongan como puedan, y pasemos a examinar aquello de los manantiales históricos arriba mencionados.

Fijemos la atención en María Remedios, mujer estimable, a la cual es urgente consagrar algunas líneas. Era una señora, una verdadera señora, pues a pesar de su origen humildísimo, las virtudes de su tío carnal el señor don Inocencio, también de bajo origen, mas sublimado por el Sacramento, así como por su saber y respetabilidad, habían derramado extraordinario esplendor sobre toda la familia.

El amor de Remedios a Jacinto era una de las más vehementes pasiones que en el corazón maternal pueden caber. Le amaba con delirio; ponía el bienestar de su hijo sobre todas las cosas humanas: creíale el más perfecto tipo de la belleza y del talento creados por Dios, y diera por verle feliz y poderoso, todos los días de su vida y aun parte de la eterna gloria. El sentimiento materno es el único que por lo muy santo y noble, admite la exageración; el único que no se bastardea con el delirio. Sin embargo, ocurre un fenómeno singular que no deja de ser común en la vida, y es que si esta exaltación del afecto maternal no coincide con la absoluta pureza del corazón y con la honradez perfecta, suele extraviarse y convertirse en frenesí lamentable, que puede contribuir, como otra cualquiera pasión desbordada, a grandes faltas y catástrofes.

En Orbajosa María Remedios pasaba por un modelo de virtud y de sobrinas: quizás lo era en efecto. Servía cariñosamente a cuantos la necesitaban jamás dio motivo a hablillas y murmuraciones de mal género; jamás se mezcló en intrigas. Era piadosa, no sin dejarse llevar a extremos de mojigatería chocante; practicaba la caridad; gobernaba la casa de su tío con habilidad suprema; era bien recibida, admirada y obsequiada en todas partes, a pesar del sofoco casi intolerable que producía su continuo afán de suspirar y expresarse siempre en tono quejumbroso.

Pero en casa de doña Perfecta, aquella excelente señora sufría una especie de *capitis diminutio*[172]. En tiempos remotos y muy aciagos para la familia del buen Penitenciario, María Remedios (si es verdad, ¿por qué no se ha decir?) había sido lavandera en la casa de Polentinos. Y no se crea por esto que doña Perfecta la miraba con altanería. Tratábala sin orgullo; hacia ella sentía un cariño verdaderamente fraternal; comían juntas, rezaban juntas, referíanse sus cuitas, ayudábanse mutuamente en sus caridades y en sus devociones así como en los negocios de la casa... pero ¡fuerza es decirlo!, siempre había algo, siempre había una raya invisible, pero infranqueable, entre la señora improvisada y la señora antigua. Doña Perfecta tuteaba a María, y esta jamás pudo prescindir de ciertas fórmulas. Sentíase tan pequeña la sobrina de don Inocencio en presencia de la amiga de este, que su humildad nativa tomaba un tinte extraño de tristeza. Veía que el buen canónigo era en la casa una especie de consejero áulico inamovible; veía a su idolatrado Jacintillo en familiaridad casi amorosa con la señorita, y sin embargo, la pobre madre y sobrina frecuentaba la casa lo menos posible. Conviene indicar que María Remedios se deseñoraba bastante (pase la palabra) en casa de doña Perfecta, y esto le era desagradable, porque también en aquel espíritu suspirón había, como en todo lo que vive, un poco de orgullo... ¡Ver a su hijo casado con Rosarito, verle rico y poderoso; verle emparentado con doña Perfecta, con la señora!... ¡Ay!, esto era para María Remedios la tierra y el cielo, esta vida y la otra, el presente y el más allá, la totalidad suprema de la existencia.

---

[172] *capitis diminutio:* concepto procedente del Derecho Romano que indica la eliminación legal de una persona; en este caso, se usa en sentido figurado para indicar que María Remedios, que ha sido sirvienta en casa de Perfecta, se siente disminuida en presencia de esta.

Años hacía que su pensamiento y su corazón se llenaban de aquella dulce luz de esperanza. Por esto era buena y mala, por esto era religiosa y humilde o terrible y osada; por esto era todo cuanto hay que ser, porque sin tal idea, María, verdadera encarnación de su proyecto, no existiría.

En su físico, María Remedios no podía ser más insignificante. Distinguíase por una lozanía sorprendente, que aminoraba en apariencia el valor numérico de sus años, y vestía siempre de luto, a pesar de que su viudez era ya cuenta muy larga.

Habían pasado cinco días desde la entrada de Caballuco en casa del señor Penitenciario. Principiaba la noche. Remedios entró con la lámpara encendida en el cuarto de su tío, y después de dejarla sobre la mesa, se sentó frente al anciano, que desde media tarde permanecía inmóvil y meditabundo en su sillón, cual si le hubieran clavado en él. Sus dedos sostenían la barba, arrugando la morena piel no rapada en tres días.

—¿Vendrá Caballuco a cenar aquí esta noche? —preguntó a su sobrina.

—Sí, señor, vendrá. En estas casas respetables es donde el pobrecito está más seguro.

—Pues yo no las tengo todas conmigo, a pesar de la respetabilidad de mi casa —repuso el Penitenciario—. ¡Cómo se expone el valiente Ramos!... Y me han dicho que en Villahorrenda y su campiña hay mucha gente... ¡qué sé yo cuánta gente!... ¿Qué has oído tú?

—Que la tropa está haciendo unas barbaridades...

—¡Es milagro que esos caribes no hayan registrado mi casa! Te juro que si veo entrar uno de los de pantalón encarnado[173] me caigo sin habla.

---

[173] *pantalón encarnado:* el uniforme de la infantería española consistía en casaca azul y pantalón rojo. Se alude, por tanto, a los soldados del Gobierno.

—¡Buenos, buenos estamos! —dijo Remedios echando en un suspiro la mitad de su alma—. No puedo apartar de mi mente la tribulación en que se encuentra la señora doña Perfecta... ¡Ay, tío!, debe usted ir allá.

—¿Allá esta noche?... Andan las tropas por las calles. Figúrate que a un soldado se le antoja... La señora está bien defendida. El otro día registraron la casa y se llevaron los seis hombres armados que allí tenía; pero después se los han devuelto. Nosotros no tenemos quien nos defienda en caso de un atropello.

—Yo he mandado a Jacinto allá para que acompañe un ratito a la señora. Si Caballuco viene, le diremos que vaya también... Nadie me quita de la cabeza que alguna gran fechoría preparan esos pillos contra nuestra amiga. ¡Pobre señora, pobre Rosarito!... Cuando uno piensa que esto podía haberse evitado con lo que propuse a doña Perfecta hace dos días...

—Querida sobrina —dijo flemáticamente el Penitenciario—, hemos hecho todo cuanto en lo humano cabía para realizar nuestro santo propósito... Ya no se puede más. Hemos fracasado, Remedios. Convéncete de ello, y no seas terca: Rosarito no puede ser la mujer de nuestro idolatrado Jacintillo. Tu sueño dorado, tu ideal dichoso que un tiempo nos pareció realizable, y al cual consagré yo las fuerzas todas de mi entendimiento, como buen tío, se ha trocado ya en una quimera, se ha disipado como el humo. Entorpecimientos graves, la maldad de un hombre, la pasión indudable de la niña y otras cosas que callo, han vuelto las cosas del revés. Íbamos venciendo y de pronto somos vencidos. ¡Ay, sobrina mía! Convéncete de una cosa. Hoy por hoy, Jacinto merece mucho más que esa niña loca.

—Caprichos y terquedades —repuso María con displicencia bastante irrespetuosa—. ¡Vaya con lo que sale usted ahora, tío! Pues las grandes cabezas se están luciendo... Doña Perfecta con sus sublimidades y usted con sus cavilaciones sirven para cualquier cosa. Es lástima que Dios me haya hecho a mí tan tonta, y dádome este entendimiento de ladrillo y argamasa, como dice la señora, porque si así no fuera, yo resolvería la cuestión.

—¿Tú?

—Si ella y usted me hubieran dejado, resuelta estaría ya.

—¿Con los palos?

—No asustarse ni abrir tanto los ojos, porque no se trata de matar a nadie... ¡vaya!

—Eso de los palos —dijo el canónigo sonriendo— es como el rascar[174]... ya sabes.

—¡Bah!... diga usted también que soy cruel y sanguinaria..., me falta valor para matar un gusanito, bien lo sabe usted... Ya se comprende que no había yo de querer la muerte de un hombre.

—En resumen, hija mía, por más vueltas que le des, el señor don Pepe Rey se lleva la niña. Ya no es posible evitarlo. Él está dispuesto a emplear todos los medios, incluso la deshonra. Si la Rosarito... ¡cómo nos engañaba con aquella carita circunspecta y aquellos ojos celestiales!, ¿eh?... si la Rosarito, digo, no le quisiera... vamos... todo podría arreglarse; pero ¡ay!, le ama como ama el pecador al demonio; está abrasada en criminal fuego; cayó, sobrina mía, cayó en la infernal trampa libidinosa. Seamos honrados y justos; apartemos la vista de la innoble pareja, y no pensemos más en el uno ni en la otra.

—Usted no entiende de mujeres, tío —dijo Remedios con lisonjera hipocresía—; usted es un santo varón; usted no comprende que lo de Rosarito no es más que un caprichillo de esos que pasan, de esos que se curan con un par de refregones en los morros o media docena de azotes.

---

[174] *como el rascar:* alude al refrán *Comer y rascar todo es empezar,* con que se daba a entender que algo, una vez comenzado, es imposible de parar.

—Sobrina —dijo don Inocencio grave y sentenciosamente—, cuando han pasado cosas mayores, los caprichillos no se llaman caprichillos, sino de otra manera.

—Tío, usted no sabe lo que dice— repuso la sobrina, cuyo rostro se inflamó súbitamente—. Pues qué, ¿será usted capaz de suponer en Rosarito?... ¡Qué atrocidad! Yo la defiendo, sí, la defiendo... Es pura como un ángel... Vamos, tío, con esas cosas se me suben los colores a la cara y me pone usted soberbia.

Al decir esto, el semblante del buen clérigo se cubría de una sombra de tristeza, que en apariencia le envejecía diez años.

—Querida Remedios —añadió—, hemos hecho todo lo humanamente posible y todo lo que en conciencia podía y debía hacerse. Nada más natural que nuestro deseo de ver a Jacintillo emparentado con esa gran familia, la primera de Orbajosa; nada más natural que nuestro deseo de verle dueño de las siete casas del pueblo, de la dehesa de Mundogrande, de las tres huertas, del cortijo de Arriba, de la Encomienda, y demás predios urbanos y rústicos que posee esa niña. Tu hijo vale mucho, bien lo saben todos. Rosarito gustaba de él y él de Rosarito. Parecía cosa hecha. La misma señora, sin entusiasmarse mucho, a causa sin duda de nuestro origen, parecía bien dispuesta a ello, a causa de lo mucho que me estima y venera, como confesor y amigo... Pero de repente se presenta ese malhadado joven. La señora me dice que tiene un compromiso con su hermano y que no se atreve a rechazar la proposición por este hecha. ¡Conflicto grave! Pero ¿qué hago yo en vista de esto? ¡Ay!, no lo sabes tú bien. Yo te soy franco, si hubiera visto en el señor de Rey un hombre de buenos principios, capaz de hacer feliz a Rosario, no habría intervenido en el asunto; pero el tal joven me pareció una calamidad, y como director espiritual de la casa, debí tomar cartas en el asunto y las tomé. Ya sabes que le puse la proa[175],

[175] *poner la proa:* actuar con la intención de dañar a alguien.

como vulgarmente se dice. Desenmascaré sus vicios; descubrí su ateísmo; puse a la vista de todo el mundo la podredumbre de aquel corazón materializado, y la señora se convenció de que entregaba a su hija al vicio... ¡Ay, qué afanes pasé! La señora vacilaba; yo fortalecía su ánimo indeciso; aconsejábale los medios lícitos que debía emplear contra el sobrinejo para alejarle sin escándalo; sugeríale ideas ingeniosas, y como ella me mostraba a menudo su pura conciencia llena de alarmas, yo la tranquilizaba demarcando hasta qué punto eran lícitas las batallas que librábamos contra aquel fiero enemigo. Jamás aconsejé medios violentos ni sanguinarios, ni atrocidades de mal género, sino sutiles trazas que no contenían pecado. Estoy tranquilo, querida sobrina. Pero bien sabes tú que he luchado, que he trabajado como un negro. ¡Ay!, cuando volvía a casa por las noches y decía: «Mariquilla, vamos bien, vamos muy bien», tú te volvías loca de contento y me besabas las manos cien veces, y decías que era yo el hombre mejor del mundo. ¿Por qué te enfureces ahora, desfigurando tu noble carácter y pacífica condición? ¿Por qué me riñes? ¿Por qué dices que estás soberbia y me llamas en buenas palabras *Juan Lanas*?[176].

—Porque usted —dijo la mujer sin cejar en su irritación— se ha acobardado de repente.

—Es que todo se nos vuelve en contra, mujer. El maldito ingeniero, favorecido por la tropa, está resuelto a todo. La chiquilla le ama, la chiquilla... no quiero decir más. No puede ser, te digo que no puede ser.

—¡La tropa! Pero ¿usted cree como doña Perfecta que va a haber una guerra, y que para echar de aquí a don Pepe, se necesita que media nación se levante contra la otra media?... La señora se ha vuelto loca y usted allá se le va.

---

[176] *Juan Lanas:* hombre apocado y sin voluntad, que se presta a lo que se quiere hacer de él.

—Creo lo mismo que ella. Dada la intimidad de Rey con los militares, la cuestión personal se agranda... Pero ¡ay!, sobrina mía, si hace dos días tuve esperanza de que nuestros valientes echaran de aquí a puntapiés a la tropa, desde que he visto el giro que han tomado las cosas; desde que he visto que la mayor parte son sorprendidos antes de pelear, y que Caballuco se esconde y que esto se lo lleva la trampa, desconfío de todo. Los buenos principios no tienen aún bastante fuerza material para hacer pedazos a los ministros y emisarios del error... ¡Ay!, sobrina mía, resignación, resignación.

Apropiándose entonces don Inocencio el medio de expresión que caracterizaba a su sobrina, suspiró dos o tres veces ruidosamente. María, contra todo lo que podía esperarse, guardó profundo silencio. No había en ella, al menos aparentemente, ni cólera, ni tampoco la sensiblería superficial de su ordinaria vida; no había sino una aflicción profunda y modesta. Poco después de que el buen tío concluyera su perorata, dos lágrimas rodaron por las sonrosadas mejillas de la sobrina; no tardaron en oírse algunos sollozos mal comprimidos, y poco a poco, así como van creciendo en ruido y forma la hinchazón y tumulto de un mar que empieza a alborotarse, así fue encrespándose aquel oleaje del dolor de María Remedios, hasta que rompió en deshecho llanto.

XXVII

El tormento de un canónigo

—¡Resignación, resignación! —volvió a decir don Inocencio.

—¡Resignación, resignación! —repitió ella, enjugando sus lágrimas—. Puesto que mi querido hijo ha de ser siempre un pelagatos, séalo en buen hora. Los pleitos escasean; bien pronto llegará el día en que lo mismo será la abogacía que nada. ¿De qué vale el talento? ¿De qué valen tanto estudio y romperse la cabeza? ¡Ay! Somos pobres. Llegará un día, señor don Inocencio, en que mi pobre hijo no tendrá una almohada sobre que reclinar la cabeza.

—¡Mujer!

—¡Hombre!... Y si no, dígame: ¿qué herencia piensa usted dejarle cuando cierre el ojo? Cuatro cuartos, seis libruchos, miseria y nada más... Van a venir unos tiempos... ¡Qué tiempos, señor tío!... Mi pobre hijo, que se está poniendo muy delicado de salud, no podrá trabajar... ya se le marea la cabeza desde que lee un libro; ya le dan bascas y jaqueca siempre que estudia de noche... Tendrá que mendigar un destinejo; tendré yo que ponerme a la costura, y quién sabe, quién sabe... como no tengamos que pedir limosna.

—¡Mujer!

—Bien sé lo que digo... Buenos tiempos van a venir —añadió la excelente mujer forzando más el sonsonete llorón con que hablaba—. ¡Dios mío! ¿Qué va a ser de nosotros? ¡Ah! Solo el corazón de una madre siente estas cosas... Solo las madres son capaces de sufrir tantas penas por el bienestar de un hijo. Usted, ¿cómo ha de comprender? No, una cosa es tener hijos y pasar amarguras por ellos, y otra cosa es cantar el *gori gori*[177] en la catedral y enseñar latín en el Instituto... Vea usted de qué le vale a mi hijo el ser sobrino de usted y el haber sacado tantas notas de sobresaliente, y ser primor y la gala de Orbajosa... Se morirá de hambre, porque ya sabemos lo que da la abogacía, o tendrá que pedir a los diputados un destino en La Habana, donde le matará la fiebre amarilla...

—¡Pero mujer!...

—No, si no me apuro, si ya callo, si no le molesto a usted más. Soy muy impertinente, muy llorona, muy suspirosa, y no se me puede aguantar, porque soy madre cariñosa y miro por el bien de mi amado hijo. Yo me moriré, sí, señor, me moriré en silencio y ahogaré mi dolor; me beberé mis lágrimas para no mortificar al señor canónigo... Pero mi idolatrado hijo me comprenderá, y no se tapará los oídos como usted hace en este momento... ¡Ay de mí! El pobre Jacinto sabe que me dejaría matar por él, y que le proporcionaría la felicidad a costa de mi vida. ¡Pobrecito niño de mis entrañas! ¡Tener tanto mérito, y vivir condenado a un pasar mediano, a una condición humilde!... porque no, señor tío, no se ensoberbezca usted... Por más que echemos humos, siempre será usted el hijo del tío Tinieblas, el sacristán de San Bernardo... y yo no seré nunca más que la hija de Ildefonso Tinieblas, su hermano de usted, el que vendía pucheros, y mi hijo será el nieto de los Tinieblas... que tenemos un tenebrario[178] en nuestra cesta, y nunca saldremos de la oscuridad, ni poseeremos un pedazo de terruño donde decir: «Esto es mío», ni trasquilaremos una oveja nuestra, ni ordeñaremos jamás una cabra nuestra, ni

---

[177] *gorigori:* canto lúgubre de los entierros.
[178] *tenebrario:* candelabro que se enciende en la Semana Santa.

meteré mis manos hasta el codo en un saco de trigo trillado y aventado en nuestras eras... todo esto a causa de su poco ánimo de usted, de su bobería y corazón amerengado...

—¡Pero... pero mujer!

Subía más de tono el canónigo cada vez que repetía esta frase, y puestas las manos en los oídos, sacudía a un lado y otro la cabeza con doloroso ademán de desesperación. La chillona cantinela de María Remedios era cada vez más aguda, y penetraba en el cerebro del infeliz y ya aturdido clérigo como una saeta. Pero de repente transformose el rostro de aquella mujer, mudáronse los plañideros sollozos en una voz bronca y dura, palideció su rostro, temblaron sus labios, cerráronse sus puños, cayéronle sobre la frente algunas guedejas del desordenado cabello, secáronse por completo sus ojos al calor de la ira que bramaba en su pecho, levantose del asiento, y no como una mujer, sino como una arpía, gritó de este modo:

—¡Yo me voy de aquí, yo me voy con mi hijo!... Nos iremos a Madrid; no quiero que mi hijo se pudra en este poblachón. Estoy cansada de ver que mi Jacinto, al amparo de la sotana, no es ni será nunca nada. ¿Lo oye usted, señor tío? ¡Mi hijo y yo nos vamos! ¡Usted no nos verá nunca más, nunca más; pero nunca más!

Don Inocencio había cruzado las manos y recibía los furibundos rayos de su sobrina con la consternación de un reo de muerte a quien la presencia del verdugo quita ya toda esperanza.

—Por Dios, Remedios —murmuró con voz dolorida—, por la Virgen Santísima...

Aquellas crisis y horribles erupciones del manso carácter de la sobrina eran tan fuertes como raras, y se pasaban a veces cinco o seis años sin que don Inocencio viera a Remedios convertirse en una furia.

—¡Soy madre!... ¡Soy madre!... ¡y puesto que nadie mira por mi hijo, miraré yo, yo misma! —rugió la improvisada leona.

—Por María Santísima, mujer, no te arrebates... Mira que estás pecando... Recemos un Padrenuestro y un Ave María, y verás como se te pasa eso.

Diciendo esto, el Penitenciario temblaba y sudaba. ¡Pobre pollo en las garras del buitre! La mujer transformada acabó de estrujarle con estas palabras:

—Usted no sirve para nada; usted es un mandria... Mi hijo y yo nos marcharemos de aquí para siempre, para siempre. Yo le conseguiré una posición a mi hijo, yo le buscaré una buena conveniencia, ¿entiende usted? Así como estoy dispuesta a barrer las calles con la lengua, si de este modo fuera preciso ganarle la comida, así también revolveré la tierra para buscar una posición a mi hijo, para que suba y sea rico, y considerado, y personaje, y caballero, y propietario, y señor, y grande y todo cuanto hay que ser, todo, todo.

—¡Dios me favorezca! —exclamó don Inocencio, dejándose caer en el sillón e inclinando la cabeza sobre el pecho.

Hubo una pausa, durante la cual se oía el agitado resuello de la mujer furiosa.

—Mujer —dijo al fin don Inocencio—, me has quitado diez años de vida; me has abrasado la sangre; me has vuelto loco... ¡Dios me dé la serenidad que para aguantarte necesito! Señor, paciencia, paciencia es lo que quiero; y tú, sobrina, hazme el favor de llorar y lagrimear y estar suspirando a moco y baba diez años, pues tu maldita maña de los pucheros, que tanto me enfada, es preferible a esas locas iras. Si no supiera que en el fondo eres buena... Vaya, que para haber confesado y recibido a Dios esta mañana, te estás portando.

—Sí, pero es por usted, por usted.

—¿Porque en el asunto de Rosario y de Jacinto te digo «resignación»?

—Porque cuando todo marchaba bien, usted se vuelve atrás y permite que el señor Rey se apodere de Rosarito.

—¿Y cómo lo voy a evitar? Bien dice la señora que tienes entendimiento de ladrillo. ¿Quieres que salga por ahí con una espada, y en un quítame allá estas pajas haga picadillo a toda la tropa, y después me encare con Rey y le diga: «o usted me deja en paz a la niña o le corto el pescuezo»?

—No, pero cuando yo he aconsejado a la señora que diera un susto a su sobrino, usted se ha opuesto, en vez de aconsejarle lo mismo que yo.

—Tú estás loca con eso del susto.

—Porque «muerto el perro se acabó la rabia».

—Yo no puedo aconsejar eso que llamas susto y que puede ser una cosa tremenda.

—Sí, porque soy una matona, ¿no es verdad, tío?

—Ya sabes que los juegos de manos son juego de villanos. Además, ¿crees que ese hombre se dejará asustar? ¿Y sus amigos?

—De noche sale solo.

—¿Tú qué sabes?

—Lo sé todo, y no da un paso sin que yo me entere ¿estamos? La viuda de Cuzco me tiene muy al corriente.

—Vamos, no me vuelvas loco. ¿Y quién le va a dar ese susto?... Sepámoslo.

—Caballuco.

—¿De modo que él está dispuesto?...

—No, pero lo estará si usted se lo manda.

—Vamos, mujer, déjame en paz. Yo no puedo mandar tal atrocidad. ¡Un susto! ¿Y qué es eso? ¿Tú le has hablado ya?

—Sí señor, pero no me ha hecho caso, mejor dicho, se niega a ello. En Orbajosa no hay más que dos personas que puedan decidirle con una simple orden: usted o doña Perfecta.

—Pues que se lo mande la señora, si quiere. Jamás aconsejaré que se empleen medios violentos y brutales. ¿Querrás creer que cuando Caballuco y algunos de los suyos estaban tratando de levantarse en armas, no pudieron sacarme una sola palabra incitándoles a derramar sangre? No, eso no... Si doña Perfecta quiere hacerlo...

—Tampoco quiere. Esta tarde he estado hablando con ella dos horas, y dice que predicará la guerra, favoreciéndola por todos los medios; pero que no mandará a un hombre que hiera por la espalda a otro. Tendría razón en oponerse si se tratara de cosa mayor... pero no quiero que haya heridas; yo no quiero más que un susto.

—Pues si doña Perfecta no se atreve a ordenar que se den sustos al ingeniero, yo tampoco, ¿entiendes? Antes que nada es mi conciencia.

—Bueno —repuso la sobrina—. Dígale usted a Caballuco que me acompañe esta noche... no le diga usted más que eso.

—¿Vas a salir tarde?

—Voy a salir, sí señor. Pues qué, ¿no salí también anoche?

—¿Anoche? No lo supe; si lo hubiera sabido, me habría enfadado, sí, señora.

—No le diga usted a Caballuco sino lo siguiente: «Querido Ramos, le estimaré mucho que acompañe a mi sobrina a cierta diligencia que tiene que hacer esta noche, y que la defienda si acaso se ve en algún peligro».

—Eso sí lo puedo hacer. Que te acompañe... que te defienda. ¡Ah, picarona!, tú quieres engañarme, haciéndome cómplice de alguna majadería.

—Ya... ¿qué cree usted? —dijo irónicamente María Remedios—. Entre Ramos y yo vamos a degollar mucha gente esta noche.

—No bromees. Te repito que no le aconsejaré a Ramos nada que tenga visos de maldad. Me parece que está ahí...

Oyose ruido en la puerta de la calle. Luego sonó la voz de Caballuco que hablaba con el criado, y poco después el héroe de Orbajosa penetró en la estancia.

—Noticias, vengan noticias, señor Ramos —dijo el clérigo—. Vaya, que si no nos da usted alguna esperanza en cambio de la cena y de la hospitalidad... ¿Qué hay en Villahorrenda?

—Alguna cosa —repuso el valentón sentándose con muestras de cansancio—. Pronto se verá si servimos para algo.

Como todas las personas que tienen importancia o quieren dársela, Caballuco mostraba gran reserva.

—Esta noche, amigo mío, se llevará usted, si quiere, el dinero que me han dado para...

—Buena falta hace... Como lo huelan los de tropa, no me dejarán pasar —dijo Ramos riendo brutalmente.

—Calle usted, hombre... Ya sabemos que usted pasa siempre que se le antoja. ¡Pues no faltaba más! Los militares son gente de manga ancha... y si se pusieran pesados, con un par de duros, ¿eh?... Vamos, veo que no viene usted mal armado... No le falta más que un cañón de a ocho. Pistolitas, ¿eh?... También navaja.

—Por lo que pueda suceder —dijo Caballuco sacando el arma del cinto y mostrando su horrible hoja.

—¡Por Dios y la Virgen! —exclamó María Remedios cerrando los ojos y apartando con miedo el rostro—. Guarde usted ese chisme. Me horrorizo solo de verlo.

—Si Vds. no lo llevan a mal —dijo Ramos cerrando el arma—, cenaremos.

María Remedios dispuso todo con precipitación, para que el héroe no se impacientase.

—Oiga usted una cosa, señor Ramos —dijo don Inocencio a su huésped cuando se pusieron a cenar—. ¿Tiene usted muchas ocupaciones esta noche?

—Algo hay que hacer —repuso el bravo—. Esta es la última noche que vengo a Orbajosa, la última. Tengo que recoger algunos muchachos que quedan por aquí, y vamos a ver cómo sacamos el salitre y el azufre que está en casa de Cirujeda.

—Lo decía —añadió bondadosamente el cura llenando el plato de su amigo—, porque mi sobrina quiere que la acompañe usted un momento. Tiene que hacer no sé qué diligencia, y es algo tarde para ir sola.

—¿A casa de doña Perfecta? —preguntó Ramos. Allí estuve hace un momento; no quise detenerme.

—¿Cómo está la señora?

—Miedosilla. Esta noche he sacado los seis mozos que tenía en la casa.

—Hombre: ¿crees que no hacen falta allí? —dijo Remedios con zozobra.

—Más falta hacen en Villahorrenda. Entre cuatro paredes se pudre la gente valerosa, ¿no es verdad señor canónigo?

—Señor Ramos, aquella vivienda no debe estar nunca sola —dijo el Penitenciario.

—Con los criados basta y sobra. ¿Pero usted cree, señor don Inocencio, que el brigadier se ocupa de asaltar casas ajenas?

—Sí; pero bien sabe usted que ese ingeniero de tres mil docenas de demonios...

—Para eso... en la casa no faltan escobas —manifestó Cristóbal jovialmente—. Si al fin y al cabo no tendrán más remedio que casarlos... Después de lo que ha pasado...

—Cristóbal —añadió Remedios súbitamente enojada—, se me figura que no entiendes gran cosa en esto de casar a la gente.

—Dígolo porque esta noche, hace un momento, vi que la señora y la niña estaban haciendo al modo de una reconciliación. Doña Perfecta besuqueaba a Rosarito, y todo era echarse palabrillas tiernas y mimos.

—¡Reconciliación! Con eso de los armamentos has perdido la chaveta... Pero en fin, ¿me acompañas o no?

—No es a la casa de la señora donde quiere ir —dijo el clérigo—, sino a la posada de la viuda de Cuzco. Me estaba diciendo que no se atreve a ir sola, porque teme ser insultada por...

—¿Por quién?

—Bien se comprende. Por ese ingeniero de tres mil o cuatro mil docenas de demonios. Anoche mi sobrina le vio allí y le dijo cuatro frescas, por cuya razón no las tiene todas consigo esta noche. El mocito es vengativo y procaz.

—No sé si podré ir... —indicó Caballuco—; como ando ahora escondido, no puedo desafiar al don José Poquita Cosa. Si yo no estuviera como estoy, con media cara tapada y la otra medio descubierta, ya le habría roto treinta veces el espinazo. Pero ¿qué sucede si caigo sobre él? Que me descubro; caen sobre mí los soldados, y adiós Caballuco. En cuanto a darle un golpe a traición, es cosa que no sé hacer, ni está en mi natural, ni la señora lo consiente tampoco. Para solfas[179] con alevosía no sirve Cristóbal Ramos.

—Pero hombre, ¿estamos locos?... ¿qué está usted hablando? —dijo el Penitenciario con innegables muestras de asombro—. Ni por pienso le aconsejo yo a usted que maltrate a ese caballero. Antes me dejaré cortar la lengua que aconsejar una bellaquería. Los malos caerán, es verdad; pero Dios es quien debe fijar el momento, no yo. No se trata tampoco de dar palos. Antes recibiré yo diez docenas de ellos que recomendar a un cristiano la administración de tales medicinas. Solo digo a usted una cosa (añadió, mirando al bravo por encima de los espejuelos), y es, que como mi sobrina va allá, como es probable, muy probable, ¿no es eso, Remedios?... que tenga que decir algunas palabritas a ese hombre, recomiendo a usted que no la desampare en caso de que se vea insultada...

—Esta noche tengo que hacer —repuso lacónica y secamente Caballuco.

—Ya lo oyes, Remedios. Deja tu diligencia para mañana.

—Eso sí que no puede ser. Iré sola.

—No, no irás, sobrina mía. Tengamos la fiesta en paz. El señor Ramos no puede acompañarte. Figúrate que eres injuriada por ese hombre grosero...

—¡Insultada... insultada una señora por ese...! —exclamó Caballuco—. Vamos, no puede ser.

---

[179] *solfa:* zurra de golpes.

—Si usted no tuviera ocupaciones... ¡Bah, bah!, ya estaría yo tranquilo.

—Ocupaciones tengo —dijo el Centauro levantándose de la mesa—, pero si es empeño de usted...

Hubo una pausa. El Penitenciario había cerrado los ojos y meditaba.

—Empeño mío es, señor Ramos —dijo al fin.

—Pues no hay más que hablar. Iremos, señora doña María.

—Ahora, querida sobrina —dijo don Inocencio entre serio y jovial—, puesto que hemos concluido de cenar, tráeme la jofaina.

Dirigió a su sobrina una mirada penetrante, y acompañándolas de la acción correspondiente, profirió estas palabras:

—Yo me lavo las manos.

XXVIII

De Pepe Rey a don Juan Rey

Orbajosa, 12 de abril

«Querido padre: perdóneme usted si por primera vez le desobedezco no saliendo de aquí, ni renunciando a mi propósito. El consejo y ruego de usted son propios de un padre bondadoso y honrado; mi terquedad es propia de un hijo insensato; pero en mí pasa una cosa singular: terquedad y honor se han juntado y confundido de tal modo, que la idea de disuadirme y ceder me causa vergüenza. He cambiado mucho. Yo no conocía estos furores que me abrasan. Antes me reía de toda obra violenta, de las exageraciones de los hombres impetuosos, como de las brutalidades de los malvados. Ya nada de esto me asombra, porque en mí mismo encuentro a todas horas cierta capacidad terrible para la perversidad. A usted puedo hablarle como se habla a solas con Dios y con la conciencia; a usted puedo decirle que soy un miserable, porque es un miserable quien carece de aquella poderosa fuerza moral contra sí mismo, que castiga las pasiones y somete la vida al duro régimen de la conciencia. He carecido de la entereza cristiana que contiene el espíritu del hombre ofendido en un hermoso estado de elevación sobre las ofensas que recibe y los enemigos que se las hacen; he tenido la debilidad de abandonarme a una ira loca, poniéndome al bajo nivel de mis detractores, devolviéndoles golpes iguales a los suyos y tratando de confundirlos por medios aprendidos en su propia indigna escuela. ¡Cuánto siento que no estuviera usted a mi lado para apartarme de este camino! Ya es tarde. Las pasiones no tienen espera. Son impacientes y piden su presa a gritos y con la convulsión de una espantosa sed moral. He sucumbido. No puedo olvidar lo que tantas veces me ha dicho usted, y es que la ira puede llamarse la peor de las pasiones, porque transformando de improviso nuestro carácter, engendra todas las demás maldades, y a todas les presta su infernal llamarada.

»Pero no ha sido sola la ira, sino un fuerte sentimiento expansivo, lo que me ha traído a tal estado: el amor profundo y entrañable que profeso a mi prima, única circunstancia que me absuelve. Y si el amor no, la compasión me habría impulsado a desafiar el furor y las intrigas de su terrible hermana de usted, porque la pobre Rosario, colocada entre un afecto irresistible y su madre, es hoy uno de los seres más desgraciados que existen sobre la tierra. El amor que me tiene y que corresponde al mío, ¿no me da derecho a abrir, como pueda, las puertas de su casa y sacarla de allí, empleando la ley hasta donde la ley alcance, y usando la fuerza desde el punto en que la ley me desampare? Creo que los rigurosos escrúpulos morales de usted no darán una respuesta afirmativa a esta proposición; pero yo he dejado de ser aquel carácter metódico y puro, formado en su conciencia con la exactitud de un tratado científico. Ya no soy aquel a quien una educación casi perfecta dio pasmosa regularidad en sus sentimientos; ahora soy un hombre como otro cualquiera; de un solo paso he entrado en el terreno común de lo injusto y de lo malo. Prepárese usted a oír cualquier barbaridad, que será obra mía. Yo cuidaré de notificar a usted las que vaya cometiendo.

»Pero ni la confesión de mis culpas me quitará la responsabilidad de los sucesos graves que han ocurrido y ocurrirán; ni esta, por mucho que argumente, recaerá toda entera sobre su hermana de usted. La responsabilidad de doña Perfecta es inmensa, seguramente. ¿Cuál será la extensión de la mía? ¡Ah!, querido padre. No crea usted nada de lo que oiga respecto a mí, y aténgase tan solo a lo que yo le revele. Si le dicen que he cometido una villanía deliberada, responda que es mentira. Difícil, muy difícil me es juzgarme a mí mismo en el estado de turbación en que me hallo; pero me atrevo a asegurar que no he producido el escándalo deliberadamente. Bien sabe usted a dónde puede llegar la pasión favorecida en su horrible crecimiento invasor por las circunstancias.

»Lo que más amarga mi vida es haber empleado la ficción, el engaño y bajos disimulos. ¡Yo que era la verdad misma! He perdido mi propia hechura... Pero ¿es esto la perversidad mayor en que puede incurrir el alma? ¿Empiezo ahora o acabo? Nada sé. Si Rosario, con su mano celeste, no me saca de este infierno de mi conciencia, deseo que venga usted a sacarme. Mi prima es un ángel, y padeciendo por mí, me ha enseñado muchas cosas que antes no sabía.

»No extrañe usted la incoherencia de lo que escribo. Diversos sentimientos me inflaman. Me asaltan a ratos ideas, dignas verdaderamente de mi alma inmortal; pero a ratos caigo también en desfallecimiento lamentable, y pienso en los hombres débiles y menguados, cuya bajeza me ha pintado usted con vivos colores para que los aborrezca. Tal como hoy me hallo, estoy dispuesto al mal y al bien. Dios tenga piedad de mí. Ya sé lo que es la oración, una súplica grave y reflexiva, tan personal, que no se aviene con fórmulas aprendidas de memoria, una expansión del alma, que se atreve a extenderse hasta buscar su origen; lo contrario del remordimiento que es una contracción de la misma alma, envolviéndose y ocultándose, con el ridículo empeño de que nadie la vea. Usted me ha enseñado muy buenas cosas; pero ahora estoy en prácticas, como decimos los ingenieros; hago estudios sobre el terreno, y con esto mis conocimientos se ensanchan y fijan... Se me está figurando ahora que no soy tan malo como yo mismo creo. ¿Será así?

»Concluyo esta carta a toda prisa. Tengo que enviarla con unos soldados que van hacia la estación de Villahorrenda, porque no hay que fiarse del correo de esta gente».

....

14 de abril

«Le divertiría a usted, querido padre, si pudiera hacerle comprender cómo piensa la gente de este poblachón. Ya sabrá usted que casi todo este país se ha levantado en armas. Era cosa prevista, y los políticos se equivocan si creen que todo concluirá en un par de días. La hostilidad contra nosotros y contra el Gobierno la tienen los orbajosenses en su espíritu, formando parte de él como la fe religiosa. Concretándome a la cuestión particular con mi tía, diré a usted una cosa singular; la pobre señora, que tiene el feudalismo en la médula de los huesos, ha imaginado que voy a atacar su casa para robarle su hija, como los señores de la Edad Media embestían un castillo enemigo para consumar cualquier desafuero. No se ría usted, que es verdad: tales son las ideas de esta gente. Excuso decir a usted que me tiene por un monstruo, por una especie de rey moro herejote, y los militares con quienes hice amistad aquí, no le merecen mejor concepto. En la sociedad de doña Perfecta es cosa corriente que la tropa y yo formamos una coalición diabólica y antirreligiosa para quitarle a Orbajosa sus tesoros, su fe y sus muchachas. Me consta que su hermana de usted cree a pie juntillas que yo voy a tomar por asalto su vivienda, y no es dudoso que detrás de la puerta habrá alguna barricada.

»Pero no puede ser de otra manera. Aquí tienen las ideas más anticuadas acerca de la sociedad, de la religión, del Estado, de la propiedad. La exaltación religiosa, que les impulsa a emplear la fuerza contra el Gobierno, por defender una fe que nadie ha atacado y que ellos no tienen tampoco, despierta en su ánimo resabios feudales, y como resolverían todas sus cuestiones por la fuerza bruta y a fuego y sangre, degollando a todo el que como ellos no piense, creen que no hay en el mundo quien emplee otros medios.

»Lejos de intentar yo quijotadas en la casa de esa señora, he procurado evitarle algunas molestias, de que no se libraron los demás vecinos. Por mi amistad con el brigadier no les han obligado a presentar, como se mandó, una lista de todos los hombres de su servidumbre que se han marchado con la facción; y si se le registró la casa, me consta que fue por fórmula; y si le desarmaron los seis hombres que allí tenía, después ha puesto otros tantos y nada se le ha hecho. Vea usted a lo que está reducida mi hostilidad a la señora.

»Verdad es que yo tengo el apoyo de los jefes militares; pero lo utilizo tan solo para no ser insultado o maltratado por esta gente implacable. Mis probabilidades de éxito consisten en que las autoridades recientemente puestas por el jefe militar, son todas amigas. Tomo de ellas mi fuerza moral, e intimido a los contrarios. No sé si me veré en el caso de cometer alguna acción violenta; pero no se asuste usted, que el asalto y toma de la casa es una ridícula preocupación feudal de su hermana de usted. La casualidad me ha puesto en situación ventajosa. La ira, la pasión que arde en mí, me impulsarán a aprovecharla. No sé hasta dónde iré».

17 de abril

«La carta de usted me ha dado un gran consuelo. Sí; puedo conseguir mi objeto, usando tan solo los recursos de la ley, de indudable eficacia. He consultado a las autoridades de aquí y todas me confirman en lo que usted me indica. Estoy contento. Ya que he inculcado en el ánimo de mi prima la idea de la desobediencia, que sea al menos al amparo de las leyes sociales. Haré lo que usted me manda, es decir, renunciaré a la colaboración un tanto incorrecta del amigo Pinzón; destruiré la solidaridad aterradora que establecí con los militares; dejaré de envanecerme con el poder de ellos; pondré fin a las aventuras, y en el momento oportuno procederé con calma, prudencia y toda la benignidad posible. Mejor es así. Mi coalición, mitad seria, mitad burlesca, con el ejército, ha tenido por objeto ponerme al amparo de las brutalidades de los orbajosenses y de los criados y deudos de mi tía. Por lo demás, siempre he rechazado la idea de lo que llamamos *intervención armada*.

»El amigo que me favorecía ha tenido que salir de la casa; pero no estoy en completa incomunicación con mi prima. La pobrecita demuestra un valor heroico en medio de sus penas, y me obedecerá ciegamente.

»Viva usted sin cuidado respecto a mi seguridad personal. Por mi parte nada temo, y estoy muy tranquilo».

20 de abril

«Hoy no puedo escribir más que dos líneas. Tengo mucho que hacer. Todo concluirá dentro de unos días. No me escriba usted más a este lugarón. Pronto tendrá el gusto de abrazarle su hijo,

Pepe».

XXIX

De Pepe Rey a Rosarito Polentinos

«Dale a Estebanillo la llave de la huerta, y encárgale que cuide del perro. El muchacho está vendido a mí en cuerpo y alma. No temas nada. Sentiré mucho que no puedas bajar, como la otra noche. Haz todo lo posible por conseguirlo. Yo estaré allí después de media noche. Te diré lo que he resuelto y lo que debes hacer. Tranquilízate, niña mía, porque he abandonado todo recurso imprudente y brutal. Ya te contaré. Esto es largo y debe ser hablado. Me parece que veo tu susto y congoja al considerarme tan cerca de ti. Pero hace ocho días que no nos hemos visto. He jurado que esta ausencia de ti concluirá pronto, y concluirá. El corazón me dice que te veré. Maldito sea yo si no te veo».

XXX

El ojeo

Una mujer y un hombre penetraron después de las diez en la posada de la viuda de Cuzco, y salieron de ella dadas las once y media.

—Ahora, señora doña María —dijo el hombre—, la llevaré a usted a su casa, porque tengo que hacer.

—Aguárdate, Ramos, por amor de Dios —repuso ella—. ¿Por qué no nos llegamos al Casino a ver si sale? Ya has oído... Esta tarde estuvo hablando con él Estebanillo, el chico de la huerta.

—¿Pero usted busca a don José? —preguntó el Centauro de muy mal humor—. ¿Qué nos importa? El noviazgo con doña Rosarito paró donde debía parar, y ahora no tiene la señora más remedio que casarlos. Esa es mi opinión.

—Eres un animal —dijo Remedios con enfado.

—Señora, yo me voy.

—Pues qué, hombre grosero, ¿me vas a dejar sola en medio de la calle?

—Si usted no se va pronto a su casa, sí, señora.

—Eso es... me dejas sola, expuesta a ser insultada... Oye, Ramos. Don José saldrá ahora del Casino, como de costumbre. Quiero saber si entra en su casa o sigue adelante. Es un capricho, nada más que un capricho.

—Yo lo que sé es que tengo que hacer, y van a dar las doce.

—Silencio —dijo Remedios—, ocultémonos detrás de la esquina... Un hombre viene por la calle de la Tripería Alta. Es él.

—Don José... Le conozco en el modo de andar.

Se ocultaron y el hombre pasó.

—Sigámosle —dijo María Remedios con zozobra—. Sigámosle a corta distancia, Ramos.

—Señora...

—Nada más sino hasta ver si entra en su casa.

—Un minutillo nada más, doña Remedios. Después me marcharé.

Anduvieron como treinta pasos, a regular distancia del hombre que observaban. La sobrina del Penitenciario se detuvo al fin, y pronunció estas palabras.

—No entra en su casa.

—Irá a casa del brigadier.

—El brigadier vive hacia arriba, y don Pepe va hacia abajo, hacia la casa de la señora.

—¡De la señora! —exclamó Caballuco andando a prisa.

Pero se engañaban; el espiado pasó por delante de la casa de Polentinos, y siguió adelante.

—¿Ve usted como no?

—Cristóbal, sigámosle —dijo Remedios oprimiendo convulsamente la mano del Centauro—. Tengo una corazonada.

—Pronto hemos de saberlo, porque el pueblo se acaba.

—No vayamos tan a prisa... puede vernos... Lo que yo pensé, señor Ramos; va a entrar por la puerta condenada de la huerta.

—¡Señora, usted se ha vuelto loca!

—Adelante, y lo veremos.

La noche era oscura, y no pudieron los observadores precisar dónde había entrado el señor de Rey; pero cierto ruido de bisagras mohosas que oyeron, y la circunstancia de no encontrar al joven en todo lo largo de la tapia, les convencieron de que se había metido dentro de la huerta. Caballuco miró a su interlocutora con estupor. Parecía lelo.

—¿En qué piensas...? ¿Todavía dudas?

—¿Qué debo hacer? —preguntó el bravo lleno de confusión—. ¿Le daremos un susto?... No sé lo que pensará la señora. Dígolo porque esta noche estuve a verla, y me pareció que la madre y la hija se reconciliaban.

—No seas bruto... ¿Por qué no entras?

—Ahora me acuerdo de que los mozos armados ya no están ahí, porque yo les mandé salir esta noche.

—Y aún duda este marmolejo[180] lo que ha de hacer. Ramos, no seas cobarde y entra en la huerta.

—¿Por dónde, si han cerrado la puertecilla?

—Salta por encima de la tapia... ¡Qué pelmazo! Si yo fuera hombre...

—Pues arriba... Aquí hay unos ladrillos gastados por donde suben los chicos a robar fruta.

—Arriba pronto. Yo voy a llamar a la puerta principal para que despierte la señora, si es que duerme.

El Centauro subió, no sin dificultad. Montó a caballo breve instante sobre el muro, y a poco desapareció entre la negra espesura de los árboles. María Remedios corrió desalada hacia la calle del Condestable, y cogiendo el aldabón de la puerta principal, llamó... llamó tres veces con toda el alma y la vida.

---

[180] *marmolejo:* columna pequeña; figuradamente, persona sin decisión y de poco espíritu.

XXXI
Doña Perfecta

Ved con cuánta tranquilidad se consagra a la escritura la señora doña Perfecta. Penetrad en su cuarto, sin reparar en lo avanzado de la hora, y la sorprenderéis en grave tarea, compartido su espíritu entre la meditación y unas largas y concienzudas cartas que traza a ratos con segura pluma y correctos perfiles. Dale de lleno en el rostro y busto y manos la luz del quinqué, cuya pantalla deja en dulce penumbra el resto de la persona y la pieza casi toda. Parece una figura luminosa evocada por la imaginación en medio de las vagas sombras del miedo.

Es extraño que hasta ahora no hayamos hecho una afirmación muy importante: allá va. Doña Perfecta era hermosa, mejor dicho, era todavía hermosa, conservando en su semblante rasgos de acabada belleza. La vida del campo, la falta absoluta de presunción, el no vestirse, el no acicalarse, el odio a las modas, el desprecio de las vanidades cortesanas eran causa de que su nativa hermosura no brillase o brillase muy poco. También la desmejoraba la intensa amarillez de su rostro, indicando una fuerte constitución biliosa.

Negros y rasgados los ojos, fina y delicada la nariz, ancha y despejada la frente, todo observador la consideraba como acabado tipo de la humana figura; pero había en aquellas facciones cierta expresión de dureza y soberbia que era causa de antipatía. Así como otras personas, aun siendo feas, llaman, doña Perfecta despedía. Su mirar, aun acompañado de bondadosas palabras, ponía entre ella y las personas extrañas la infranqueable distancia de un respeto receloso; mas para las de casa, es decir, para sus deudos, parciales y allegados, tenía una singular atracción. Era maestra en dominar, y nadie la igualó en el arte de hablar el lenguaje que mejor cuadraba a cada oreja.

Su hechura biliosa, y el comercio excesivo con personas y cosas devotas, que exaltaban sin fruto ni objeto su imaginación, habíanla envejecido prematuramente, y, siendo joven, no lo parecía. Podría decirse de ella que con sus hábitos y su sistema de vida se había labrado una corteza, un forro pétreo, insensible, encerrándose dentro como el caracol en su casa portátil. Doña Perfecta salía pocas veces de su concha.

Sus costumbres intachables, y aquella bondad pública que hemos observado en ella desde el momento de su aparición en nuestro relato, eran causa de su gran prestigio en Orbajosa. Sostenía además relaciones con excelentes damas de Madrid, y por este medio consiguió la destitución de su sobrino. Ahora, como se ha dicho, hallámosla sentada junto al pupitre, que es el confidente único de sus planes y el depositario de sus cuentas numéricas con los aldeanos, y de sus cuentas morales con Dios y la sociedad. Allí escribió las cartas que trimestralmente recibía su hermano; allí redactaba las esquelitas para incitar al juez y al escribano a que embrollaran los pleitos de Pepe Rey, allí armó el lazo en que este perdiera la confianza del Gobierno; allí conferenciaba largamente con don Inocencio. Para conocer el escenario de otras acciones cuyos efectos hemos visto, sería preciso seguirla al palacio episcopal y a varias casas de familias amigas.

No sabemos cómo hubiera sido doña Perfecta amando. Aborreciendo, tenía la inflamada vehemencia de un ángel tutelar de la discordia entre los hombres. Tal es el resultado producido en un carácter duro y sin bondad nativa por la exaltación religiosa, cuando esta, en vez de nutrirse de la conciencia y de la verdad revelada en principios tan sencillos como hermosos, busca su savia en fórmulas estrechas que solo obedecen a intereses eclesiásticos. Para que la mojigatería sea inofensiva, es preciso que exista en corazones muy puros. Es verdad que, aun en este caso, es infecunda para el bien. Pero los corazones que han nacido sin la seráfica limpieza que establece en la tierra un Limbo prematuro, cuiden bien de no inflamarse mucho con lo que ven en los retablos, en los coros, en los locutorios y en las sacristías, si antes no han elevado en su propia conciencia un altar, un púlpito y un confesonario.

La señora, dejando a ratos la escritura, pasaba a la pieza inmediata donde estaba su hija. A Rosarito se le había mandado que durmiera; pero ella, precipitada ya por el despeñadero de la desobediencia, velaba.

—¿Por qué no duermes? —le preguntó su madre—. Yo no pienso acostarme en toda la noche. Ya sabes que Caballuco se ha llevado los hombres que teníamos aquí. Puede suceder cualquier cosa, y yo vigilo... Si yo no vigilara, ¿qué sería de ti y de mí?...

—¿Qué hora es? —preguntó la muchacha.

—Pronto será media noche... Tú no tendrás miedo... yo lo tengo.

Rosarito temblaba, y todo indicaba en ella la más negra congoja. Sus ojos se dirigían al cielo, como cuando se quiere orar; miraban luego a su madre, expresando un vivo terror.

—Pero, ¿qué tienes?

—¿Ha dicho usted que era media noche?

—Sí.

—Pues... ¿Pero es ya media noche?

Quería Rosario hablar, sacudía la cabeza, encima de la cual se le había puesto un mundo.

—Tú tienes algo... a ti te pasa algo —dijo la madre clavando en ella los sagaces ojos.

—Sí... quería decirle a usted —balbució la muchacha—, quería decir... Nada, nada, me dormiré.

—Rosario, Rosario. Tu madre lee en tu corazón como en un libro —dijo doña Perfecta con severidad—. Tú estás agitada. Ya te he dicho que estoy dispuesta a perdonarte si te arrepientes; si eres una niña buena y formal.

—Pues qué, ¿no soy buena yo? ¡Ay, mamá, mamá mía, yo me muero!

Rosario prorrumpió en llanto congojoso y dolorido.

—¿A qué vienen estos lloros? —dijo su madre abrazándola—. Si son las lágrimas del arrepentimiento, benditas sean.

—Yo no me arrepiento, yo no puedo arrepentirme —gritó la joven con arrebato de desesperación que la puso sublime.

Irguió la cabeza, y en su semblante se pintó súbita, inspirada energía. Los cabellos le caían sobre la espalda. No se ha visto imagen más hermosa de un ángel dispuesto a rebelarse.

—¿Pero te vuelves loca o qué es esto? —dijo doña Perfecta poniéndole ambas manos sobre los hombros.

—¡Me voy, me voy! —exclamó la joven, con la exaltación del delirio.

Y se lanzó fuera del lecho.

—Rosario, Rosario... Hija mía... ¡Por Dios! ¿Qué es esto?

—¡Ay!, mamá, señora —prosiguió la joven abrazándose a su madre—. Áteme usted.

—En verdad, lo merecías... ¿Qué locura es esta?

—Áteme usted... Yo me marcho, me marcho con él.

Doña Perfecta sintió borbotones de fuego que subían de su corazón a sus labios. Se contuvo, y solo con sus ojos negros, más negros que la noche, contestó a su hija.

—¡Mamá, mamá mía, yo aborrezco todo lo que no sea él! —exclamó Rosario—. Óigame usted en confesión, porque quiero confesarlo a todos, y a usted la primera.

—Me vas a matar, me estás matando.

—Yo quiero confesarlo, para que usted me perdone... Este peso, este peso que tengo encima no me deja vivir...

—¡El peso de un pecado!... Añádele encima la maldición de Dios, y prueba a andar con ese fardo, desgraciada... Solo yo puedo quitártelo.

—No, usted no, usted no —gritó Rosario con desesperación—. Pero óigame usted, quiero confesarlo todo, todo... Después arrójeme usted de esta casa, donde he nacido.

—¡Arrojarte yo!...

—Pues me marcharé.

—Menos. Yo te enseñaré los deberes de hija que has olvidado.

—Pues huiré; él me llevará consigo.

—¿Te lo ha dicho, te lo ha aconsejado, te lo ha mandado? —preguntó doña Perfecta, lanzando estas palabras como rayos sobre su hija.

—Me lo aconseja... Hemos concertado casarnos. Es preciso, mamá, mamá mía querida. Yo la amaré a usted... Conozco que debo amarla... Me condenaré si no la amo.

Se retorcía los brazos y cayendo de rodillas, besó los pies a su madre...

—¡Rosario, Rosario! —exclamó doña Perfecta con terrible acento—. Levántate.

Hubo una pequeña pausa.

—¿Ese hombre te ha escrito?

—Sí.

—¿Has vuelto a verle después de aquella noche?

—Sí.

—¡Y tú...!

—Yo también le escribí... ¡Oh!, señora. ¿Por qué me mira usted así? Usted no es mi madre.

—Ojalá no. Gózate en el daño que me haces. Me matas, me matas sin remedio —gritó la señora con indecible agitación—. Dices que ese hombre...

—Es mi esposo... Yo seré suya, protegida por la ley... Usted no es mujer... ¿Por qué me mira usted de ese modo que me hace temblar?... Madre, madre mía, no me condene usted.

—Ya tú te has condenado, basta. Obedéceme y te perdonaré... Responde: ¿cuándo recibiste cartas de ese hombre?

—Hoy.

—¡Qué traición! ¡Qué infamia! —exclamó la madre antes bien rugiendo que hablando—. ¿Esperabais veros?

—Sí.

—¿Cuándo?

—Esta noche.

—¿Dónde?

—Aquí, aquí. Todo lo confieso, todo. Sé que es un delito... Soy muy infame; pero usted, usted, que es mi madre, me sacará de este infierno. Consienta usted... Dígame usted una palabra, una sola.

—¡Ese hombre aquí, en mi casa! —gritó doña Perfecta dando algunos pasos que parecían saltos hacia el centro de la habitación.

Rosario la siguió de rodillas. En el mismo instante oyéronse tres golpes, tres estampidos, tres cañonazos. Era el corazón de María Remedios que tocaba a la puerta, agitando la aldaba. La casa se estremecía con temblor pavoroso. Hija y madre se quedaron como estatuas.

Bajó a abrir un criado, y poco después, en la habitación de doña Perfecta, entró María Remedios, que no era mujer, sino un basilisco envuelto en un mantón. Su rostro encendido por la ansiedad despedía fuego.

—Ahí está, ahí está —dijo al entrar—. Se ha metido en la huerta por la puertecilla condenada...

Tomaba aliento a cada sílaba.

—Ya entiendo —repitió doña Perfecta con una especie de bramido.

Rosario cayó exánime al suelo y perdió el conocimiento.

—Bajemos —dijo doña Perfecta sin hacer caso del desmayo de su hija.

Las dos mujeres se deslizaron por la escalera como dos culebras. Las criadas y el criado estaban en la galería sin saber qué hacer. Doña Perfecta pasó por el comedor a la huerta, seguida de María Remedios.

—Afortunadamente tenemos ahí a Ca... Ca... Caballuco —dijo la sobrina del canónigo.

—¿Dónde?

—En la huerta también... Sal... sal... saltó la tapia.

Exploró doña Perfecta la oscuridad con sus ojos llenos de ira. El rencor les daba la singular videncia de la raza felina.

—Allí veo un bulto... —dijo—. Va hacia las adelfas.

—Es él —gritó Remedios—. Pero allá aparece Ramos... ¡Ramos!

Distinguieron perfectamente la colosal figura del Centauro.

—¡Hacia las adelfas!... ¡Ramos, hacia las adelfas!...

Doña Perfecta adelantó algunos pasos. Su voz ronca, que vibraba con acento terrible, disparó estas palabras:

—Cristóbal, Cristóbal... ¡mátale!

Oyose un tiro. Después otro.

XXXII

De don Cayetano Polentinos a un su amigo de Madrid

Orbajosa, 21 de abril

«Querido amigo: Envíeme usted sin tardanza la edición de 1562 que dice ha encontrado entre los libros de la testamentaría de Corchuelo. Pago ese ejemplar a cualquier precio. Hace tiempo que lo busco inútilmente, y me tendré por mortal venturosísimo poseyéndolo. Ha de hallar usted en el *colophon* un casco con emblema sobre la palabra *Tractado,* y la segunda X de la fecha MDLXXII ha de tener el rabillo torcido. Si, en efecto, concuerdan estas señas con el ejemplar, póngame usted un parte telegráfico, porque estoy muy inquieto... aunque ahora me acuerdo de que el telégrafo, con motivo de estas importunas y fastidiosas guerras, no funciona. A correo vuelto espero la contestación.

»Pronto, amigo mío, pasaré a Madrid con objeto de imprimir este tan esperado trabajo de los *Linajes de Orbajosa.* Agradezco a usted su benevolencia, mi querido amigo; pero no puedo admitirla en lo que tiene de lisonja. No merece mi trabajo, en verdad, los pomposos calificativos con que usted lo encarece; es obra de paciencia y estudio, monumento tosco, pero sólido y grande, que elevo a las grandezas de mi amada patria. Pobre y feo en su hechura, tiene de noble la idea que lo ha engendrado, la cual no es otra que convertir los ojos de esta generación descreída y soberbia hacia los maravillosos hechos y acrisoladas virtudes de nuestros antepasados. ¡Ojalá que la juventud estudiosa de nuestro país diera este paso a que con todas mis fuerzas la incito! ¡Ojalá fueran puestos en perpetuo olvido los abominables estudios y hábitos intelectuales introducidos por el desenfreno filosófico y las erradas doctrinas! ¡Ojalá se emplearan exclusivamente nuestros sabios en la contemplación de aquellas gloriosas edades, para que, penetrados de la sustancia y benéfica savia de ellas los modernos tiempos, desapareciera este loco afán de mudanzas y esta ridícula manía de apropiarnos ideas extrañas, que pugnan con nuestro primoroso organismo nacional! Temo mucho que mis deseos no se vean cumplidos, y que la contemplación de las perfecciones pasadas quede circunscrita al estrecho círculo en que hoy se halla, entre el torbellino de la demente juventud que corre detrás de vanas utopías y bárbaras novedades. ¡Cómo ha de ser, amigo mío! Creo que dentro de algún tiempo ha de estar nuestra pobre España tan desfigurada, que no se conocerá ella misma ni aun mirándose en el clarísimo espejo de su limpia historia.

»No quiero levantar mano de esta carta sin participar a usted un suceso desagradable: la desastrosa muerte de un estimable joven, muy conocido en Madrid, el ingeniero de caminos don José de Rey, sobrino de mi cuñada. Acaeció este triste suceso anoche en la huerta de nuestra casa, y aún no he formado juicio exacto sobre las causas que pudieron arrastrar al desgraciado Rey a esta horrible y criminal determinación. Según me ha referido Perfecta esta mañana cuando volví de Mundo Grande, Pepe Rey, a eso de las doce de la noche, penetró en la huerta de esta casa y se pegó un tiro en la sien derecha, quedando muerto en el acto. Figúrese usted la consternación y alarma que se produciría en esta pacífica y honrada mansión. La pobre Perfecta se impresionó tan vivamente, que nos dio un susto; pero ya está mejor, y esta tarde hemos logrado que tome un sopicaldo. Empleamos todos los medios de consolarla, y como es buena cristiana, sabe soportar con edificante resignación las mayores desgracias.

»Acá para entre los dos, amigo mío, diré a usted, que en el terrible atentado del joven Rey contra su propia existencia, debió influir grandemente una pasión contrariada, tal vez los remordimientos por su conducta y el estado de hipocondría amarguísima en que se encontraba su espíritu. Yo le apreciaba mucho; creo que no carecía de excelentes cualidades; pero aquí estaba tan mal estimado, que ni una sola vez oí hablar bien de él. Según dicen, hacía alarde de ideas y opiniones extravagantísimas; burlábase de la religión; entraba en la iglesia fumando y con el sombrero puesto; no respetaba nada, y para él no había en el mundo pudor, ni virtudes, ni alma, ni ideal, ni fe, sino tan solo teodolitos, escuadras, reglas, máquinas, niveles, picos y azadas. ¿Qué tal? En honor de la verdad, debo decir, que en sus conversaciones conmigo, siempre disimuló tales ideas, sin duda por miedo a ser destrozado por la metralla de mis argumentos; pero de público se refieren de él mil cuentos de herejías estupendas y desafueros.

»No puedo seguir, querido, porque en este momento siento tiros de fusilería. Como no me entusiasman los combates, ni soy guerrero, el pulso me flaquea un tantico. Ya le impondrá a usted de algunos pormenores de esta guerra, su afectísimo, etc., etc.».

22 de abril

«Mi inolvidable amigo: Hoy hemos tenido una sangrienta refriega en las inmediaciones de Orbajosa. La gran partida levantada en Villahorrenda ha sido atacada por las tropas con gran coraje. Ha habido muchas bajas por una y otra parte. Después se dispersaron los bravos guerrilleros; pero van muy envalentonados, y quizá oiga usted maravillas. Mándalos, a pesar de estar herido en un brazo, no se sabe cómo ni cuándo, Cristóbal Caballuco, hijo de aquel egregio Caballuco que usted conoció en la pasada guerra. Es el caudillo actual hombre de grandes condiciones para el mando, y además honrado y sencillo. Como al fin hemos de presenciar un arreglito amistoso, presumo que Caballuco será general del ejército español, con lo cual uno y otro ganarán mucho.

»Yo deploro esta guerra, que va tomando proporciones alarmantes; pero reconozco que nuestros bravos campesinos no son responsables de ella, pues han sido provocados al cruento batallar por la audacia del Gobierno, por la desmoralización de sus sacrílegos delegados, por la saña sistemática con que los representantes del Estado atacan lo más venerando que existe en la conciencia de los pueblos, la fe religiosa y el acrisolado españolismo, que por fortuna se conservan en lugares no infestados aún de la asoladora pestilencia. Cuando a un pueblo se le quiere quitar su alma para infundirle otra; cuando se le quiere descastar, digámoslo así, mudando sus sentimientos, sus costumbres, sus ideas, es natural que ese pueblo se defienda, como el que en mitad de solitario camino se ve asaltado de infames ladrones. Lleven a las esferas del Gobierno el espíritu y la salutífera sustancia de mi obra de los *Linajes* (perdóneme usted la inmodestia), y entonces no habrá guerras.

»Hoy hemos tenido aquí una cuestión muy desagradable. El clero, amigo mío, se ha negado a enterrar en sepultura sagrada al infeliz Rey. Yo he intervenido en este asunto, impetrando del señor obispo que levantara anatema de tanto peso; pero nada se ha podido conseguir. Por fin hemos empaquetado el cuerpo del joven en un hoyo que se hizo en el campo de Mundo Grande, donde mis pacienzudas exploraciones han descubierto la riqueza arqueológica que usted conoce. He pasado un rato muy triste, y aún me dura la penosísima impresión que recibí. Don Juan Tafetán y yo fuimos los únicos que acompañaron el fúnebre cortejo. Poco después fueron allá (cosa rara) esas que llaman aquí las Troyas, y rezaron largo rato sobre la rústica tumba del matemático. Aunque esto parecía una oficiosidad ridícula, me conmovió.

»Respecto de la muerte de Rey, corre por el pueblo el rumor de que fue asesinado. No se sabe por quién. Aseguran que él lo declaró así, pues vivió como hora y media. Guardó secreto, según dicen, respecto a quién fue su matador. Repito esta versión sin desmentirla ni apoyarla. Perfecta no quiere que se hable de este asunto, y se aflige mucho siempre que lo tomo en boca.

»La pobrecita, apenas ocurrida una desgracia, experimenta otra que a todos nos contrista mucho. Amigo mío, ya tenemos una nueva víctima de la funestísima y rancia enfermedad connaturalizada en nuestra familia. La pobre Rosario, que iba saliendo adelante, gracias a nuestros cuidados, está ya perdida de la cabeza. Sus palabras incoherentes, su atroz delirio, su palidez mortal, recuérdanme a mi madre y hermana. Este caso es el más grave que he presenciado en mi familia, pues no se trata de manías, sino de verdadera locura. Es triste, tristísimo, que entre tantos, yo sea el único que ha logrado escapar, conservando mi juicio sano y entero, y totalmente libre de ese funesto mal.

»No he podido dar sus expresiones de usted a don Inocencio, porque el pobrecito se nos ha puesto malo de repente y no recibe a nadie, ni permite que le vean sus más íntimos amigos. Pero estoy seguro de que le devuelve a usted sus recuerdos, y no dude que pondrá mano al instante en la traducción de varios epigramas latinos que usted le recomienda... Suenan tiros otra vez. Dicen que tendremos gresca esta tarde. La tropa acaba de salir».

Barcelona, 1.º de junio

«Acabo de llegar aquí después de dejar a mi sobrina Rosario en San Baudilio de Llobregat[181]. El director del establecimiento me ha asegurado que es un caso incurable. Tendrá, sí, una asistencia esmeradísima en aquel alegre y grandioso manicomio. Mi querido amigo, si alguna vez caigo yo también, llévenme a San Baudilio. Espero encontrar a mi vuelta pruebas de los *Linajes*. Pienso añadir seis pliegos, porque sería gran falta no publicar las razones que tengo para sostener que Mateo Díez Coronel, autor del *Métrico Encomio,* desciende por la línea materna de los Guevaras y no de los Burguillos, como ha sostenido erradamente el autor de la *Floresta amena*.

»Escribo esta carta principalmente para hacerle a usted una advertencia. He oído aquí a varias personas hablar de la muerte de Pepe Rey, refiriéndola tal como sucedió efectivamente. Yo revelé a usted este secreto cuando nos vimos en Madrid, contándole lo que supe algún tiempo después del suceso. Extraño mucho que no habiéndolo dicho yo a nadie más que a usted, lo cuenten aquí con todos sus pelos y señales, explicando cómo entró en la huerta, cómo descargó su revólver sobre Caballuco cuando vio que este le acometía con la navaja, cómo Ramos le disparó después con tanto acierto que le dejó en el sitio... En fin, mi querido amigo, por si inadvertidamente ha hablado de esto con alguien, le recuerdo que es un secreto de familia, y con esto basta para una persona tan prudente y discreta como usted.

»Albricias, albricias. En un periodiquín he leído que Caballuco ha derrotado al brigadier Batalla».

---

181 Población del área metropolitana de Barcelona.

Orbajosa, 12 de diciembre

»Una sensible noticia tengo que dar a usted. Ya no tenemos Penitenciario, no precisamente porque haya pasado a mejor vida, sino porque el pobrecito está desde el mes de abril tan acongojado, tan melancólico, tan taciturno, que no se le conoce. Ya no hay en él ni siquiera dejos de aquel humor ático, de aquella jovialidad correcta y clásica que le hacía tan amable. Huye de la gente, se encierra en su casa, no recibe a nadie, apenas toma alimento, y ha roto toda clase de relaciones con el mundo. Si le viera usted no le conocería, porque se ha quedado en los puros huesos[182]. Lo más particular es que ha reñido con su sobrina y vive solo, enteramente solo en una casucha del arrabal de Baidejos. Ahora dicen que renuncia su silla en el coro de la catedral y se marcha a Roma. ¡Ay! Orbajosa pierde mucho, perdiendo a su gran latino. Me parece que pasarán años tras años y no tendremos otro. Nuestra gloriosa España se acaba, se aniquila, se muere».

Orbajosa, 23 de diciembre

»El joven que recomendé a usted en carta llevada por él mismo, es sobrino de nuestro querido Penitenciario, abogado con puntas de escritor. Esmeradamente educado por su tío, tiene ideas juiciosas. ¡Cuán sensible sería que se corrompiera en ese lodazal de filosofismo e incredulidad! Es honrado, trabajador y buen católico, por lo cual creo que hará carrera en un bufete como el de usted.... Quizás le llevará una ambicioncilla (pues también la tiene) a las lides

[182] Como se indicó en la introducción, Galdós ha aprendido de Balzac a crear personajes que no son completamente negativos o completamente positivos. En el caso de don Inocencio, vemos aquí que la conciencia del mal que ha causado le atormenta, y augura para él un futuro sombrío.

políticas, y creo que no sería mala ganancia para la causa del orden y la tradición, hoy que la juventud está pervertida por *los de la cáscara amarga*[183]. Acompáñale su madre, una mujer ordinaria y sin barniz social, pero de un corazón excelente y acendrada piedad. El amor materno toma en ella la forma algo extravagante de la ambición mundana, y dice que su hijo ha de ser ministro. Bien puede serlo».

»Perfecta me da expresiones para usted. No sé a punto fijo qué tiene; pero ello es que nos inspira cuidado. Ha perdido el apetito de una manera alarmante, y o yo no entiendo de males, o allí hay un principio de ictericia[184]. Esta casa está muy triste desde que falta Rosario, que la alegraba con su sonrisa y su bondad angelical. Ahora parece que hay una nube negra encima de nosotros. La pobre Perfecta habla frecuentemente de esta nube, que cada vez se pone más negra, mientras ella se vuelve cada día más amarilla. La pobre madre halla consuelo a su dolor en la religión y en los ejercicios del culto, que practica cada vez con más ejemplaridad y edificación. Pasa casi todo el día en la iglesia, y gasta su gran fortuna en espléndidas funciones, en novenas y manifiestos brillantísimos. Gracias a ella, el culto ha recobrado en Orbajosa su esplendor de otros días. Esto no deja de ser un alivio en medio de la decadencia y acabamiento de nuestra nacionalidad...».

»Mañana irán las pruebas... Añadiré otros dos pliegos, porque he descubierto un nuevo orbajosense ilustre. Bernardo Amador de Soto, que fue espolique[185] del duque de Osuna, le sirvió durante la época del vireinato de Nápoles, y aun hay indicios de que no hizo nada, absolutamente nada, en el complot contra Venecia».

---

[183] *los de la cáscara amarga:* la expresión nació después de la Guerra de la Independencia, tras el restablecimiento del absolutismo, y se usó para designar a los pensadores de ideas liberales y avanzadas, enemigos de las formas de vida tradicionales.

[184] *ictericia:* condición enferma producida por un aumento de la masa biliar.

[185] *espolique:* mozo que camina junto a la caballería de su amo.

XXXIII

Esto se acabó. Es cuanto por ahora podemos decir de las personas que parecen buenas y no lo son.

FIN DE LA NOVELA

Madrid, abril de 1876.